Excelを思い通りに使う本

川西晴

SB Creative

巻頭付録 Ctrl と組み合わせるショートカットキー

ショートカットキーは複数のキーを組み合わせるものも多く、とりわけ Ctrl キーは頻繁に登場します。
ここでは Ctrl キーと一緒に使えるショートカットキーをまとめて紹介します。

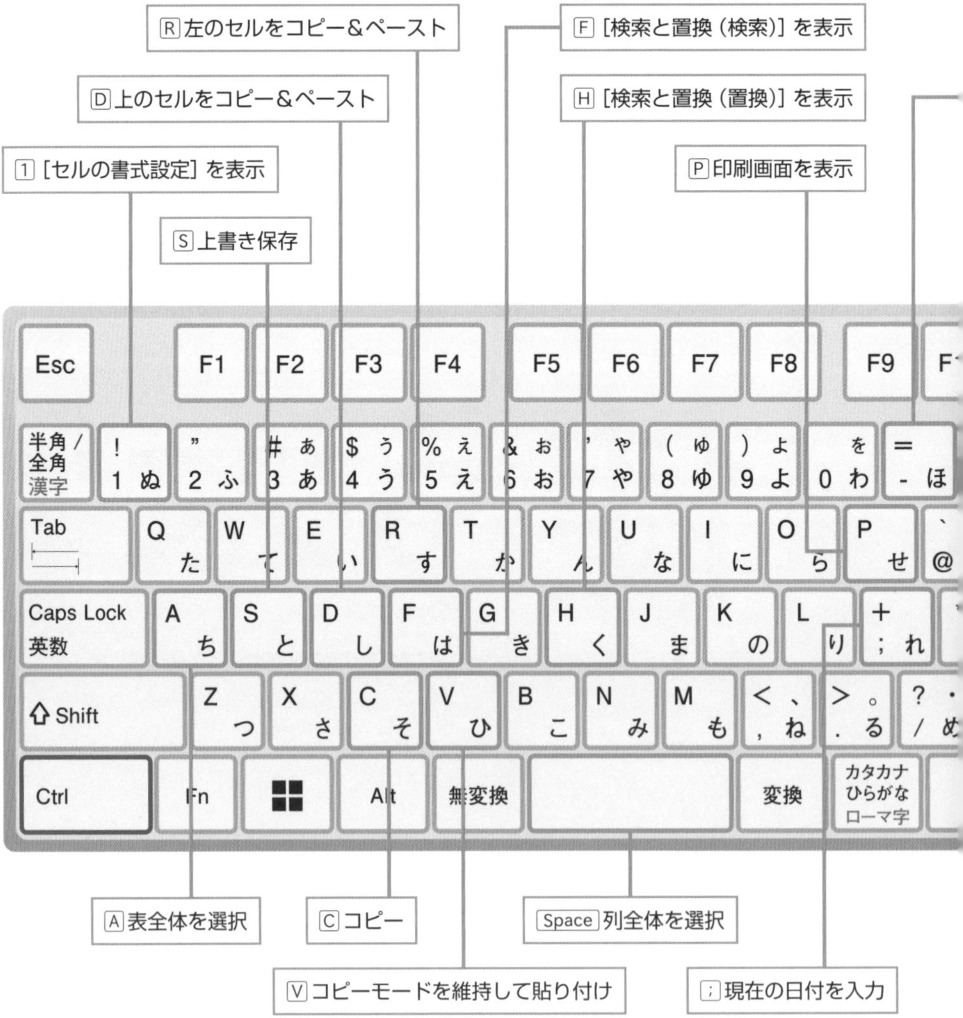

- R 左のセルをコピー&ペースト
- D 上のセルをコピー&ペースト
- 1 [セルの書式設定] を表示
- S 上書き保存
- F [検索と置換（検索）] を表示
- H [検索と置換（置換）] を表示
- P 印刷画面を表示
- A 表全体を選択
- C コピー
- Space 列全体を選択
- V コピーモードを維持して貼り付け
- ; 現在の日付を入力

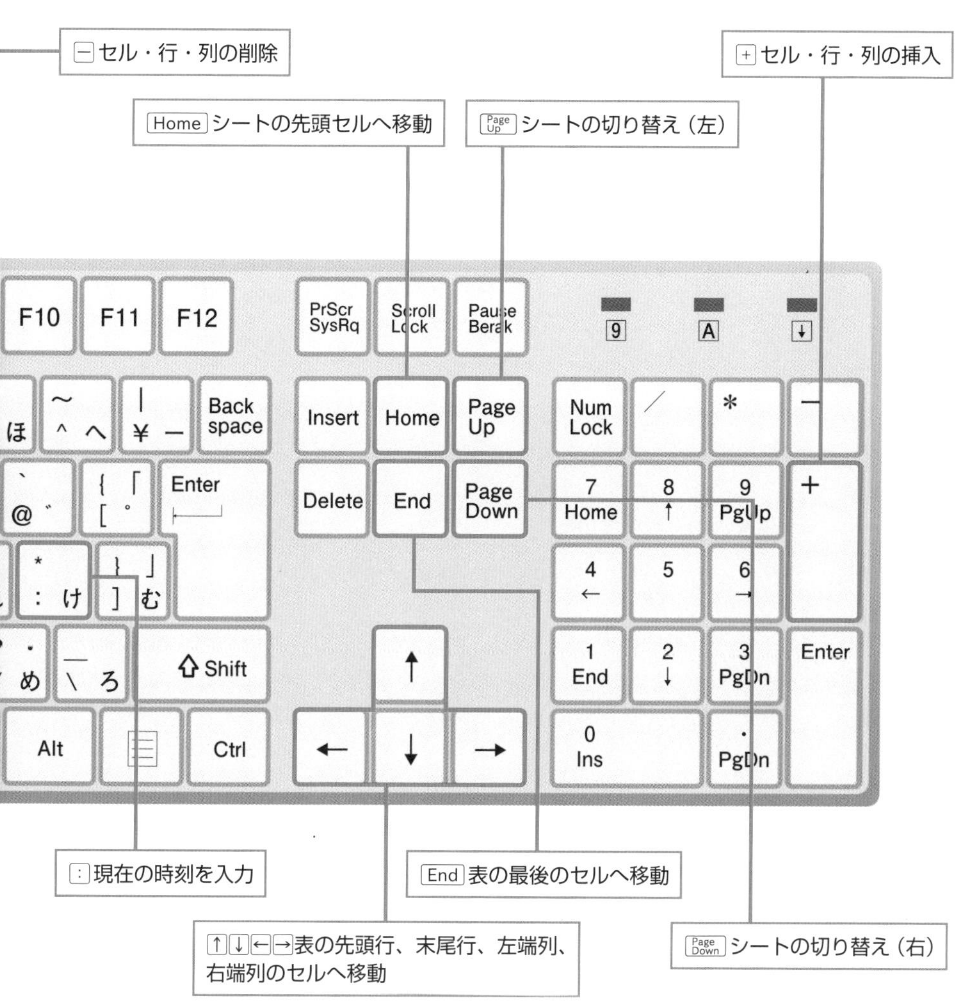

－ セル・行・列の削除
＋ セル・行・列の挿入
Home シートの先頭セルへ移動
Page Up シートの切り替え（左）
F10
F11
F12
PrScr SysRq
Scroll Lock
Pause Berak
9
A
↓
Back space
Insert
Home
Page Up
Num Lock
*
－
Enter
Delete
End
Page Down
7 Home
8 ↑
9 PgUp
+
4 ←
5
6 →
Shift
1 End
2 ↓
3 PgDn
Enter
Alt
Ctrl
0 Ins
. PgDn
: 現在の時刻を入力
End 表の最後のセルへ移動
↑↓←→表の先頭行、末尾行、左端列、右端列のセルへ移動
Page Down シートの切り替え（右）

はじめに

本書をお手に取っていただきありがとうございます。突然ですが、普段Excelを使う中で、

「セルに番号を入力したら、日付に変わってしまった」
「全角や半角が混在しているのを統一したい」
「表を印刷したら、端の列が切れて変な形で出力された」

といった経験はありませんか？

Excelを使う中で遭遇する不具合の多くは、気が付いてすぐに修正できます。
しかし、こうした小さな引っかかりがあると、そのたびに戻って作業をやり直したり、手を止めて対処法を調べたりしなくてはなりません。
1つひとつは些細なことかもしれませんが、「思い通りに動かない」というのはストレスになりますし、作業を中断させられることで集中力が途切れてしまいます。

私は日々、出張の交通費を申請するための経理用シートを記入したり、新しい企画を提案する際に補足資料として市場調査の結果をまとめて可視化するなど、仕事の中心ではないものの必要な作業でExcelを使うことがしばしばあります。
私はほぼ毎日と言っても過言ではないほど「思い通りにExcel作業ができず、小さな手戻りが発生する」という状況に陥っていました。Excelは私にとって、うっすらと苦手意識があり、ストレスがたまるものでした。

しかし、あるとき「どうせ使わなければならないのだから、徹底的に攻略してやろう！」と思い立ち、毎朝1時間だけ早起きしてExcelの勉強に充てることにしました。書籍やインターネットを駆使して独学した結果、

「Excelは機能が多いけれども、日常的に使うのはごく一部の基本的なものである」

ということに気が付いたのです。

また、ふと周りを見ると、かつての自分と同じようにままならないExcel作業にイライラしていたり、Excelに対して苦手意識を持っている人がたくさんいるではありませんか！

●印刷時に列が分かれてしまった

会員No	氏名	氏名（カタカナ）	電話番号	郵便番号	住所	生年月日
10000	真鍋茂樹	マナベシゲキ	0823706800	737-0827	広島県呉市西愛宕町4-16-16タウン西愛宕町317	1974/07/04
10001	溝口優華	ミゾグチユウカ	0150040092	048-2405	北海道余市郡仁木町北町1-8-13	1977/09/09
10002	菅沼雅子	スガヌママサコ	0988658124	904-2224	沖縄県うるま市大田3-20-19	1988/01/11
10003	日比野力	ヒビノチカラ	0479831795	289-1101	千葉県八街市朝日2-7-10	1967/09/09
10004	恩田芳郎	オンダヨシロウ	0234886090	999-2211	山形県南陽市赤湯1-20	1983/12/07
10005	中塚寧音	ナカツカネネ	0899766557	797-0002	愛媛県西予市宇和町平野2-16-3	1969/11/26
10006	安斉雅樹	アンザイマサキ	0767377850	939-0656	富山県下新川郡入善町笹原3-4笹原アパート312	1975/09/19
10007	田淵昭	タブチアキラ	0523639706	496-0036	愛知県津島市愛宕町2-11-15シティ愛宕町110	1987/09/08
10008	平原匠理	ヒラハラショウリ	0950023189	859-0307	長崎県諫早市白木峰町4-13-19	2000/12/14
10009	秋田麗華	アキタレイカ	0766810645	931-8423	富山県富山市町袋3-9-13	1985/10/03
10010	野上善雄	ノガミヨシオ	0472429048	270-1168	千葉県我孫子市根戸1-4-7	1992/01/19
10011	石岡勝三	イシオカカツゾウ	0834226338	759-4101	山口県長門市東深川4-17	1981/12/25
10012	神戸孝宏	コウベタカヒロ	0187925104	017-0864	秋田県大館市根下戸新町2-19タワー根下戸新町114	1967/11/03
10013	大澤睦夫	オオサワムツオ	0238718618	993-0017	山形県長井市花作町2-17-4	2002/06/02
10014	石垣寅男	イシガキトラオ	0184483416	018-2612	秋田県山本郡八峰町八森ノケソリ4-17-3ダイヤモンド八森ノケソリ410	1966/05/29
10015	小田叶恋	オダカレン	0220144768	989-6106	宮城県大崎市古川幸町1-4-9	2001/11/04
10016	福田克美	フクダカツミ	0556323676	409-2214	山梨県南巨摩郡南部町塩沢1-18塩沢グリーン317	1967/01/23
10017	滝友洋	タキトモヒロ	0267776243	399-7403	長野県松本市穴沢4-1穴沢コーポ316	1964/04/15
10018	村上晶子	ムラカミマサコ	0254728525	949-1608	新潟県上越市名立区蛛畑1-16-5	1971/12/08
10019	古沢愛翔	フルサワアイト	0788833253	664-0873	兵庫県伊丹市野間3-7野間コーポ414	1997/09/28
10020	日下花梨	クサカカリン	0857713742	680-0405	鳥取県八頭郡八頭町隼郡家1-10-17	1987/11/06
10021	鮫島愛子	サメジマアイコ	0887482873	780-8085	高知県高知市大谷公園町2-3	1976/10/20
10022	花田幸一	ハナダコウイチ	0984367562	885-0014	宮崎県都城市祝吉町4-6-11祝吉町ロイヤル312	1989/07/18
10023	梶新一郎	カジシンイチロウ	0723205125	590-0985	大阪府堺市堺区戎島町3-10-3	1969/01/08
10024	古田忠志	フルタタダシ	085831914	680-0854	鳥取県鳥取市正蓮寺2-3-12コンフォート正蓮寺206	1993/12/19
10025	桑田咲菜	クワタサナ	0886015850	788-0041	高知県宿毛市橋上町出井2-19	1969/10/15
10026	奥義勝	オクヨシカツ	0769815820	920-0005	石川県金沢市高柳町4-15-14	1969/04/26
10027	須田優海	スダユウミ	0352388178	168-0064	東京都杉並区永福3-15	1995/05/18
10028	植木圭二	ウエキケイジ	0837960786	759-6603	山口県下関市安岡町1-1安岡町ハイツ211	1976/05/28
10029	秋葉朋香	アキバトモカ	0822966346	739-0022	広島県東広島市西条町上三永4-20-1	1971/09/02
10030	高嶋喜弘	タカシマヨシヒロ	0857691953	689-5221	鳥取県日野郡日南町河上3-16-10	1977/03/22
10031	浅田花鈴	アサダカリン	0463282630	246-0026	神奈川県横浜市瀬谷区阿久和南2-8-17	1976/10/15
10032	庄司幸市	ショウジコウイチ	0936554804	839-0264	福岡県柳川市大和町谷垣3-15-11	1990/06/18
10033	手島楓	テジマカエデ	0888077712	788-0343	高知県幡多郡大月町柏島2-1-20柏島タワー316	1997/02/21
10034	西野一二三	ニシノヒフミ	0875031557	761-4405	香川県小豆郡小豆島町橘3-4-17コート橘218	2001/09/23
10035	根岸優来	ネギシユラ	0855357424	692-0006	島根県安来市西荒島町4-17-8西荒島町の杜210	1988/07/28
10036	秋元数子	アキモトカズコ	0172039894	038-3284	青森県つがる市木造亀ケ岡1-18木造亀ケ岡シーサイド308	1964/12/15
10037	金谷大輝	カナヤダイキ	0585439666	501-0124	岐阜県岐阜市鏡島中4-14フォレスト鏡島中314	1972/08/02
10038	田中章治郎	タナカショウジロウ	0541039753	410-0047	静岡県沼津市庄栄町4-8-5庄栄町ハイツ116	1979/03/29
10039	亀田晴臣	カメダハルオミ	019878701	029-4205	岩手県奥州市前沢新城4-17シティ前沢新城404	1992/06/05

Sheet1

会員No	氏名	氏名（カタカナ）	電話番号	郵便番号
10000	真鍋茂樹	マナベシゲキ	0823706800	737-0827
10001	溝口優華	ミゾグチユウカ	0150040092	048-2405
10002	菅沼雅子	スガヌママサコ	0988658124	904-2224
10003	日比野力	ヒビノチカラ	0479831795	289-1101
10004	恩田芳郎	オンダヨシロウ	0234886090	999-2211
10005	中塚寧音	ナカツカネネ	0899766557	797-0002
10006	安斉雅樹	アンザイマサキ	0767377850	939-0656
10007	田淵昭	タブチアキラ	0523639706	496-0036
10008	平原匠理	ヒラハラショウリ	0950023189	859-0307
10009	秋田麗華	アキタレイカ	0766810645	931-8423
10010	野上善雄	ノガミヨシオ	0472429048	270-1168
10011	石岡勝三	イシオカカツゾウ	0834226338	759-4101
10012	神戸孝宏	コウベタカヒロ	0187925104	017-0864
10013	大澤睦夫	オオサワムツオ	0238718618	993-0017
10014	石垣寅男	イシガキトラオ	0184483416	018-2612
10015	小田叶恋	オダカレン	0220144768	989-6106
10016	福田克美	フクダカツミ	0556323676	409-2214
10017	滝友洋	タキトモヒロ	0267776243	399-7403
10018	村上晶子	ムラカミマサコ	0254728525	949-1608
10019	古沢愛翔	フルサワアイト	0788833253	664-0873
10020	日下花梨	クサカカリン	0857713742	680-0405
10021	鮫島愛子	サメジマアイコ	0887482873	780-8085
10022	花田幸一	ハナダコウイチ	0984367562	885-0014
10023	梶新一郎	カジシンイチロウ	0723205125	590-0985
10024	古田忠志	フルタタダシ	085831914	680-0854
10025	桑田咲菜	クワタサナ	0886015850	788-0041
10026	奥義勝	オクヨシカツ	0769815820	920-0005
10027	須田優海	スダユウミ	0352388178	168-0064
10028	植木圭二	ウエキケイジ	0837960786	759-6603
10029	秋葉朋香	アキバトモカ	0822966346	739-0022
10030	高嶋喜弘	タカシマヨシヒロ	0857691953	689-5221
10031	浅田花鈴	アサダカリン	0463282630	246-0026
10032	庄司幸市	ショウジコウイチ	0936554804	839-0264
10033	手島楓	テジマカエデ	0888077712	788-0343
10034	西野一二三	ニシノヒフミ	0875031557	761-4405
10035	根岸優来	ネギシユラ	0855357424	692-0006

住所	生年月日
広島県呉市西愛宕町4-16-16タウン西愛宕町317	1974/07/04
北海道余市郡仁木町北町1-8-13	1977/09/09
沖縄県うるま市大田3-20-19	1988/01/11
千葉県八街市朝日2-7-10	1967/09/09
山形県南陽市赤湯1-20	1983/12/07
愛媛県西予市宇和町平野2-16-3	1969/11/26
富山県下新川郡入善町笹原3-4笹原アパート312	1975/09/19
愛知県津島市愛宕町2-11-15シティ愛宕町110	1987/09/08
長崎県諫早市白木峰町4-13-19	2000/12/14
富山県富山市町袋3-9-13	1985/10/03
千葉県我孫子市根戸1-4-7	1992/01/19
山口県長門市東深川4-17	1981/12/25
秋田県大館市根下戸新町2-19タワー根下戸新町114	1967/11/03
山形県長井市花作町2-17-4	2002/06/02
秋田県山本郡八峰町八森ノケソリ4-17-3ダイヤモンド八森ノケソリ410	1966/05/29
宮城県大崎市古川幸町1-4-9	2001/11/04
山梨県南巨摩郡南部町塩沢1-18塩沢グリーン317	1967/01/23
長野県松本市穴沢4-1穴沢コーポ316	1964/04/15
新潟県上越市名立区蛛畑1-16-5	1971/12/08
兵庫県伊丹市野間3-7野間コーポ414	1997/09/28
鳥取県八頭郡八頭町隼郡家1-10-17	1987/11/06
高知県高知市大谷公園町2-3	1976/10/20
宮崎県都城市祝吉町4-6-11祝吉町ロイヤル312	1989/07/18
大阪府堺市堺区戎島町3-10-3	1969/01/08
鳥取県鳥取市正蓮寺2-3-12コンフォート正蓮寺206	1993/12/19
高知県宿毛市橋上町出井2-19	1969/10/15
石川県金沢市高柳町4-15-14	1969/04/26
東京都杉並区永福3-15	1995/05/18
山口県下関市安岡町1-1安岡町ハイツ211	1976/05/28
広島県東広島市西条町上三永4-20-1	1971/09/02
鳥取県日野郡日南町河上3-16-10	1977/03/22
神奈川県横浜市瀬谷区阿久和南2-8-17	1976/10/15
福岡県柳川市大和町谷垣3-15-11	1990/06/18
高知県幡多郡大月町柏島2-1-20柏島タワー316	1997/02/21
香川県小豆郡小豆島町橘3-4-17コート橘218	2001/09/23
島根県安来市西荒島町4-17-8西荒島町の杜210	1988/07/28

よくよく話を聞いてみると、

「ショートカットキーを使えば一瞬で済む作業をマウスで行っている」
「自動生成できる連番を手動で入力している」

など、本来とても優秀な方々が、ちょっとしたテクニックを知らないがために損をしているケースが多く、非常にもったいないと感じたものです。

そこで私は、1人でも多くのビジネスパーソンがExcelに必要以上のエネルギーを取られず、本来のポテンシャルを発揮できるようにとの願いを込めて本書を執筆しました。

本書の対象読者

以下に1つでも当てはまる方には、本書はきっと有意義なものとなるでしょう。

・日常的にExcelを使用している
・Excelをもっと使いこなしたい
・Excelを使っていてイライラすることがある
・Excel作業は手早く済ませて、メインの業務に集中したい
・もっと仕事を効率化したい
・同じことを何度も調べている
・できるだけ楽に仕事をこなしたい
・便利な機能やワザをたくさん知りたい

本書には、Excelを使うすべての方に知ってもらいたい便利なワザ、誰もが一度は遭遇する疑問やトラブルの解決法を詰め込みました。紹介している内容はどれもシンプルで即効性があり、Excelに慣れていない方でもすぐに使うことができます。

本書は頭からしっかりと読み込んだり、書かれている内容をすべて覚えたりする必要はありません。デスクの傍らに置いて困ったときに参照したり、空いた時間に気になる項目を拾い読みしたりするなど、好きなところから気軽に開いてみてください。

本書で扱う項目

本書では、読んですぐに使える便利な機能やワザをまとめています。Excelは非常に機能が多く、複雑な計算やマクロVBAを使った自動化、データの集計・分析など、高度な用途にも使用できます。

しかし、さまざまな企業で研修を行う中で、多くの方が高度な機能を使いこなすことよりも、基本的な操作をよりスムーズに行うことを望んでいることが見えてきました。そのため、本書は多くの方に共通するテーマをピックアップして紹介しています。

●Excelの設定や便利ワザ

保存や入力に関する設定やショートカットキー、使用頻度の高い関数を紹介します。ショートカットキーは慣れてしまえばマウスを使うよりも大幅に作業が速くなりますので、実際に試して手で覚えてしまうのがおすすめです。

●データの入力、セルの書式設定、データの移動

基本的な内容ですが、だからこそExcelを使う上で避けて通れない項目です。Excelは表計算ソフトなので、入力した値が数値や数式として扱われるなど、人間にとっては思わぬ動作をすることがしばしばあります。しかし、作業スピードを上げたい方、小さなミスを減らしたい方は必見です。

●表とテーブル、グラフ

表やグラフは「誰に何を伝えるか」が重要です。見る人や伝えたい内容に応じて、どのようなデザインが良いのか、どの情報を一番目立たせるかが変わってきます。本書ではデザインの変更や要素の追加・削除についても扱いますので、あなたの仕事に役立ちそうな項目をチェックしてみてください。

●印刷

Excelを使う中で、誰しも一度は印刷に失敗した経験があるのではないでしょうか。印刷前に本書を手に取り、目的に応じた項目を開いていただければ、細かい設定を覚えることなく、思い通りに印刷できるようになります。

●エラー対処

入力時に発生するものを中心に、遭遇頻度が高いエラーとその対処法をまとめています。エラーの箇所を調べるコツや、本書で扱っていないエラーを自分で調べるコツについても取り上げています。

1日10分の時短が、無限の可能性を秘めている

本書で扱う内容はどれもシンプルで、1項目あたりの時短効果は3分程度です。とはいえ、マウスでやっていた作業をショートカットキーに置き換えたり、ちょっとしたミスによる手戻りをなくしたりしていくと、少なく見積もっても10分や20分は節約できそうです。

「その程度の時短では、何も変わらないよ」と物足りなく感じる方もいるかもしれません。1日10分というと誤差のようですが、1週間で50分、1か月で3時間20分、1年では40時間……と、長い目で見るとかなりの時間になります。

人間の脳は本来、マルチタスクが得意ではありません。一定時間集中して作業するのと、途中で割り込むタスクに対応しながら作業するのとでは、多くの場合前者の方が効率よく進められます。マルチタスクが上手に見える人は、複数のタスクを細分化し、1本の流れに再構築している、とも言われていますね。

少し脱線しましたが、つまりExcelを使う中で手戻りが発生したり、調べ物をしたりすることは、作業中にしょっちゅう電話がかかってくるようなもので、小さなことでも確実に集中力が落ち、疲労がたまります。

●マルチタスクは非効率

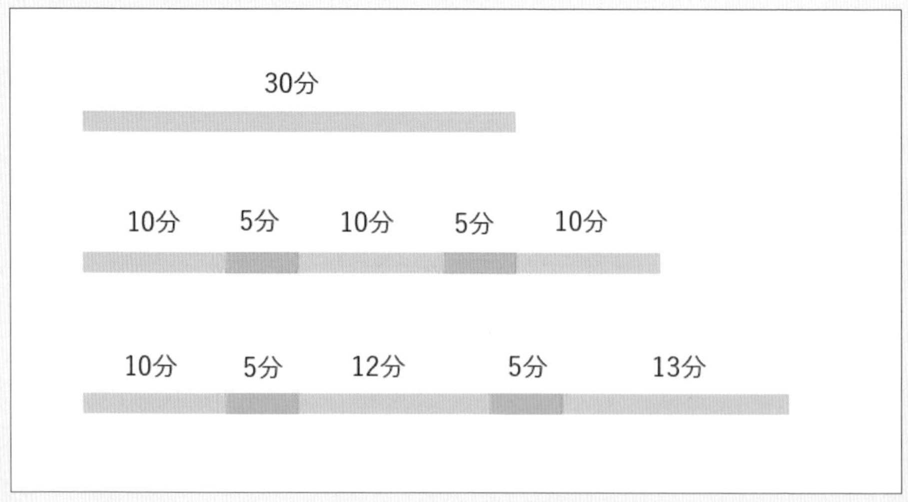

例えば、本来であれば30分で終わる作業中に、5分で解決できるエラーが2回発生したとします。

単純に考えると30分＋5分＋5分＝40分で終わる計算ですが、合間に「エラーの原因を調べて対処する」といったタスクが割り込むことで作業の効率が落ち、実際は45分、50分とかかるかもしれません。

集中力を切らさないためには、

・割り込みタスクを発生させない
・割り込みタスクに深入りしない

といったことが必要です。本書はミスを事前に防いだり、発生したエラーをすばやく解消したりするために役立ちます。

また、Excel関連の雑務をスムーズに片付けられると、空いた時間をお客様とのコミュニケーションや新規事業のアイデア出し、さらなる効率化の工夫などのクリエイティブな活動に充てたり、簡単なストレッチをしてリフレッシュしたりすることもできます。小さな余裕がさらなる余裕につながり、仕事がサクサク進む好循環が生まれます。

業務改善のはじめの一歩

新しい習慣を定着させるには、無理なく簡単にできる小さなステップからはじめるのが一番の近道です。繰り返しになりますが、本書に書かれていることをすべて覚える必要はありませんので、順番は気にせず興味のあるところから拾い読みしてください。

その際には、実際に手を動かして試してみることをおすすめします。自分でやってみることで、普段よりどれだけスムーズになるかを体験してください。納得したことは頭に入りやすく、そして自然と定着します。

本書が皆様のビジネスライフをより良いものにする助けとなりましたら、これ以上の喜びはありません。

2023年3月　著者

本書の使い方

本書は、ビジネスでExcel作業をする中で突き当たるちょっとした不便を解消することを目的としています。

138のテクニックを理解することで、Excelのよくある不具合の解決法がしっかり身に付くように構成されています。

テクニック
本書は9章で構成されています。テクニックは1章から通し番号が振られています。

手順
テクニックで行う操作手順を本文と画像で示しています。数字を確認しながら実際の操作を行ってください。

補足
画像の補足事項を示しています。

Technique 090　365　2021　2019　2016

テーブルのデータを絞り込み表示する②範囲で絞り込む

範囲で絞り込む

フィルターの**詳細設定**機能を使うと、指定した検索範囲からデータを絞り込んでテーブルに表示させることができます。

範囲で絞り込むには、あらかじめ絞り込むデータを指定するための表❶を別途用意しておきます。[データ] タブ❷→ [並べ替えとフィルター] の [詳細設定] ❸を選択します。[フィルターオプションの設定] ダイアログボックスで、[リスト範囲] ❹に元のデータとなる表範囲を指定し、[検索条件範囲] ❺に別途用意した表範囲をドラッグして指定します。最後に [OK] ❻をクリックすると、データを絞り込むことができます。

●フィルターオプションの設定を表示する　05-22.xlsx

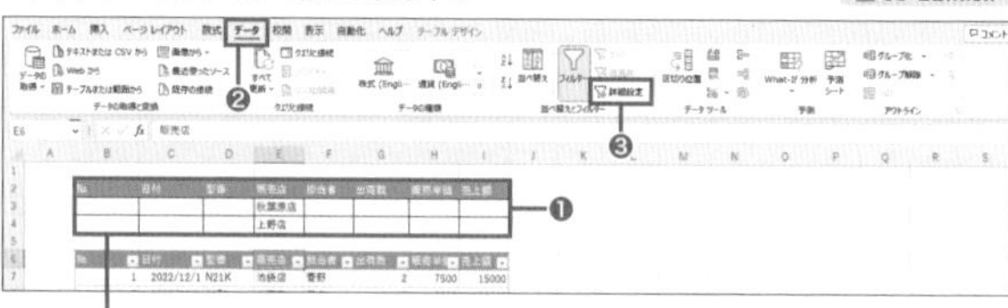

「秋葉原店」と「上野店」に絞り込む

●範囲で絞り込む

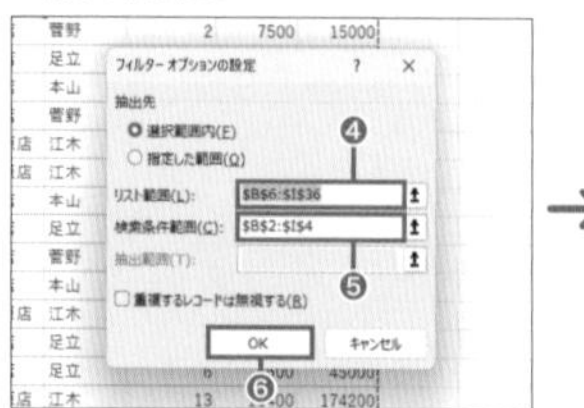

→

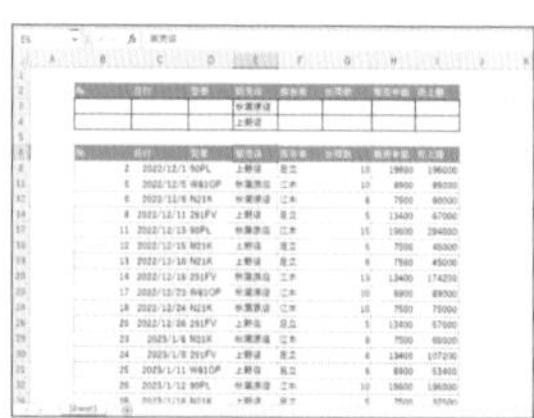

144

読みやすい!　書籍全体にわたって、読みやすい、太く、大きな文字を使っています。

安心!　1つひとつの手順を全部掲載。初心者がつまずきがちな落とし穴も丁寧にフォローしています。

役立つ!　多くの人がやりたいことを徹底的に研究して、仕事に役立つ内容に仕上げています。

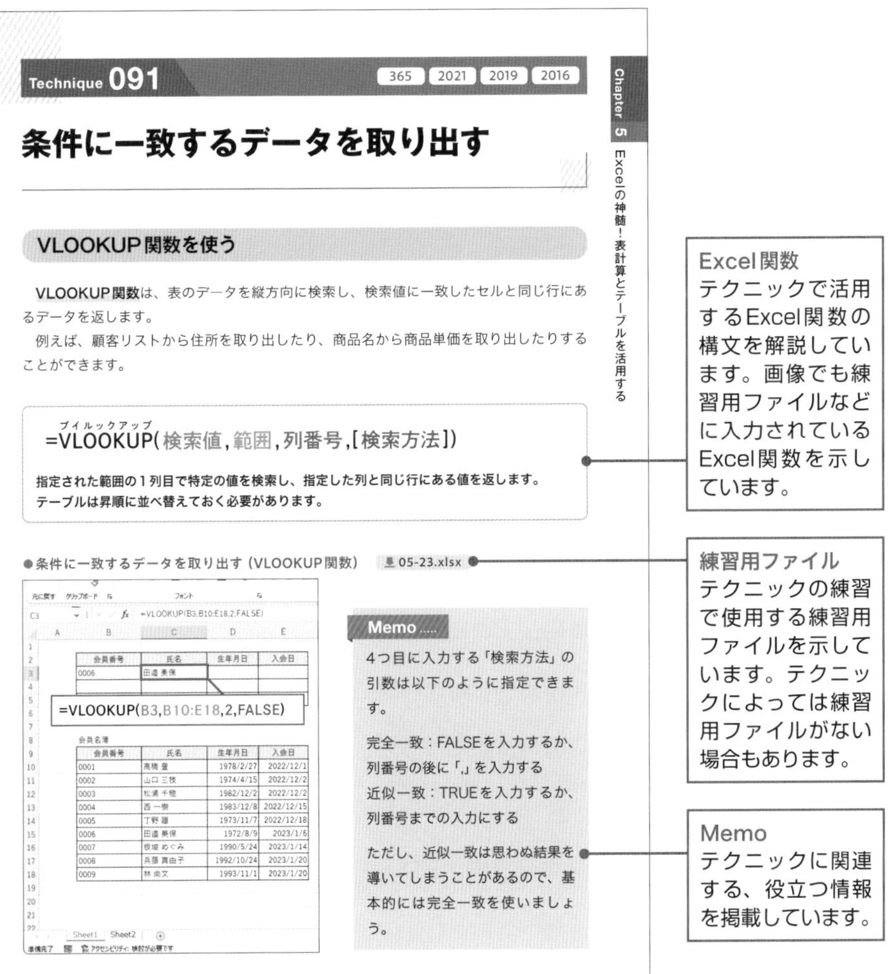

Technique 091　365　2021　2019　2016

Chapter 5　Excelの神髄！表計算とテーブルを活用する

条件に一致するデータを取り出す

VLOOKUP関数を使う

VLOOKUP関数は、表のデータを縦方向に検索し、検索値に一致したセルと同じ行にあるデータを返します。

例えば、顧客リストから住所を取り出したり、商品名から商品単価を取り出したりすることができます。

=VLOOKUP(検索値,範囲,列番号,[検索方法])

指定された範囲の1列目で特定の値を検索し、指定した列と同じ行にある値を返します。テーブルは昇順に並べ替えておく必要があります。

●条件に一致するデータを取り出す（VLOOKUP関数）　05-23.xlsx

=VLOOKUP(B3,B10:E18,2,FALSE)

会員番号	氏名	生年月日	入会日
0006	田邉 美保		

会員名簿

会員番号	氏名	生年月日	入会日
0001	高橋 量	1978/2/27	2022/12/1
0002	山口 三枝	1974/4/15	2022/12/2
0003	松浦 千穂	1982/12/2	2022/12/2
0004	西 一樹	1983/12/8	2022/12/15
0005	丁野 謙	1973/11/7	2022/12/18
0006	田邉 美保	1972/8/9	2023/1/6
0007	坂場 めぐみ	1990/5/24	2023/1/14
0008	兵藤 真由子	1992/10/24	2023/1/20
0009	林 尚文	1993/11/1	2023/1/20

Memo

4つ目に入力する「検索方法」の引数は以下のように指定できます。

完全一致：FALSEを入力するか、列番号の後に「,」を入力する

近似一致：TRUEを入力するか、列番号までの入力にする

ただし、近似一致は思わぬ結果を導いてしまうことがあるので、基本的には完全一致を使いましょう。

145

Excel関数　テクニックで活用するExcel関数の構文を解説しています。画像でも練習用ファイルなどに入力されているExcel関数を示しています。

練習用ファイル　テクニックの練習で使用する練習用ファイルを示しています。テクニックによっては練習用ファイルがない場合もあります。

Memo　テクニックに関連する、役立つ情報を掲載しています。

目次

Chapter 2 もうイライラしない！ 思い通りにすばやくデータ入力

Chapter 3 実は奥が深い セルの書式設定を使いこなす

Chapter 4 データの移動を極める

Chapter 5 Excelの神髄！ 表計算とテーブルを活用する

Chapter 6 説得力のあるグラフと図表を作るコツ

Chapter 7 意図した通りに印刷するテクニック

Chapter 8 よくあるエラーと対処法

Chapter 9 Excelの連携ワザ

本書に関するお問い合わせ

この度は小社書籍をご購入いただき誠にありがとうございます。小社では本書の内容に関するご質問を受け付けております。本書を読み進めていただきます中でご不明な箇所がございましたらお問い合わせください。なお、ご質問の前に小社Webサイトで「正誤表」をご確認ください。最新の正誤情報を下記Webページに掲載しております。

本書サポートページ

https://isbn2.sbcr.jp/19039/

■正誤情報

上記ページの「サポート情報」をクリックし、「正誤情報」のリンクからご確認ください。なお、正誤情報がない場合は、リンクは用意されていません。

■練習用ファイル

本書では、実際に動かして確認できる練習用ファイルを提供しています。上記ページの「サポート情報」をクリックして、「ダウンロード」のリンクから圧縮ファイルをダウンロードし、任意の場所に展開してご利用ください。

ご質問送付先

ご質問については下記のいずれかの方法をご利用ください。

Webページより

上記サポートページ内にある「お問い合わせ」をクリックしていただき、メールフォームの要綱に従ってご質問をご記入の上、送信してください。

郵送

郵送の場合は下記までお願いいたします。

〒106-0032
東京都港区六本木2-4-5
SBクリエイティブ 読者サポート係

Chapter 1

最初に知りたい設定や便利ワザ

本章では、Excelを使いやすくする設定とショートカットキーを紹介します。

Excelはとても機能が多く、使い方も人によって千差万別です。自分が使いやすい形にExcelをカスタマイズすることも、作業を快適にするための第一歩です。新しいテクニックを学ぶことも大切ですが、不要なものを手放すことも効率化のカギとなります。

また、よく使う機能をショートカットキーに置き換えることで、キーボードとマウスを往復する手間を減らすことができます。

Technique 001 365 2021 2019 2016

作業を快適にする設定①
自動保存でフリーズも怖くない

3通りの自動保存方法を使いこなす

「資料作成中にパソコンがフリーズして今まで作業した内容が消えてしまった」「大事なファイルを違う内容で上書き保存してしまった」「テンプレート用のファイルに上書きしてしまった」こういった経験をして焦ったことがある方は少なくないのではないでしょうか。まだ経験したことがなくても、いつこのような事故が起こってもおかしくないと思って、予防策を立てておくことはとても重要です。

Excelにはファイルを自動保存したり、バックアップや履歴を残しておいたりできる機能が用意されています。

ここでは、3通りの自動保存方法を紹介します。それぞれを組み合わせて利用することも可能なので、いざというときに備えて設定を見直してみましょう。

自動回復用ファイルの保存間隔を調整する

Excelには、一定の間隔で**自動回復用ファイル**を保存する機能が備わっており、初期設定では10分間隔に設定されています。ファイルが保存されないままExcelが終了してしまっても、10分前までのデータがパソコンに残っていることになります。

この保存間隔は変更が可能です。起動画面または［ファイル］画面で［オプション］を選択し、［保存］❶を選択したら、［次の間隔で自動回復用データを保存する］を3分程度に設定する❷とより安心です。

なお、自動回復用ファイルは、［自動回復用ファイルの場所］に設定されている場所に保存されます。

●自動回復用ファイルの保存間隔を短くする

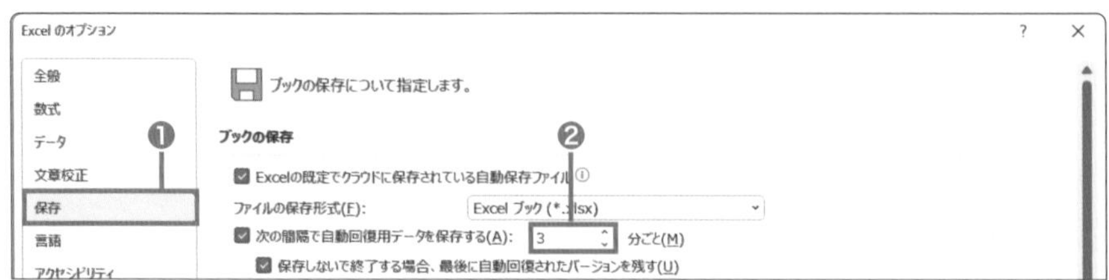

バックアップファイルを自動的に作成する

最初にファイルに名前を付けて保存する際に、**バックアップファイル**を作成する設定をしておくと、上書き保存をするたびに1つ前の保存内容が「○○のバックアップ.xlk」というファイル名のバックアップファイルになって保存されます。

F12キーで［名前を付けて保存］ダイアログボックスを表示し、下部の［ツール］❶→［全般オプション］❷を選択し、［バックアップファイルを作成する］❸をオンにして［OK］❹をクリックします。

●バックアップファイルを作成する

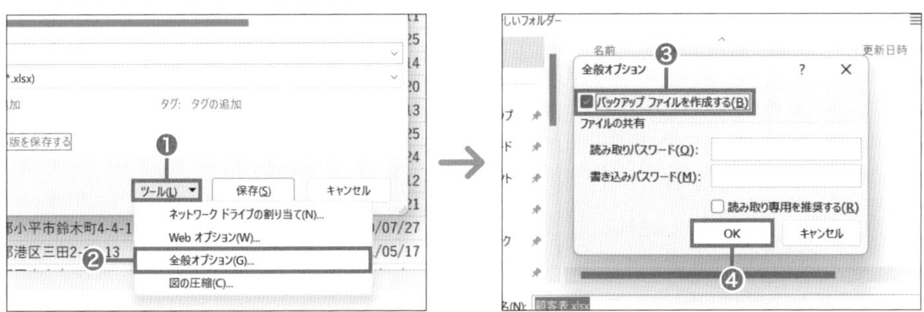

自動保存機能を使う

Microsoft 365を利用している場合、名前を付けて保存する際に、保存場所をOneDriveに設定すると、自動的に**自動保存**の設定が有効になります。

また、以前のバージョンを復元したいときは、画面上部のファイル名をクリックし、［バージョン履歴］を選択して表示される［バージョン履歴］ウィンドウから復元したい時刻の［バージョンを開く］をクリックして、［復元］をクリックします。

●OneDriveに保存して自動保存を有効にする

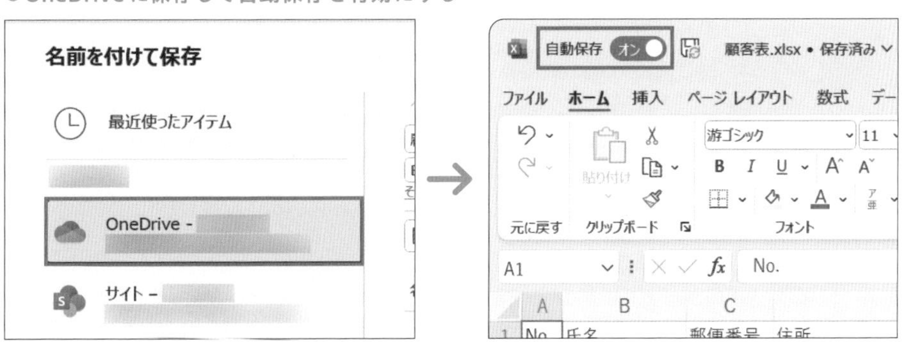

Technique 002 365 2021 2019 2016

作業を快適にする設定②
おせっかいな自動修正をやめさせる

オートコレクト、オートコンプリートを無効化する

「英字を入力したら勝手に最初のアルファベットが大文字になった」「途中まで文字を入力したら、セル内に入力候補が表示された」という経験はありませんか？

スペルミスや誤入力を自動的に修正してくれる**オートコレクト**や同じ列内から入力候補を表示してくれる**オートコンプリート**は、非常に便利な機能ではありますが、意図しない変換が行われてしまうことがあります。わずらわしい場合はオフに設定しましょう。

オートコレクトをオフにしたい場合は、起動画面または［ファイル］画面で［オプション］を選択し、［文章校正］❶を選択したら、［オートコレクトのオプション］❷を選択します。［オートコレクト］ダイアログボックスの［オートコレクト］タブ❸で、オフにしたい項目のチェックを外し❹、［OK］❺をクリックして適用します。

●オートコレクトをオフにする

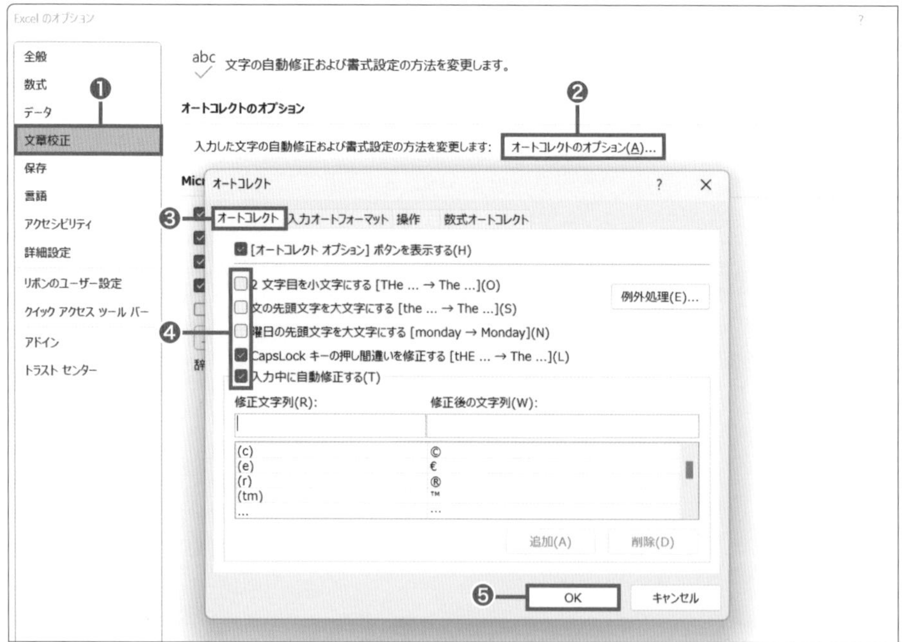

オートコンプリートをオフにしたい場合は、起動画面または［ファイル］画面で［オプション］を選択し、［詳細設定］❶を選択したら、［オートコンプリートを使用する］❷のチェックを外し、［OK］をクリックして適用します。

●オートコンプリートをオフにする

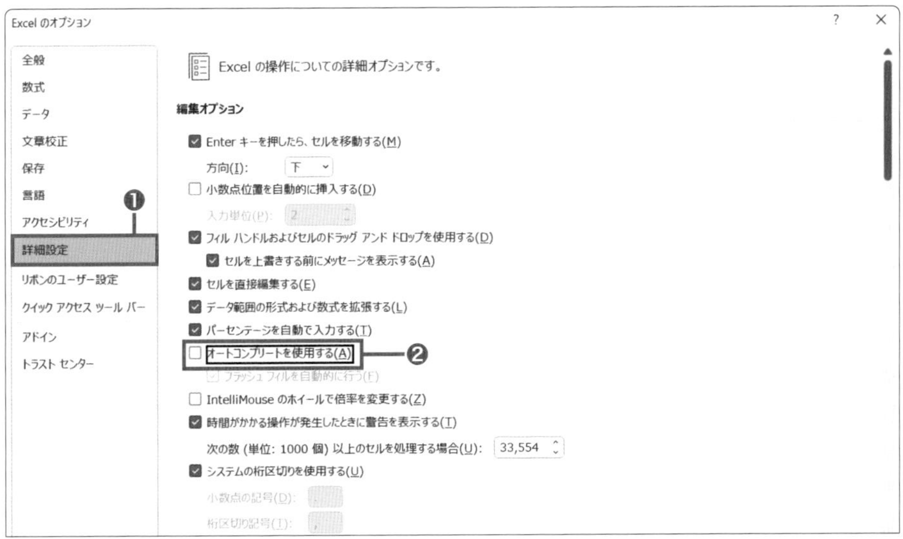

入力候補を削除する

オートコンプリートの入力候補を必要ないときだけ都度無効にしたい場合は、入力候補が表示された際に Delete を押します。

●オートコンプリートの入力候補を削除する

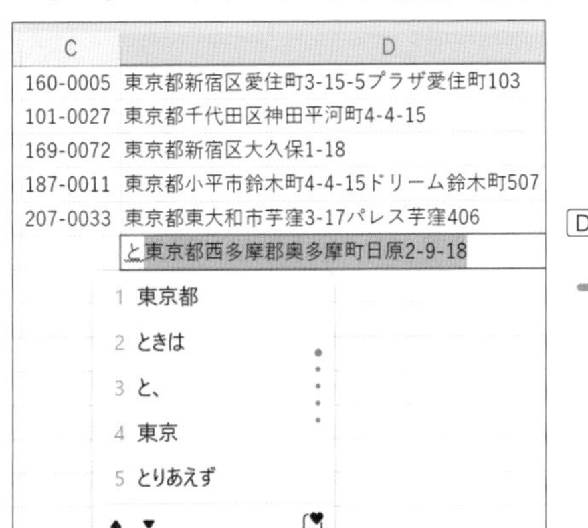

Delete

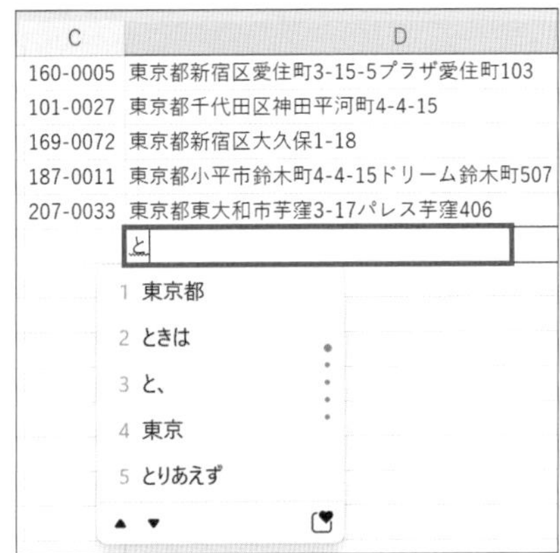

Technique 003 365 2021 2019 2016

作業を快適にする設定③ 画面を広く使う

リボンを非表示にする

Excelのコマンドの多くはリボンに表示されており、さまざまな設定が行える便利な機能の1つです。しかし、画面の上部でそれなりの面積を占めているため、画面を広く使いたいときには邪魔に感じてしまうかもしれません。また、「よく利用する機能はすべてショートカットキーで操作している」といった場合も、リボンを常に表示させておく必要性は低いでしょう。**リボンは非表示にすることができる**ので、必要に応じて設定を変更しましょう。

リボンの空白部分❶を右クリックし、[リボンを折りたたむ] ❷を選択します。

●リボンをタブのみの表示にする

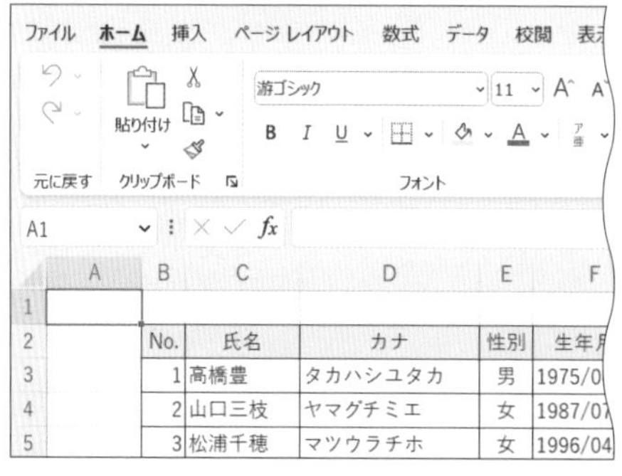
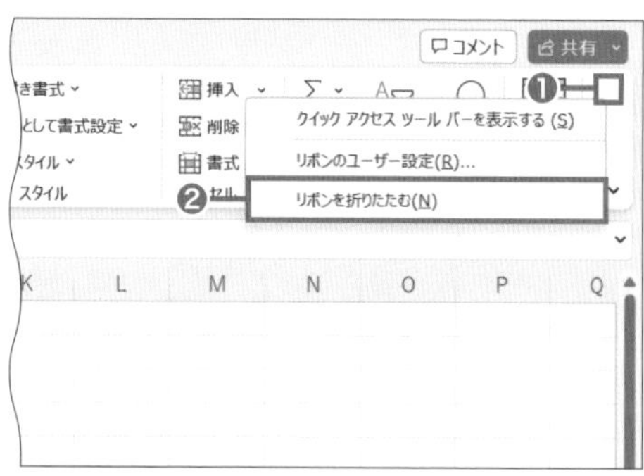

●リボンが非表示になり、一度に表示できる範囲が増えた

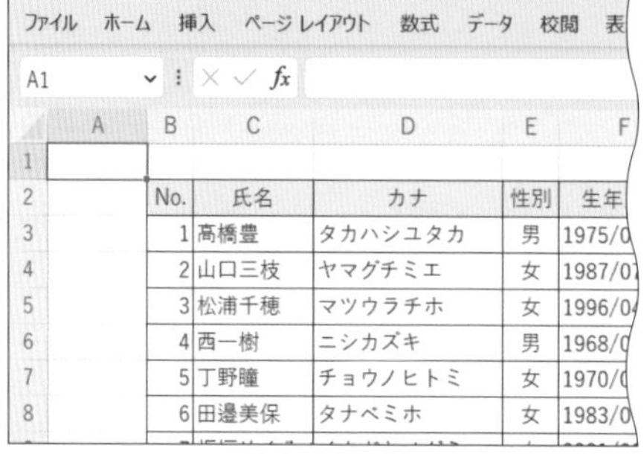
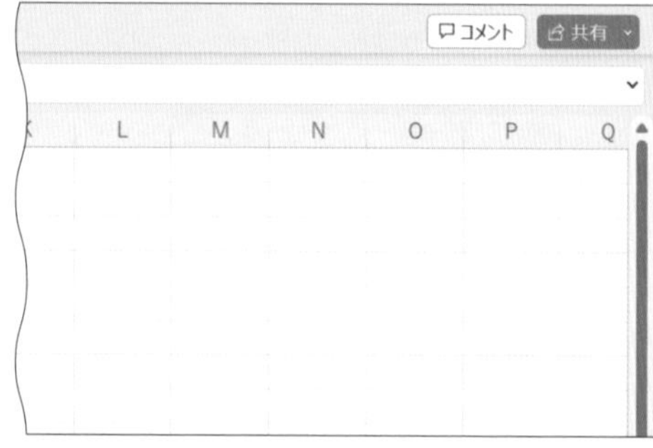

Technique 004　365　2021　2019　2016

作業を快適にする設定④
よく使う機能をすぐに呼び出す

クイックアクセスツールバーを表示する

クイックアクセスツールバーとは、よく使うコマンドを登録してすばやく利用するための機能です。初期状態では非表示になっています（Excelのバージョンによっては最初から表示されています）。

リボンの右端の［∨］❶をクリックし、［クイックアクセスツールバーを表示する］❷を選択します。

●クイックアクセスツールバーを表示する

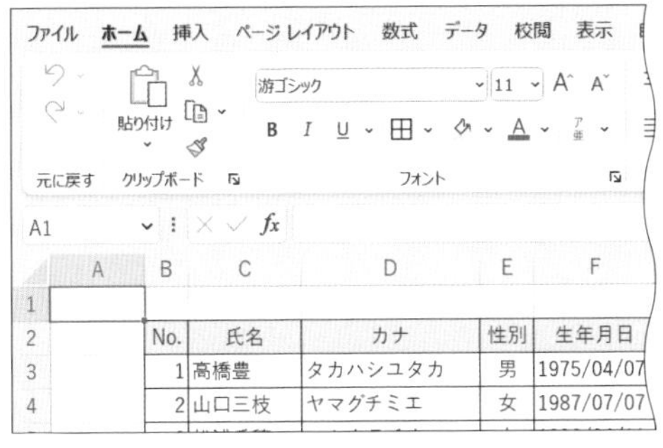

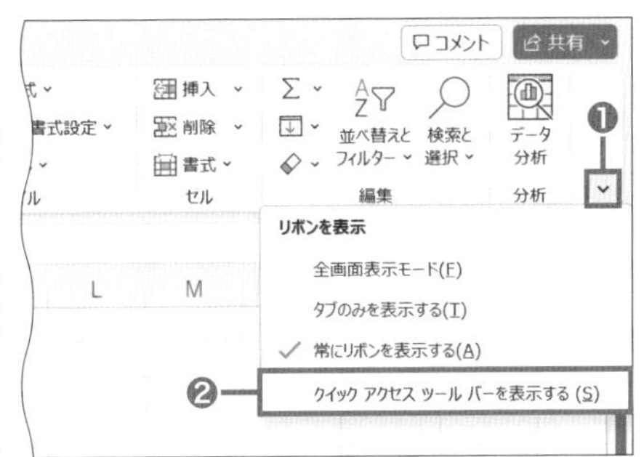

●クイックアクセスツールバーが表示された

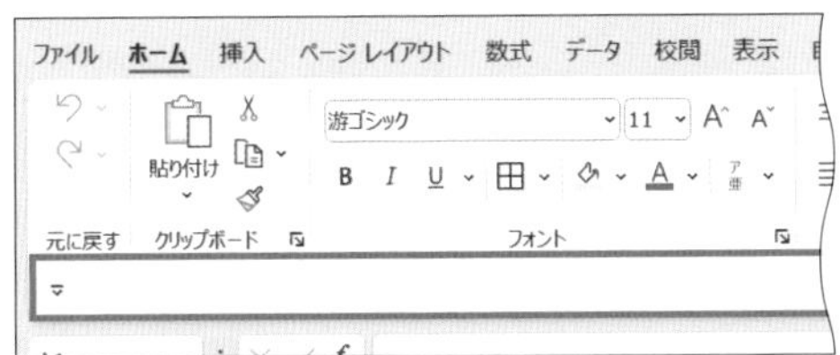

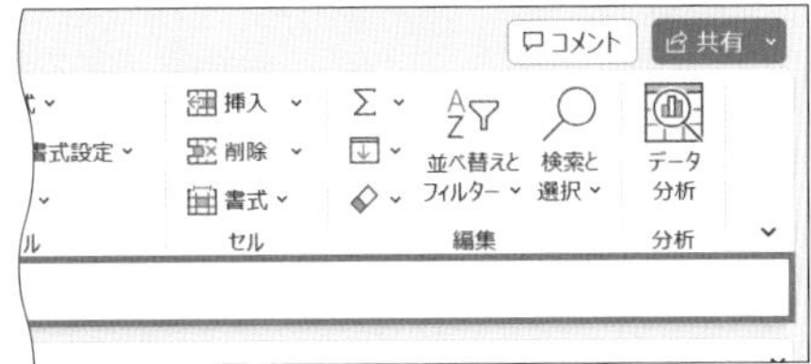

Memo

クイックアクセスツールバーをリボンの下ではなく、タイトルバーに表示させたい場合は、クイックアクセスツールバーの［▽］→［リボンの上に表示］を選択します。

クイックアクセスツールバーをカスタマイズする

初期状態では、クイックアクセスツールバーにコマンドが登録されていません。

クイックアクセスツールバーの［▽］→［その他のコマンド］❶を選択し、［コマンドの選択］で追加したいコマンドを探します。追加したいコマンド❷を選択し、［追加］❸をクリックして、［クイックアクセスツールバーのユーザー設定］にコマンドを登録したら［OK］❹をクリックして必要なコマンドを追加します。

●クイックアクセスツールバーにコマンドを追加する

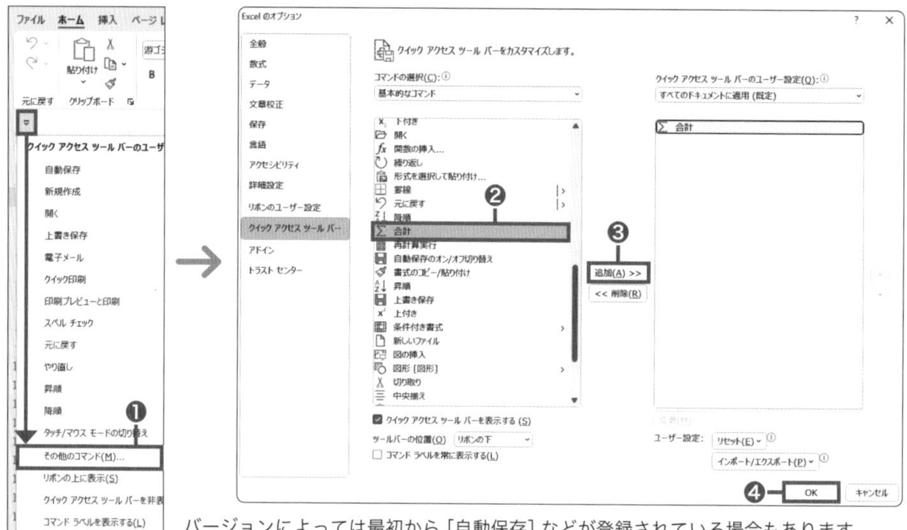

バージョンによっては最初から［自動保存］などが登録されている場合もあります。

●クイックアクセスツールバーにコマンドが表示される

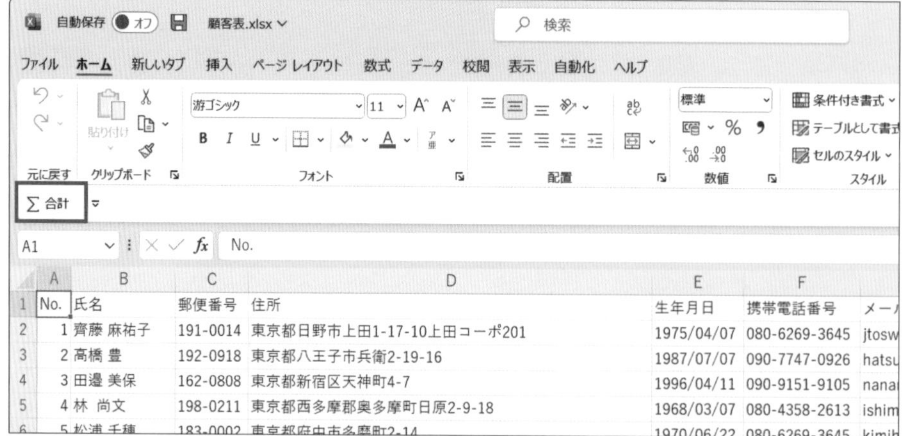

タブをカスタマイズする

クイックアクセスツールバーと同様に、**タブ**もカスタマイズすることが可能です。よく使うコマンドをまとめたタブを作ってリボンにまとめて表示させましょう。

起動画面または［ファイル］画面で［オプション］を選択し、［リボンのユーザー設定］❶を選択したら、［リボンのユーザー設定］の［新しいタブ］❷を選択し、クイックアクセスツールバーと同様の操作でコマンドを追加❸して［OK］❹で適用します。新しいタブの名称は［名前の変更］から変更できます。

●新しいタブを追加する

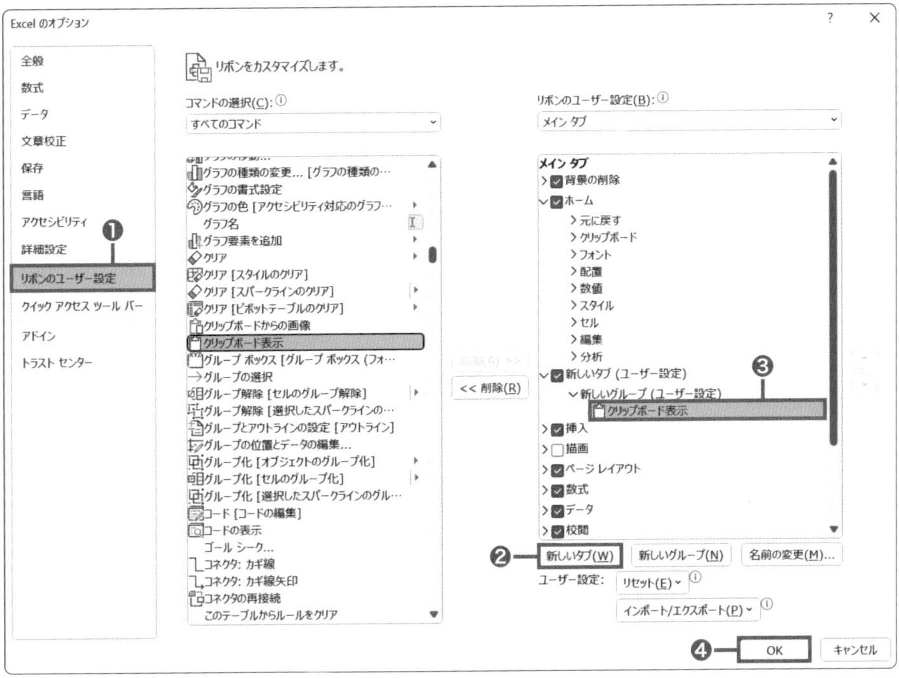

Excel のオプション

全般
数式
データ
文章校正
保存
言語
アクセシビリティ
詳細設定
リボンのユーザー設定 ❶
クイック アクセス ツール バー
アドイン
トラスト センター

リボンをカスタマイズします。

コマンドの選択(C):
すべてのコマンド

グラフの種類の変更... [グラフの種類の…
グラフの書式設定
グラフの色 [アクセシビリティ対応のグラフ…
グラフ名
グラフ要素を追加
クリア
クリア [スタイルのクリア]
クリア [スパークラインのクリア]
クリア [ピボットテーブルのクリア]
クリップボードからの画像
クリップボード表示
グループ ボックス [グループ ボックス (フォ…
グループの選択
グループ解除 [セルのグループ解除]
グループ解除 [選択したスパークラインの…
グループとアウトラインの設定 [アウトライン]
グループの位置とデータの編集...
グループ化 [オブジェクトのグループ化]
グループ化 [セルのグループ化]
グループ化 [選択したスパークラインのグル…
コード [コードの編集]
コードの表示
ゴール シーク...
コネクタ: カギ線
コネクタ: カギ線矢印
コネクタの再接続
このテーブルからルールをクリア

追加(A) >>
<< 削除(R)

リボンのユーザー設定(B):
メイン タブ

メイン タブ
背景の削除
ホーム
元に戻す
クリップボード
フォント
配置
数値
スタイル
セル
編集
分析
新しいタブ (ユーザー設定)
新しいグループ (ユーザー設定)
クリップボード表示 ❸
挿入
描画
ページ レイアウト
数式
データ
校閲

❷ 新しいタブ(W)　新しいグループ(N)　名前の変更(M)...
ユーザー設定:　リセット(E)
インポート/エクスポート(P)

❹ OK　キャンセル

●タブに登録したコマンドが表示される

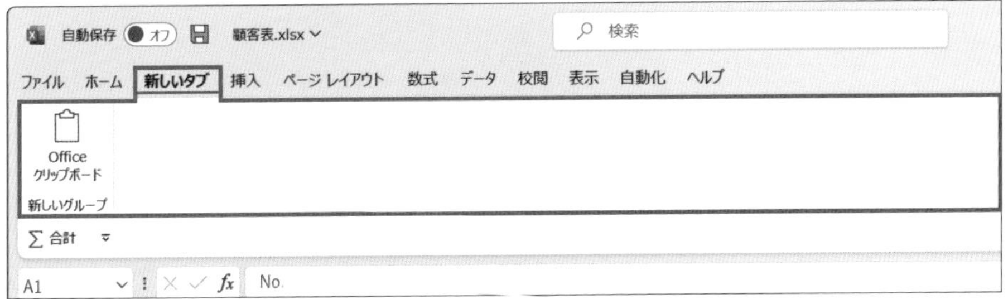

Technique 005　365　2021　2019　2016

キーボードで時短①
ファイルを保存する

こまめにすばやく保存する

Ctrl ＋ S で上書き保存、F12 で名前を付けて保存ができます。ファイルの作成中は、Ctrl ＋ S こまめに保存する習慣をつけておくと、急なトラブル時にも安心です。

●上書き保存する

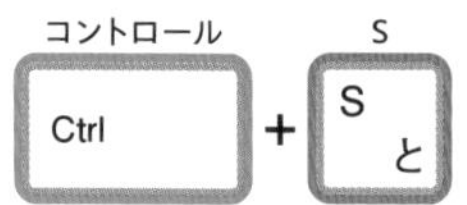

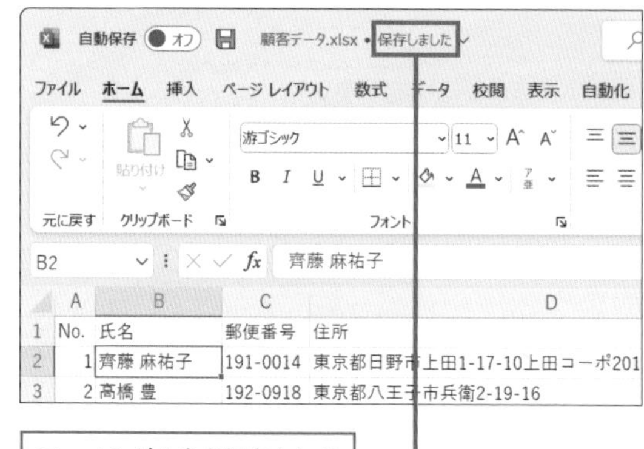

ファイルが上書き保存される

●名前を付けて保存する

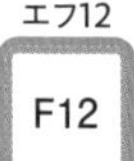

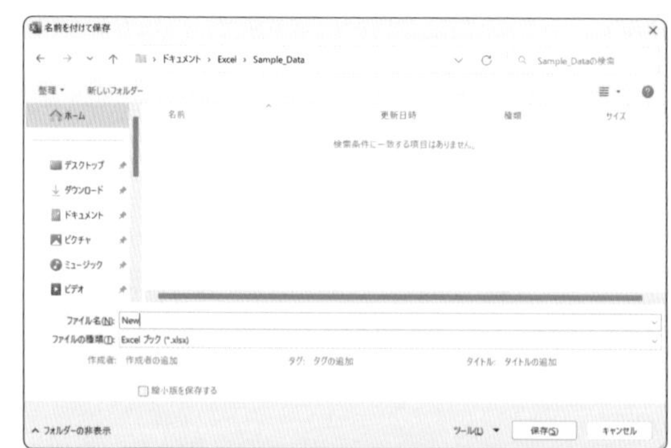

[名前を付けて保存] ダイアログボックスが表示される

Technique 006　365　2021　2019　2016

キーボードで時短②
セルをすばやく移動する

隣接するセルに移動する

Excelでは頻繁にセルを移動する場合がありますが、ショートカットを利用すると、マウスで移動するよりもすばやく、簡単にセルの移動ができます。

●右のセルに移動する

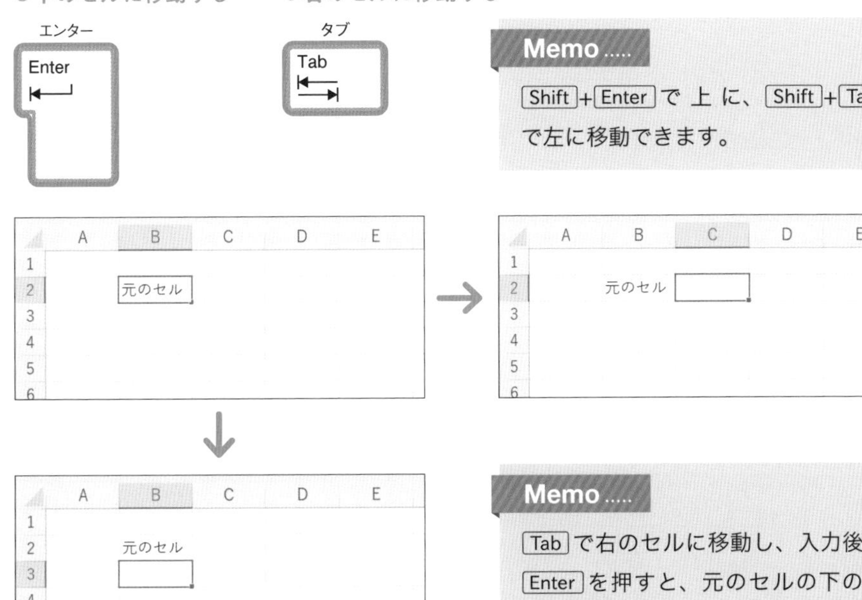

Memo

[Shift]+[Enter]で上に、[Shift]+[Tab]で左に移動できます。

Memo

[Tab]で右のセルに移動し、入力後に[Enter]を押すと、元のセルの下のセル（左図ではB3セル）に移動します。

そのほか、方向キーを使った移動も可能です。

●隣接する上、下、左、右のセルに移動する

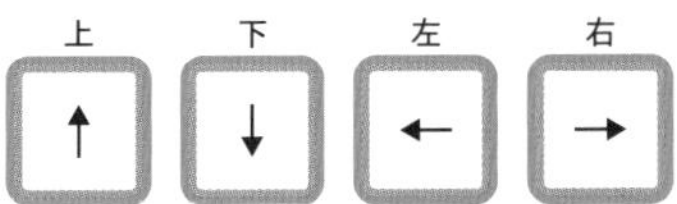

特定の位置まで瞬時に移動する

●表の先頭行、末尾行、左端列、右端列のセルに移動する

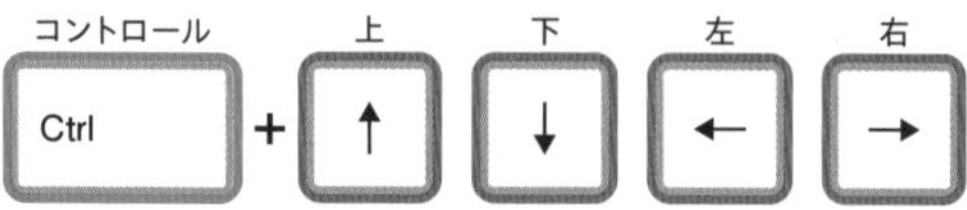

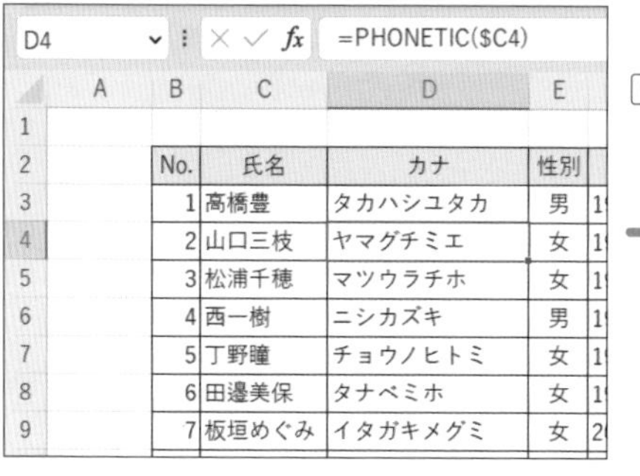

D4 =PHONETIC($C4)

	A	B	C	D	E
1					
2		No.	氏名	カナ	性別
3		1	高橋豊	タカハシユタカ	男
4		2	山口三枝	ヤマグチミエ	女
5		3	松浦千穂	マツウラチホ	女
6		4	西一樹	ニシカズキ	男
7		5	丁野瞳	チョウノヒトミ	女
8		6	田邉美保	タナベミホ	女
9		7	板垣めぐみ	イタガキメグミ	女

Ctrl + ← →

B4 2

	A	B	C	D	E
1					
2		No.	氏名	カナ	性別
3		1	高橋豊	タカハシユタカ	男
4		2	山口三枝	ヤマグチミエ	女
5		3	松浦千穂	マツウラチホ	女
6		4	西一樹	ニシカズキ	男
7		5	丁野瞳	チョウノヒトミ	女
8		6	田邉美保	タナベミホ	女
9		7	板垣めぐみ	イタガキメグミ	女

●1画面上/1画面下に移動する

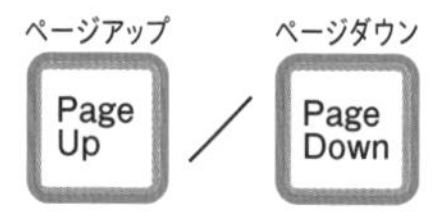

B2 No.

	A	B	C	D	E
1					
2		No.	氏名	カナ	性別
3		1	高橋豊	タカハシユタカ	男
4		2	山口三枝	ヤマグチミエ	女
5		3	松浦千穂	マツウラチホ	女
6		4	西一樹	ニシカズキ	男
7		5	丁野瞳	チョウノヒトミ	女
8		6	田邉美保	タナベミホ	女
9		7	板垣めぐみ	イタガキメグミ	女
10		8	兵頭真由子	ヒョウドウマユコ	女
11		9	林尚文	ハヤシナオフミ	男
12		10	稲毛将司	イナゲマサシ	男
13		11	森山美香	モリヤマミカ	女
14		12	市村由美	イチムラユミ	女
15		13	大沼るり子	オオヌマルリコ	女
16		14	前田憲司	マエダケンジ	男
17		15	大橋早苗	オオハシサナエ	女
18		16	大久保桃子	オオクボモモコ	女
19		17	武田詩織	タケダシオリ	女
20		18	山本聖子	ヤマモトセイコ	女
21		19	李 祐介	リ ユウスケ	男

Page Down ↔ Page Up

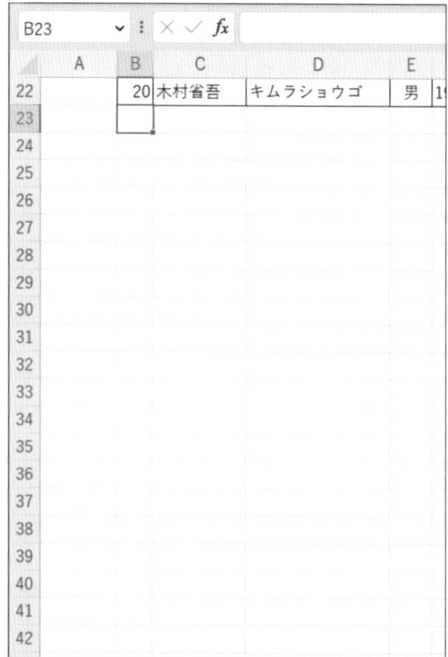

B23

	A	B	C	D	E
22		20	木村省吾	キムラショウゴ	男
23					
24					
25					
26					
27					
28					
29					
30					
31					
32					
33					
34					
35					
36					
37					
38					
39					
40					
41					
42					

●シートの先頭（A1セル）のセルに移動する

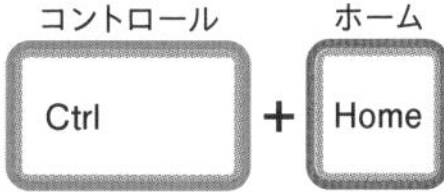

No.	氏名	カナ	性別
1	高橋豊	タカハシユタカ	男
2	山口三枝	ヤマグチミエ	女
3	松浦千穂	マツウラチホ	女
4	西一樹	ニシカズキ	男
5	丁野瞳	チョウノヒトミ	女
6	田邉美保	タナベミホ	女
7	板垣めぐみ	イタガキメグミ	女
8	兵頭真由子	ヒョウドウマユコ	女
9	林尚文	ハヤシナオフミ	男
10	稲毛将司	イナゲマサシ	男
11	森山美香	モリヤマミカ	女
12	市村由美	イチムラユミ	女
13	大沼るり子	オオヌマルリコ	女
14	前田憲司	マエダケンジ	男
15	大橋早苗	オオハシサナエ	女

Ctrl + Home →

A1

No.	氏名	カナ	性別
1	高橋豊	タカハシユタカ	男
2	山口三枝	ヤマグチミエ	女
3	松浦千穂	マツウラチホ	女
4	西一樹	ニシカズキ	男
5	丁野瞳	チョウノヒトミ	女
6	田邉美保	タナベミホ	女
7	板垣めぐみ	イタガキメグミ	女
8	兵頭真由子	ヒョウドウマユコ	女
9	林尚文	ハヤシナオフミ	男
10	稲毛将司	イナゲマサシ	男
11	森山美香	モリヤマミカ	女
12	市村由美	イチムラユミ	女
13	大沼るり子	オオヌマルリコ	女
14	前田憲司	マエダケンジ	男
15	大橋早苗	オオハシサナエ	女

●表の最後のセルに移動する

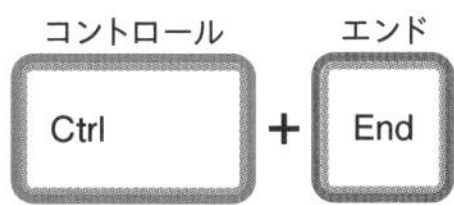

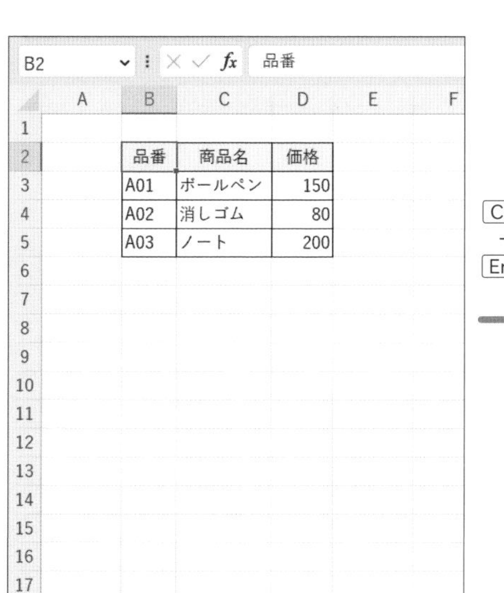

品番	商品名	価格
A01	ボールペン	150
A02	消しゴム	80
A03	ノート	200

Ctrl + End →

D5
200

品番	商品名	価格
A01	ボールペン	150
A02	消しゴム	80
A03	ノート	200

Technique 007　365　2021　2019　2016

キーボードで時短③ 一発で範囲選択する

まとめて範囲選択する

連続したセルをまとめて選択したいときは、キーボードを使うと一瞬で作業が終了します。

●表を選択する

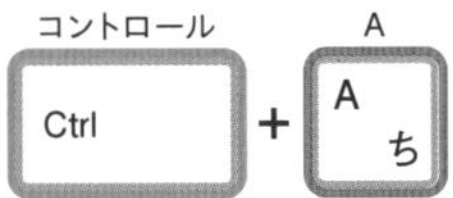

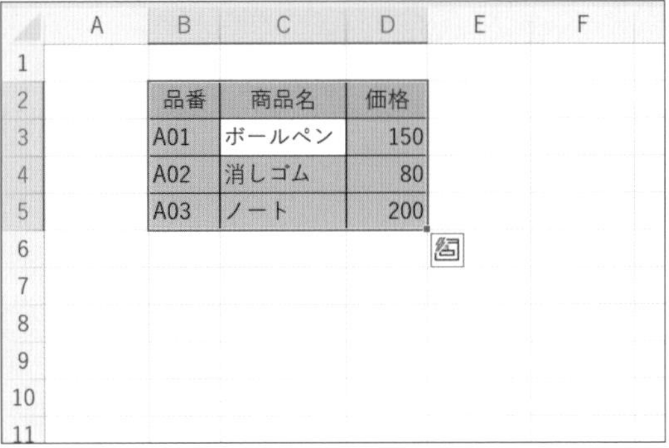

Memo

表外を選択して Ctrl + A を行うと、シート内のすべてのセルを選択できます。

●指定した方向に選択範囲を拡張する

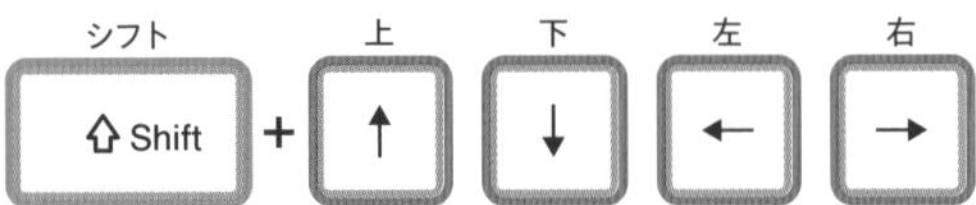

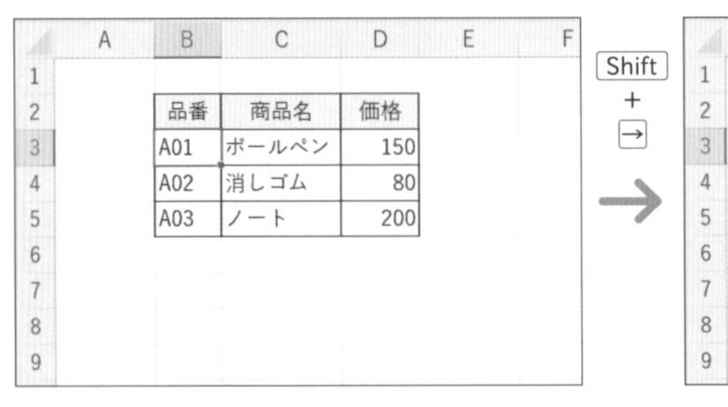

Shift + →

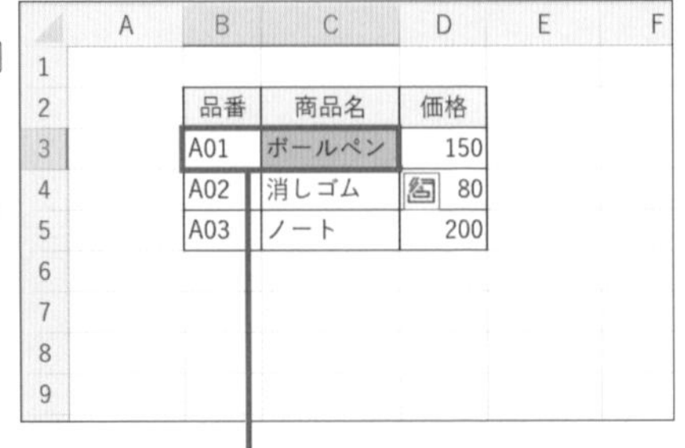

上、下、左、右に選択範囲が拡張される

●上、下、左、右の端まで選択範囲を拡張する

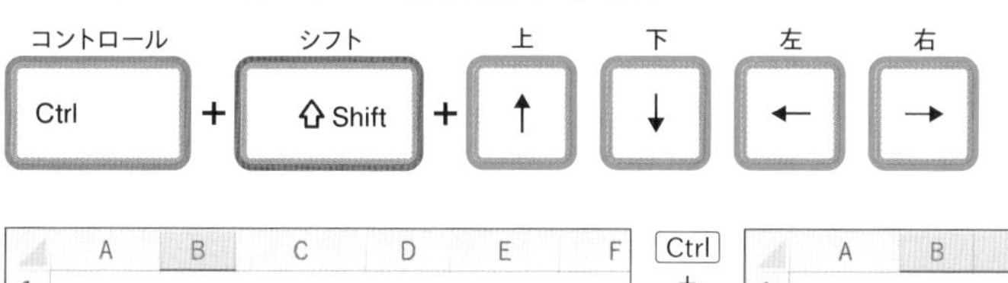

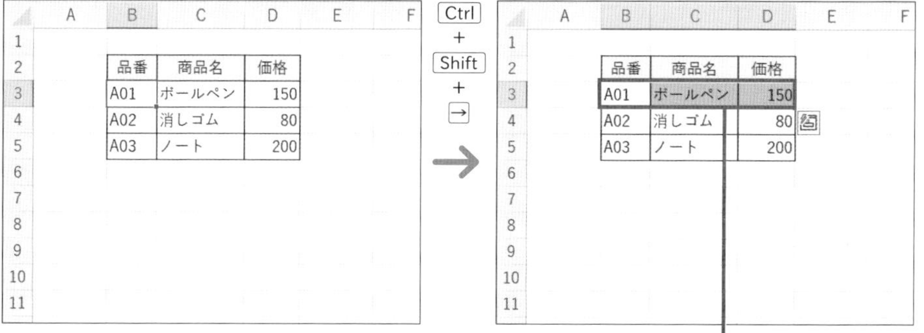

指定した方向の空白以外の最後のセルまで選択範囲が拡張される

●列/行を選択する

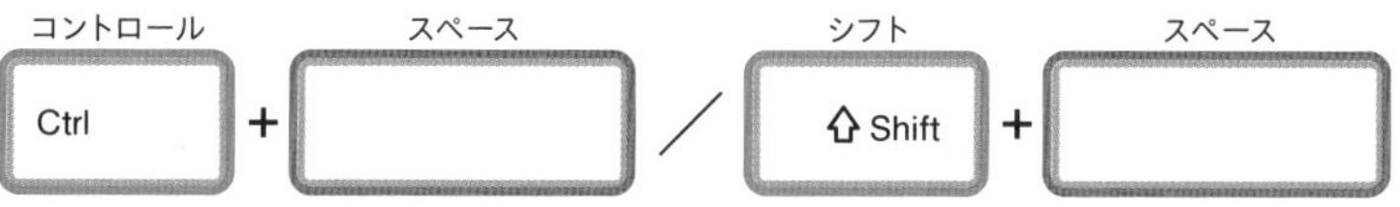

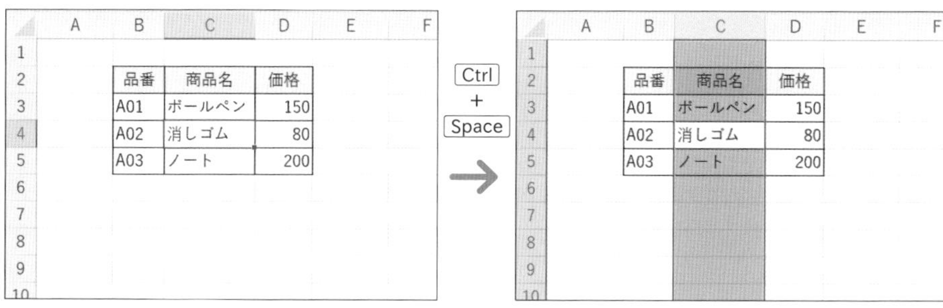

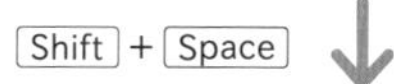

	A	B	C	D	E	F
1						
2		品番	商品名	価格		
3		A01	ボールペン	150		
4		A02	消しゴム	80		
5		A03	ノート	200		
6						
7						
8						
9						
10						

Memo

行の選択ができない場合は、入力モードを半角英数字に変更してみてください。

Technique 008　365　2021　2019　2016

キーボードで時短④ コピー＆ペーストの応用技

さまざまな方法でセルを複製する

何度も同じ内容をセルに入力したいときに便利な機能がコピー＆ペーストです。基本となるコピー（Ctrl＋C）と貼り付け（EnterまたはCtrl＋V）をはじめとして、Excelにはさまざまなコピー＆ペースト機能が用意されています。

●コピーする

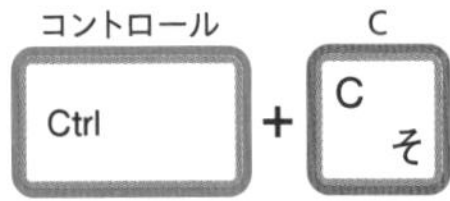

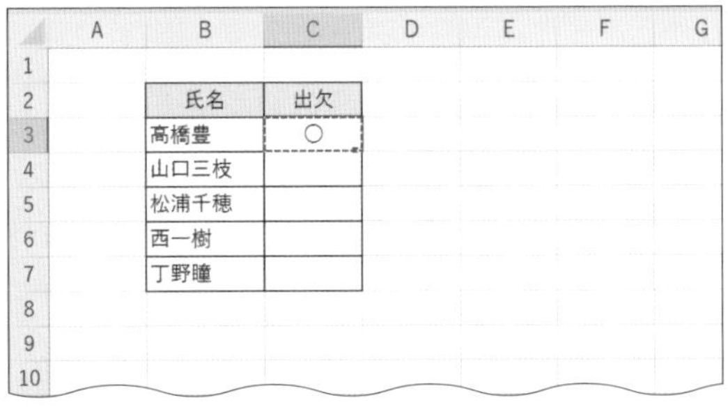

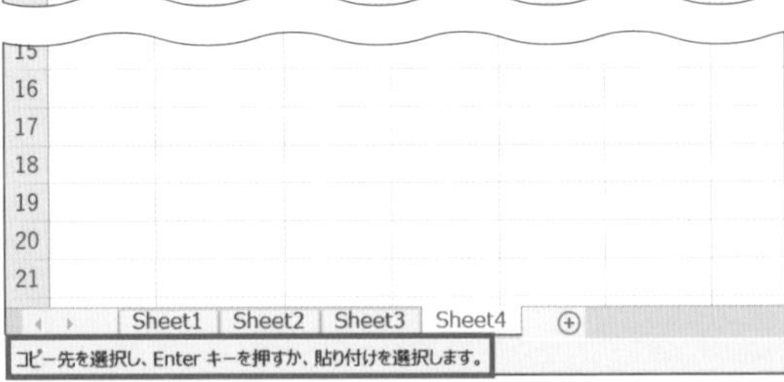

	B	C
2	氏名	出欠
3	高橋豊	○
4	山口三枝	
5	松浦千穂	
6	西一樹	
7	丁野瞳	

Memo

コピーではなく切り取って移動させる場合は、Ctrl+Xを使います。

Ctrl+Cを押すと、選択範囲の周辺が点滅します。これは**コピーモード**という状態で、選択範囲のデータがクリップボードにコピーされています。

コピーしたデータを貼り付けるときに、Enterで貼り付けた場合、貼り付けと同時にコピーモードが解除されます。

一方Ctrl+Vを使うとコピーモードを維持したままになるので、同じデータを繰り返し貼り付けることができます。

また「セルの書式だけを貼り付けたい」「計算結果のみ貼り付けたい」といった場合は、Ctrl+Alt+Vで［形式を選択して貼り付け］ダイアログボックスから詳細を設定できます。

●コピーモードを解除して貼り付ける

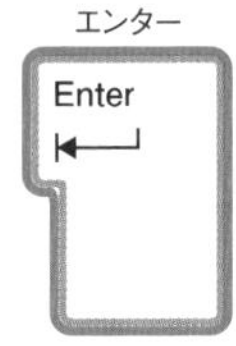

	A	B	C	D	E	F
1						
2		氏名	出欠			
3		高橋豊	○			
4		山口三枝				
5		松浦千穂	○			
6		西一樹				
7		丁野瞳				

●コピーモードを維持して貼り付ける

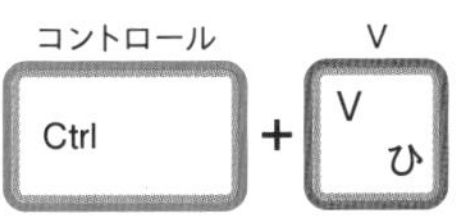

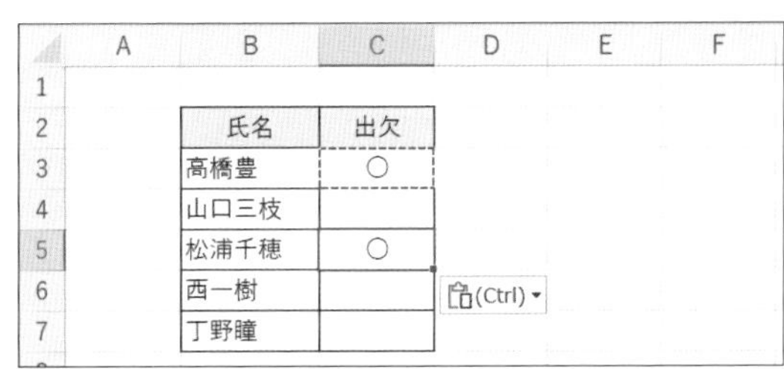

	A	B	C	D	E	F
1						
2		氏名	出欠			
3		高橋豊	○			
4		山口三枝				
5		松浦千穂	○			
6		西一樹		(Ctrl)		
7		丁野瞳				

●形式を指定して貼り付ける

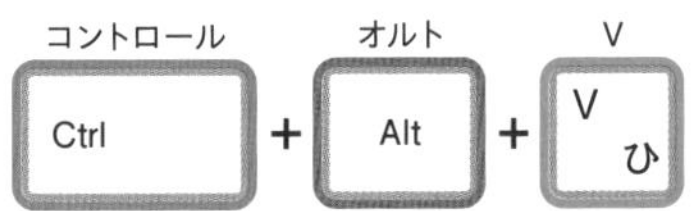

形式を選択して貼り付け ? X

貼り付け

- ● すべて(A)
- ○ 数式(F)
- ○ 値(V)
- ○ 書式(T)
- ○ コメントとメモ(C)
- ○ 入力規則(N)
- ○ コピー元のテーマを使用してすべて貼り付け(H)
- ○ 罫線を除くすべて(X)
- ○ 列幅(W)
- ○ 数式と数値の書式(R)
- ○ 値と数値の書式(U)
- ○ すべての結合されている条件付き書式(G)

演算

- ● なし(O)
- ○ 加算(D)
- ○ 減算(S)
- ○ 乗算(M)
- ○ 除算(I)

- ☐ 空白セルを無視する(B)
- ☐ 行/列の入れ替え(E)

連結貼り付け(L) OK キャンセル

●上のセルをコピー＆ペーストする

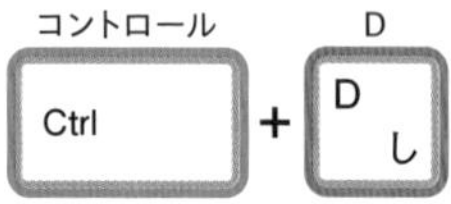

	A	B	C	D	E	F	G
1							
2		氏名	出欠				
3		高橋豊	○				
4		山口三枝	○				
5		松浦千穂					
6		西一樹					
7		丁野瞳					

1つ上のセルの内容がコピーされる

●左のセルをコピー＆ペーストする

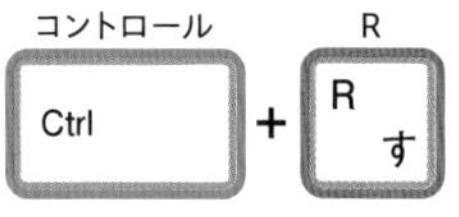

	A	B	C	D	E	F	G
1							
2		氏名	出欠				
3		高橋豊	○				
4		山口三枝	山口三枝				
5		松浦千穂					
6		西一樹					
7		丁野瞳					

1つ左のセルの内容がコピーされる

Technique 009 365 2021 2019 2016

キーボードで時短⑤ 日時を一瞬で入力する

Ctrl+; で日付、Ctrl+: で時刻を入力する

Ctrl+; で現在の日付を、Ctrl+: で現在の時刻を一瞬でセルに入力できます。システムから自動的に日時を取得して入力するので、自分で確認する手間を省けます。

●現在の日付を入力する

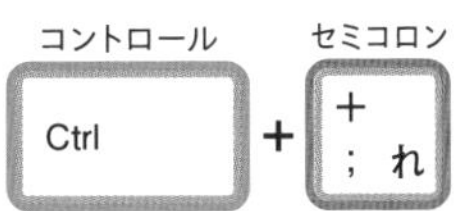

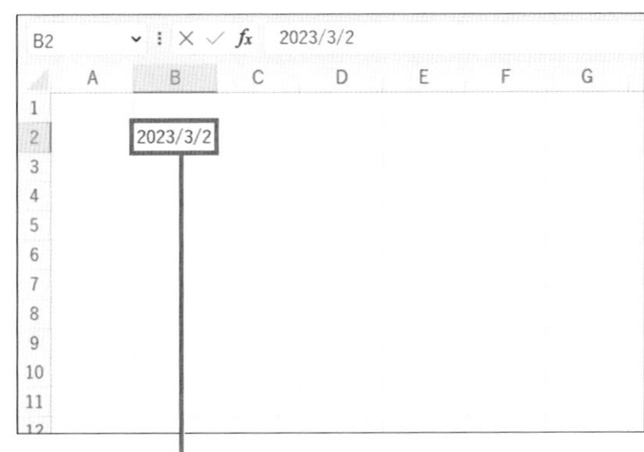

現在の日付がyyyy/mm/dd形式で入力される

●現在の時刻を入力

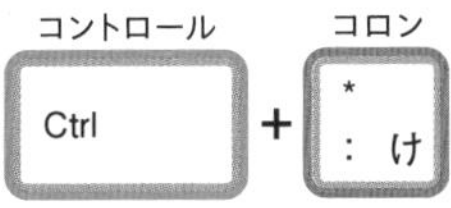

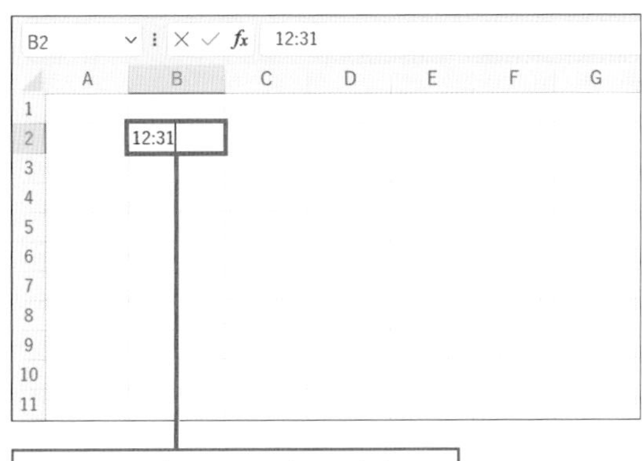

現在の時刻がhh:mm形式で入力される

Technique 010 365 2021 2019 2016

キーボードで時短⑥ よく使うウィンドウを呼び出す

キーボードを使って頻出ウィンドウを呼び出す

Excelのショートカットには、セルや行列に対して直接作用するコマンドのほかに、詳細な設定ができるウィンドウを呼び出すコマンドもあります。ここでは、Excelの操作中に頻繁に利用する3つのウィンドウを呼び出すショートカットを紹介します。

●[セルの書式設定] ダイアログボックスを呼び出す

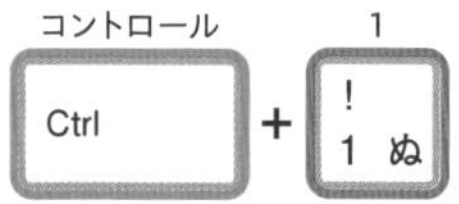

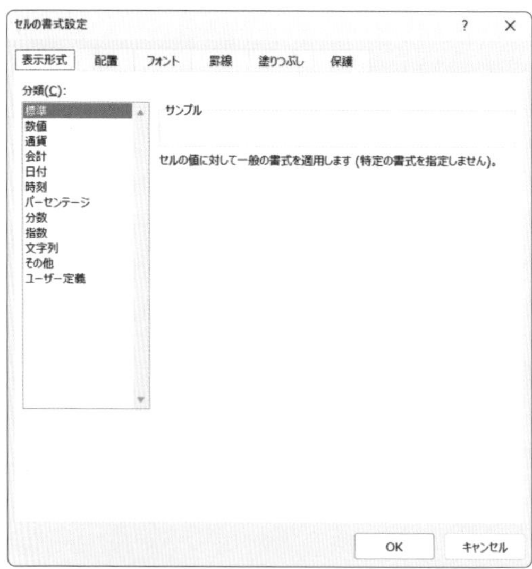

Memo

マウスで操作する場合は、セルを右クリックして [セルの書式設定] を選択します。もしくは、[ホーム] タブ→ [セル] の [書式] → [セルの書式設定] からも起動できます。

●[検索と置換] ダイアログボックスを呼び出す

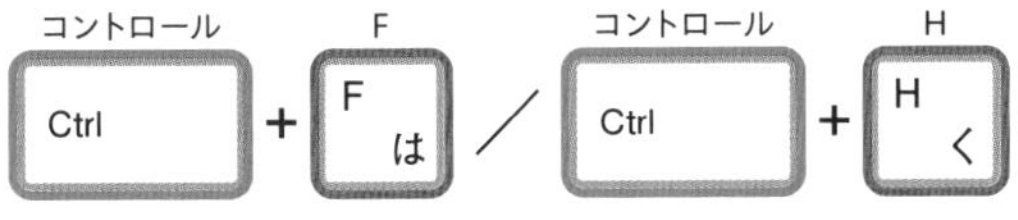

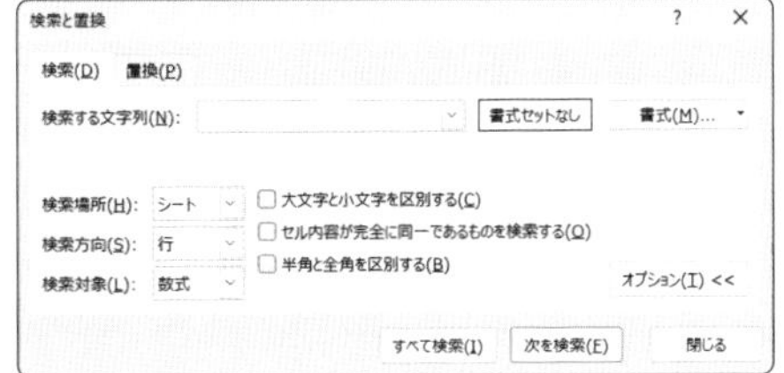

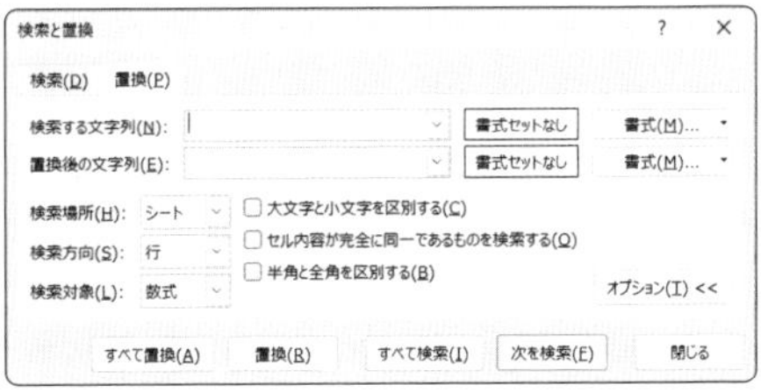

Ctrl + F で［検索］タブ、Ctrl + H で［置換］タブが表示される

●[印刷] 画面を呼び出す

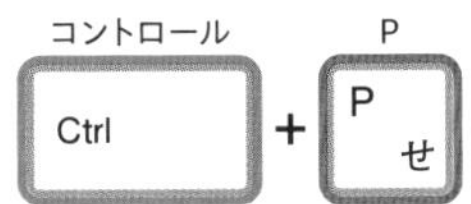

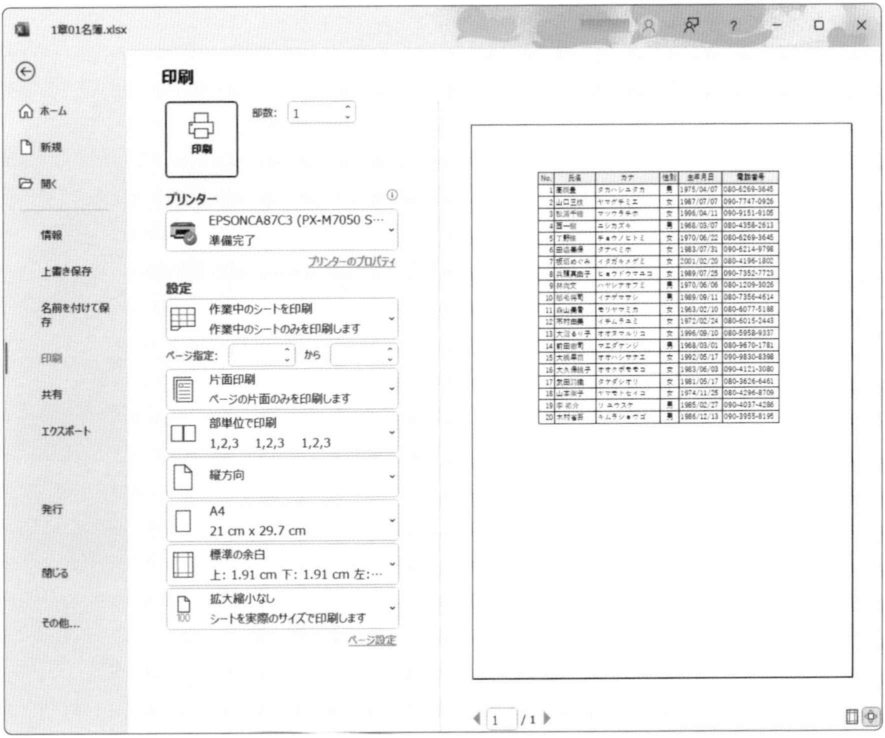

Technique 011　365　2021　2019　2016

キーボードで時短⑦ 行や列を最適な大きさに調整する

行の高さや列の幅を最適化する

行の高さや列の幅は、初期設定ではすべて同じサイズで統一されていますが、実際にデータを入力した際にスペースが足りず値の一部が隠れてしまったり、余白が多すぎて間延びした見た目になってしまうことがあります。

行の高さや列の幅を整える方法はいくつかありますが、ここでは入力された内容に合わせて一瞬で自動調整するショートカットを紹介します。

●行の高さを最適化する

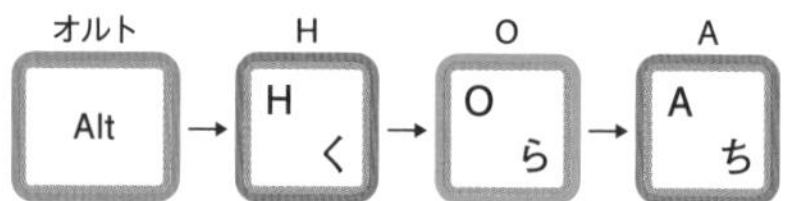

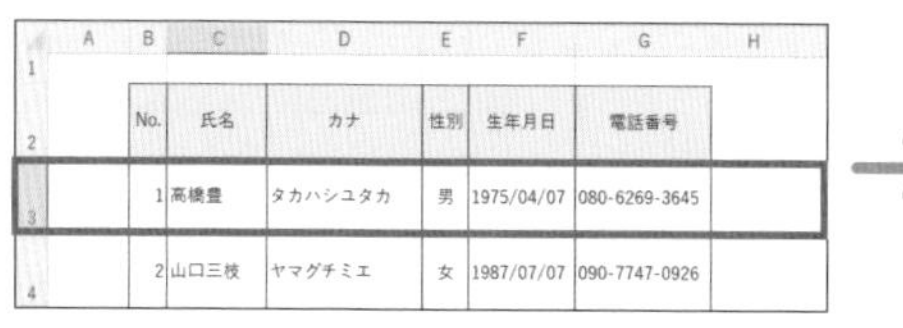

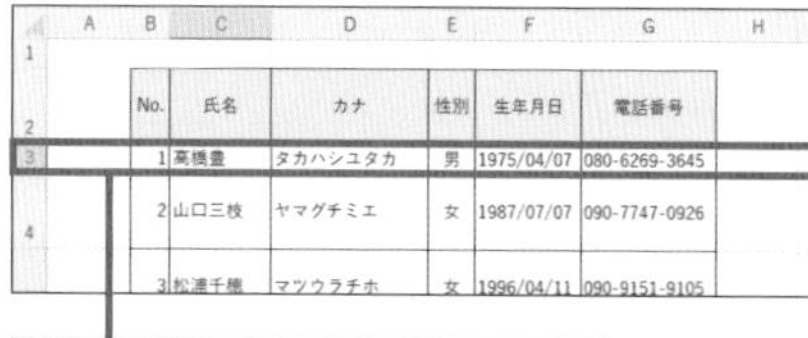

行の高さの自動調整が行われる

●列の幅を最適化する

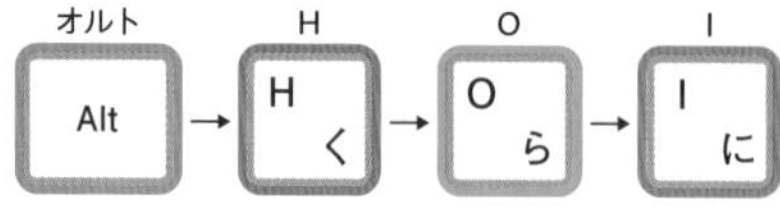

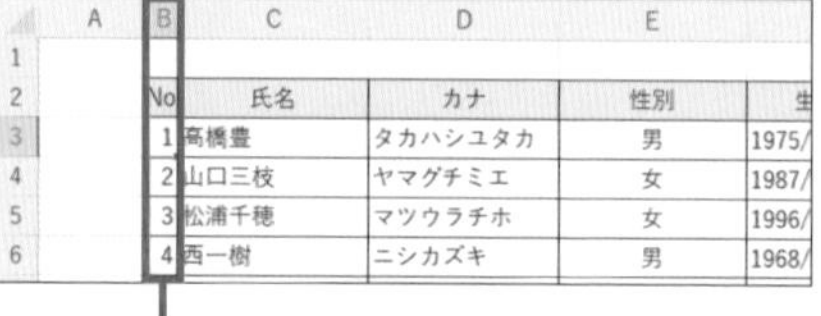

列の幅の自動調整が行われる

キーボードで時短⑧ セルや行、列を挿入する

セルや行、列を挿入する

入力項目を増やしたいときに便利なのが挿入機能です。Ctrl + + (テンキーがない場合は Ctrl + Shift + ;) を利用すると、選択したセルの上側または左側にセルや行、列をすばやく挿入することができます。

●セル、行、列を挿入する

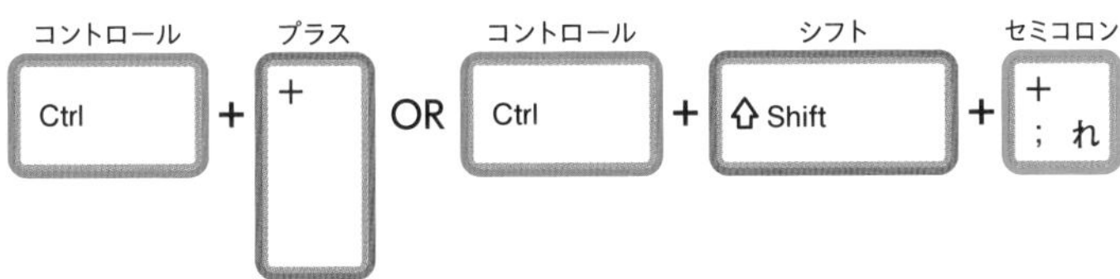

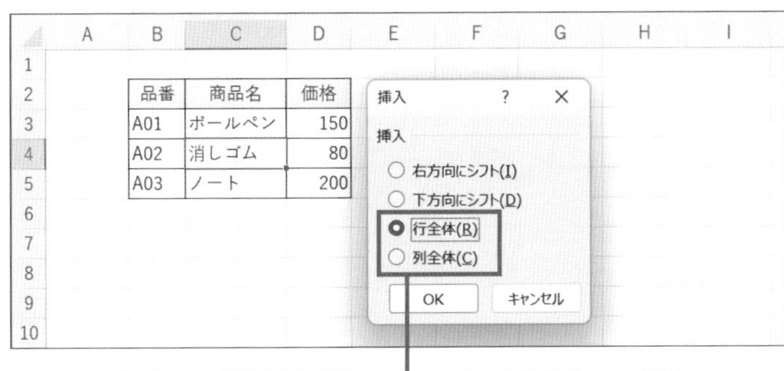

[行全体] または [列全体] を選択すると行または列を追加できる

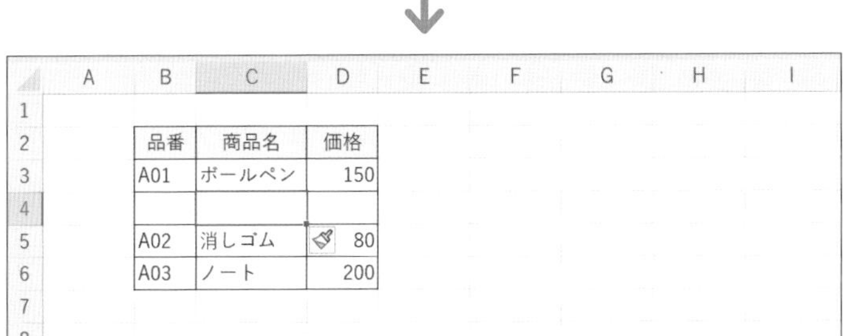

Technique 013　365　2021　2019　2016

キーボードで時短⑨ 不要なデータを一瞬で削除する

データやセルを削除する

不要になったデータや行列はまとめて削除しましょう。セルを削除する際は、セルの内容だけを削除する方法とセルそのものを削除する方法があります。また、シートごと不要になった場合もショートカットで一発で削除できます。

●セルの内容（データと数式）を削除する

デリート

No.	氏名	カナ	性別	生年月日	電
1	高橋豊	タカハシユタカ	男	1975/04/07	080-6
2	山口三枝		女	1987/07/07	090-7
3	松浦千穂	マツウラチホ	女	1996/04/11	090-9

●セル、行、列を削除する

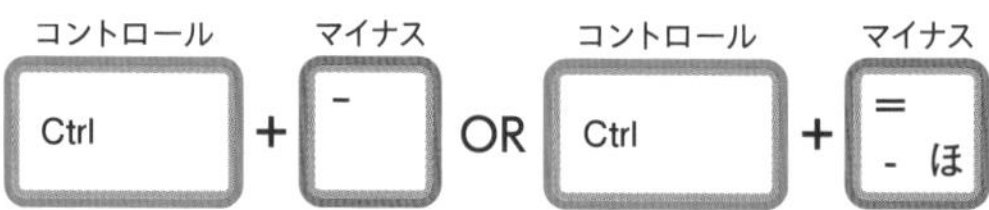

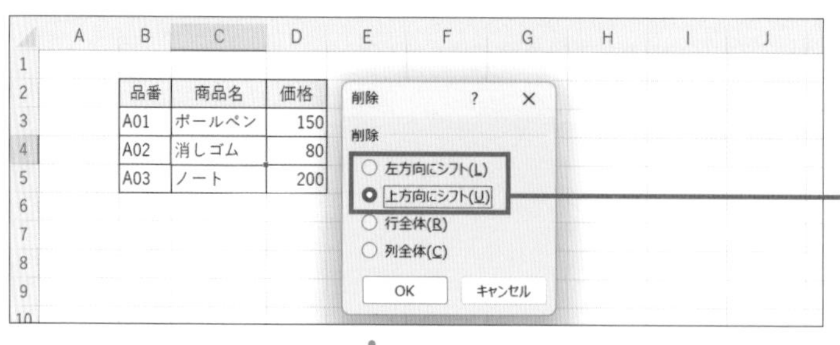

[左方向にシフト] または [上方向にシフト] を選択するとセルが削除される

品番	商品名	価格
A01	ボールペン	150
A02	ノート	80
A03		200

●行を削除する

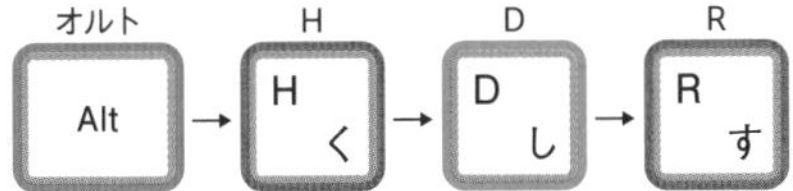

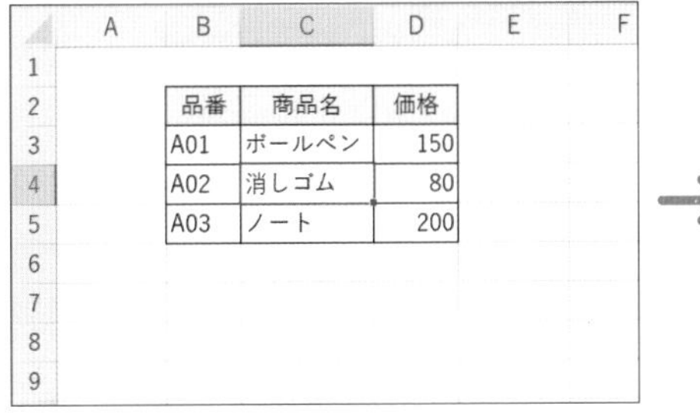

品番	商品名	価格
A01	ボールペン	150
A02	消しゴム	80
A03	ノート	200

→

品番	商品名	価格
A01	ボールペン	150
A03	ノート	200

●列を削除する

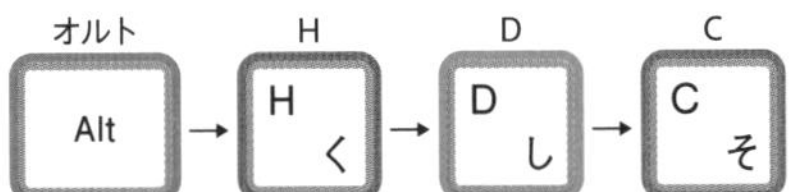

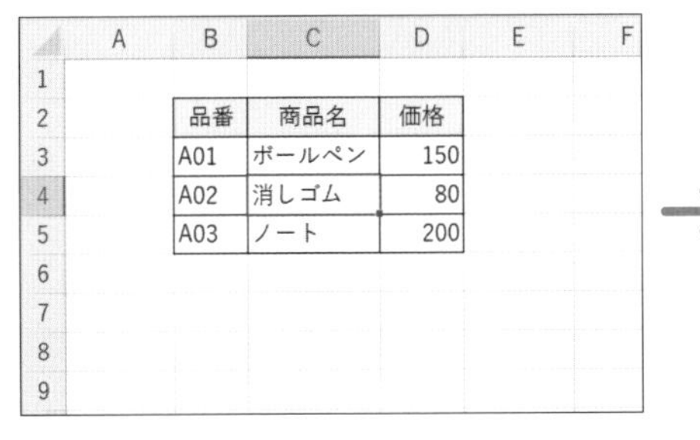

品番	商品名	価格
A01	ボールペン	150
A02	消しゴム	80
A03	ノート	200

→

品番	価格
A01	150
A02	80
A03	200

●シートを削除する

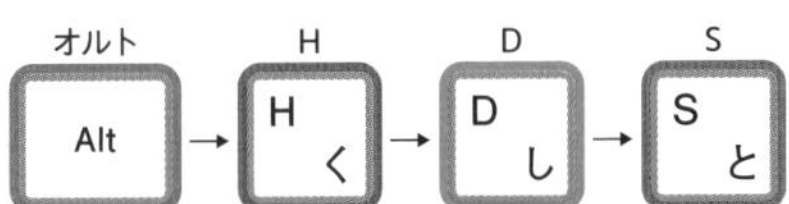

品番	商品名	価格
A01	ボールペン	150
A02	消しゴム	80
A03	ノート	200

[削除] をクリックすると、シートが削除される

Technique 014 | 365 | 2021 | 2019 | 2016

キーボードで時短⑩ 同じ作業を効率よく繰り返す

直前の作業を繰り返す

「セルの塗りつぶしを何度もしたり、フォントカラーの変更を毎回設定したりするのは面倒」と感じたことはないでしょうか？

セルを選択して F4 を押すと、直前に行った操作を繰り返し行うことができます。

●直前の操作を繰り返す

エフ4

F4

	A	B	C	D
1	No.	氏名	郵便番号	住所
2	1	齊藤 麻祐子	191-0014	東京都日野市上田1-17-10上田コーポ201
3	2	高橋 豊	192-0918	東京都八王子市兵衛2-19-16
4	3	田邉 美保	162-0808	東京都新宿区天神町4-7
5	4	林 尚文	198-0211	東京都西多摩郡奥多摩町日原2-9-18
6	5	松浦 千穂	183-0002	東京都府中市多磨町2-14
7	6	兵藤 真由子	100-0006	東京都千代田区有楽町4-20
8	7	八重樫 久美	106-0044	東京都港区東麻布4-13
9	8	丁野 瞳	106-0045	東京都港区麻布十番3-6
10	9	浜谷 弘	191-0022	東京都日野市新井3-5-2新井グランド119
11	10	板垣 めぐみ	107-0062	東京都港区南青山1-11
12	11	伊達 明子	103-0004	東京都中央区東日本橋3-16-20キャッスル
13	12	山口 三枝	192-0375	東京都八王子市鑓水2-9-11

	A	B	C	D
1	No.	氏名	郵便番号	住所
2	1	齊藤 麻祐子	191-0014	東京都日野市上田1-17-10上田コーポ201
3	2	高橋 豊	192-0918	東京都八王子市兵衛2-19-16
4	3	田邉 美保	162-0808	東京都新宿区天神町4-7
5	4	林 尚文	198-0211	東京都西多摩郡奥多摩町日原2-9-18
6	5	松浦 千穂	183-0002	東京都府中市多磨町2-14
7	6	兵藤 真由子	100-0006	東京都千代田区有楽町4-20
8	7	八重樫 久美	106-0044	東京都港区東麻布4-13
9	8	丁野 瞳	106-0045	東京都港区麻布十番3-6
10	9	浜谷 弘	191-0022	東京都日野市新井3-5-2新井グランド119
11	10	板垣 めぐみ	107-0062	東京都港区南青山1-11
12	11	伊達 明子	103-0004	東京都中央区東日本橋3-16-20キャッスル
13	12	山口 三枝	192-0375	東京都八王子市鑓水2-9-11

直前の操作が繰り返される

Memo

F4 で繰り返すことができる操作は

- セルの書式変更
- セルの挿入
- 行、列の挿入/削除
- 行の高さの変更
- 列の幅の変更
- シートの挿入/削除

などです。

Technique 015　365　2021　2019　2016

キーボードで時短⑪ 操作を取り消す

Esc で操作を取り消す

入力を取り消したいときや、開いているダイアログボックスの操作を取り消したいときは、Esc を押しましょう。

● ダイアログボックスをキャンセルする

エスケープ

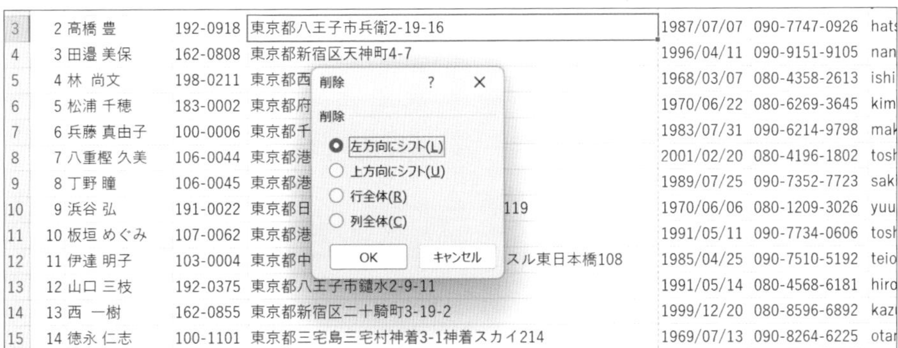

3	2	高橋 豊	192-0918	東京都八王子市兵衛2-19-16	1987/07/07	090-7747-0926	hats
4	3	田邉 美保	162-0808	東京都新宿区天神町4-7	1996/04/11	090-9151-9105	nan
5	4	林 尚文	198-0211	東京都西	1968/03/07	080-4358-2613	ishi
6	5	松浦 千穂	183-0002	東京都府	1970/06/22	080-6269-3645	kim
7	6	兵藤 真由子	100-0006	東京都千	1983/07/31	090-6214-9798	mak
8	7	八重樫 久美	106-0044	東京都港	2001/02/20	080-4196-1802	tosh
9	8	丁野 瞳	106-0045	東京都港	1989/07/25	090-7352-7723	sak
10	9	浜谷 弘	191-0022	東京都日　119	1970/06/06	080-1209-3026	yuu
11	10	板垣 めぐみ	107-0062	東京都港	1991/05/11	090-7734-0606	tosh
12	11	伊達 明子	103-0004	東京都中　スル東日本橋108	1985/04/25	090-7510-5192	teio
13	12	山口 三枝	192-0375	東京都八王子市鑓水2-9-11	1991/05/14	080-4568-6181	hiro
14	13	西 一樹	162-0855	東京都新宿区二十騎町3-19-2	1999/12/20	080-8596-6892	kaz
15	14	徳永 仁志	100-1101	東京都三宅島三宅村神着3-1神着スカイ214	1969/07/13	090-8264-6225	otar

Esc ↓

3	2	高橋 豊	192-0918	東京都八王子市兵衛2-19-16	1987/07/07	090-7747-0926	hats
4	3	田邉 美保	162-0808	東京都新宿区天神町4-7	1996/04/11	090-9151-9105	nan
5	4	林 尚文	198-0211	東京都西多摩郡奥多摩町日原2-9-18	1968/03/07	080-4358-2613	ishi
6	5	松浦 千穂	183-0002	東京都府中市多磨町2-14	1970/06/22	080-6269-3645	kim
7	6	兵藤 真由子	100-0006	東京都千代田区有楽町4-20	1983/07/31	090-6214-9798	mak
8	7	八重樫 久美	106-0044	東京都港区東麻布4-13	2001/02/20	080-4196-1802	tosh
9	8	丁野 瞳	106-0045	東京都港区麻布十番3-6	1989/07/25	090-7352-7723	saki
10	9	浜谷 弘	191-0022	東京都日野市新井3-5-2新井グランド119	1970/06/06	080-1209-3026	yuu
11	10	板垣 めぐみ	107-0062	東京都港区南青山1-11	1991/05/11	090-7734-0606	tosh
12	11	伊達 明子	103-0004	東京都中央区東日本橋3-16-20キャッスル東日本橋108	1985/04/25	090-7510-5192	teio
13	12	山口 三枝	192-0375	東京都八王子市鑓水2-9-11	1991/05/14	080-4568-6181	hiro
14	13	西 一樹	162-0855	東京都新宿区二十騎町3-19-2	1999/12/20	080-8596-6892	kaz
15	14	徳永 仁志	100-1101	東京都三宅島三宅村神着3-1神着スカイ214	1969/07/13	090-8264-6225	otar

Technique 016　365　2021　2019　2016

キーボードで時短⑫ キーボードだけで関数を挿入する

関数を利用する際に便利なショートカット

さまざまな計算や処理を可能にする関数は、Excelの機能の中でも特徴的なものの１つです。**オートSUM**は自動的に計算を行って合計などを算出できる機能です。ショートカットを利用することで、キーボードから手を放すことなく処理できます。また、計算式を編集する際に F4 を利用してセルの**相対参照**と**絶対参照**を切り替えることが可能です。

●オートSUM（合計）を適用する

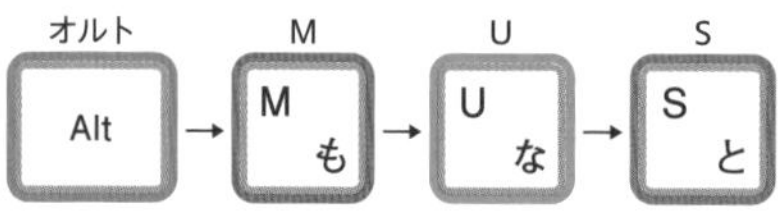

名前	1月	2月	3月	
仲谷 洋子	280,197 円	180,105 円	106,676 円	=SUM(C3:E3)
中島 航太	133,062 円	111,798 円	165,221 円	SUM(数値1, [数値2], ...)
白水 和彦	210,839 円	291,447 円	293,710 円	
川上 新一	212,118 円	105,609 円	191,644 円	

●絶対参照と相対参照を切り替える

Memo

絶対参照と相対参照を混合させた複合参照にすると、列番号だけまたは行番号だけを固定することができます。

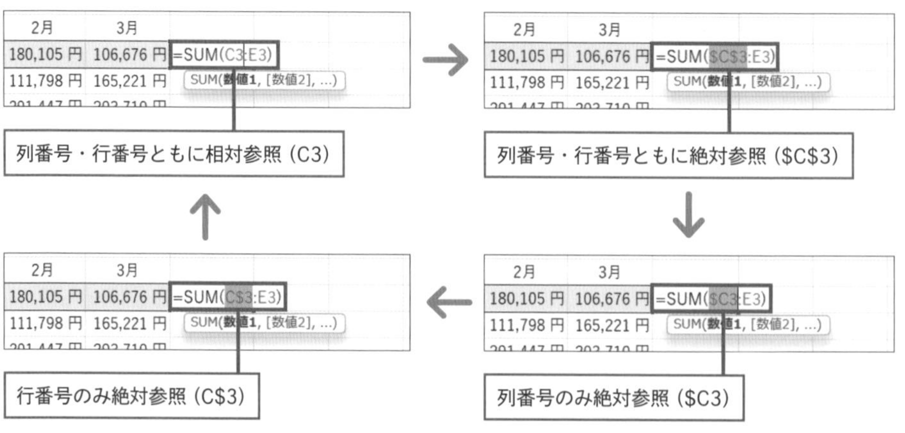

Technique 017　365　2021　2019　2016

キーボードで時短⑬ シートをすばやく切り替える

左右のシートに切り替える

隣り合ったシートに移動したいときは、いちいちマウスに持ち替えなくても、Ctrl+Page Downで右のシート、Ctrl+Page Upで左のシートに切り替えることができます。

●シートを切り替える

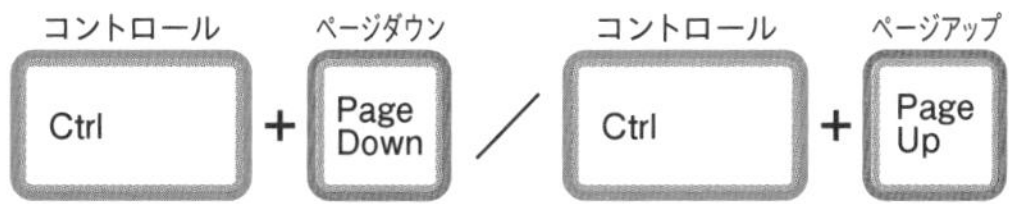

	A	B	C	D
1				
2		名前	1月	2月
3		仲谷 洋子	280,197 円	180,105 円
4		中島 航太	133,062 円	111,798 円
5		白水 和彦	210,839 円	291,447 円
6		川上 新一	212,118 円	105,609 円
7		澁木 早苗	106,081 円	195,234 円
8		岸 博美	201,896 円	57,733 円

Ctrl + Page Down ⇔ Ctrl + Page Up

	A	B	C	D
1				
2		名前	4月	5月
3		仲谷 洋子	128,289 円	193,605 円
4		中島 航太	265,111 円	183,230 円
5		白水 和彦	207,191 円	164,506 円
6		川上 新一	147,919 円	89,617 円
7		澁木 早苗	249,445 円	124,884 円
8		岸 博美	292,066 円	122,736 円

Technique 018 365 2021 2019 2016

目的のシートをすばやく表示する

画面左下で右クリックしてシートの一覧を確認する

「シートが大量にあって、入力したいシートになかなかたどり着けない」という経験はありませんか？　画面左下の [◀] または [▶] をクリックすると、シート見出しをスクロールさせることができますが、何度もクリックするのは大変な手間になります。シートの一覧から目的のシートを直接選択したり、先頭または最後のシートまで一気にスクロールしたりすると、すばやくシートを移動できるようになります。

●シートの一覧を表示する

画面左下の [◀ ▶] を右クリックすると [シートの選択] ダイアログボックスにシートの一覧が表示される。移動したいシート→ [OK] をクリックして移動できる

●先頭のシートまたは最後のシートまで一気にスクロールする

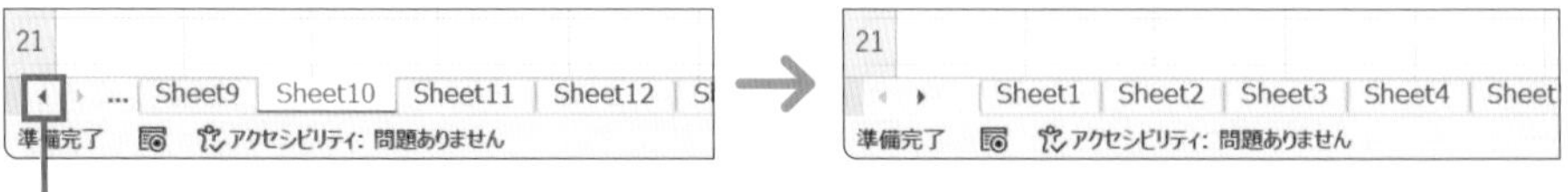

画面左下の [◀] を Ctrl を押しながらクリックすると先頭のシート、[▶] を Ctrl を押しながらクリックすると最後のシートまで一気にスクロールする

キーボードで時短⑭ 作業中に画面をすばやく切り替える

Alt + Tab でアプリケーションの表示を切り替える

Excelで作業を行う際、ほかのExcelファイルやPDFの資料を同時に開きながら作業することも多いと思います。画面の切り替えのたびにマウスに手を伸ばすよりも、ショートカットを利用して画面を切り替えて資料を表示すると、タイムロスが減り、時短につながります。

●アプリケーションの表示を切り替える

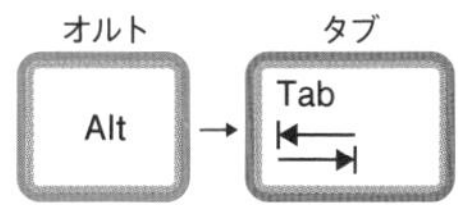

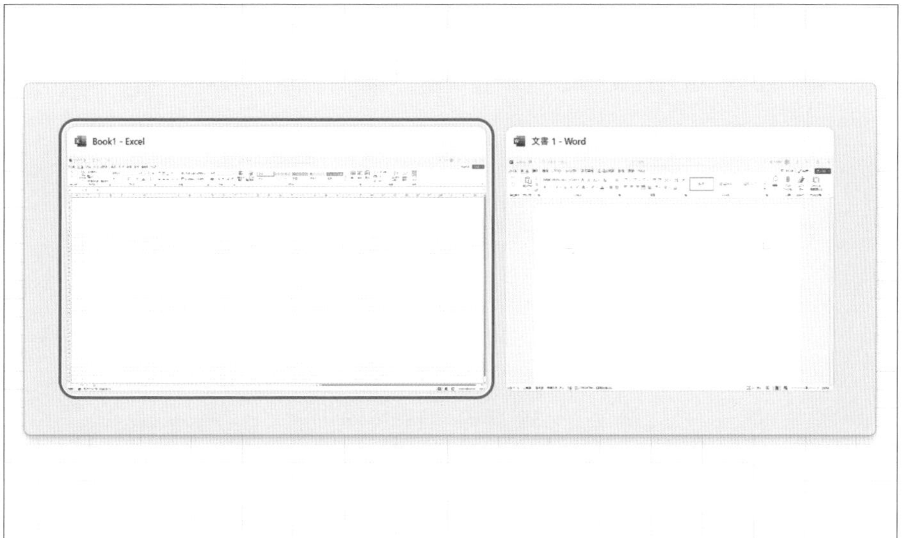

Alt + Tab で上のような画面が表示され、開いているウィンドウを一覧で見ることができます。画面を切り替える際は、Alt を押したまま Tab を何回か押し、切り替えたいウィンドウに青枠が表示されたら Alt から手を放します。

Technique 020 365 2021 2019 2016

キーボードで時短⑮ ショートカットガイドを表示する

あらゆる操作をキーボードで完結させる

Excelにはさまざまなショートカットキーが割り当てられており、そのすべてを覚えることは困難です。しかし、Altを押すとリボンにキーヒントが表示されるので、その表示に従ってキーボードを押していくだけでも、リボンに登録されているコマンドを利用することができます。

●タブとタイトルバーにキーヒントが表示される

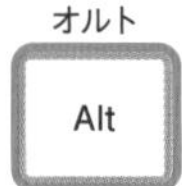

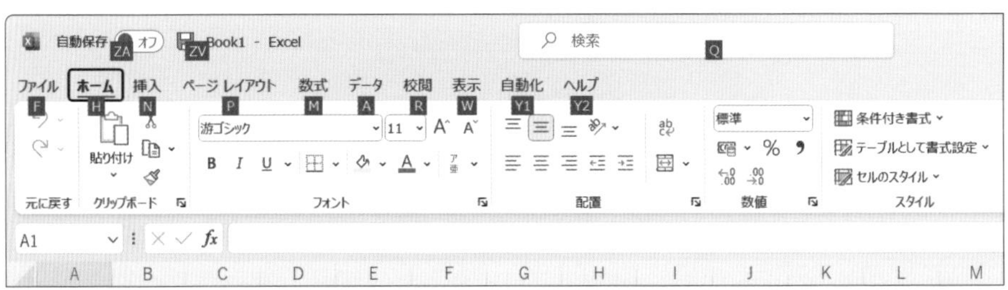

●リボンにキーヒントが表示される

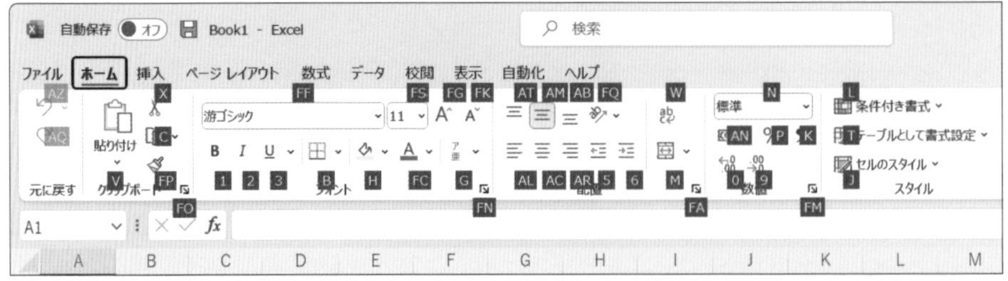

Altを押した後にHを押すと［ホーム］タブが選択されます。同様にキーボードを操作してコマンドを利用します。

Chapter 2

もうイライラしない！思い通りにすばやくデータ入力

本章では、入力時に発生する不便の解消、入力時のヒューマンエラーを防ぐ方法、複数の値を効率良く入力するテクニックを紹介します。

入力したデータが勝手に変わってしまう、同じ値を何度も入力するのが面倒､不要なリンクが設定される……など､Excelを使っていて不便を感じるのは、圧倒的に「入力」のタイミングが多いのではないでしょうか。

個々のテクニックは簡単なものですが、知っていると入力時の引っ掛かりがなくなり、スムーズに作業ができるようになります。

Technique 021 365 2021 2019 2016

入力ミスを直そうとしたら隣のセルに移動してしまう

F2 で編集モードに切り替える

「セルの一部を修正しようとしたら上書きされた」「入力中に誤字を修正しようと方向キーを押したら隣のセルが選択されてしまった」という経験はありませんか？

通常、Excelを起動すると、Excelは**コマンドモード**になっており、画面の左下に［準備完了］と表示されています。そして、セルをダブルクリックしたり、セルに値を入力すると**入力モード**に変わります。入力モードでは、セル全体を上書きできます。

セルを選択して F2 を押すと、画面の左下に［編集］と表示されます。**編集モード**ではセル内でカーソルを動かして加筆や修正ができます。そして、再度 F2 を押すと、［入力］（入力モード）になります。

●F2 で入力モード（上）と編集モード（下）を切り替える

16	14	前田憲司	マエダケンジ	男	1968/03/01	080-9670-1781
17	15	大橋早苗	オオハシサナエ	女	1992/05/17	090-9830-8398
18	16	大久保桃子	オオクボモモコ	女	1983/06/03	090-4121-3080
19	17	武田詩織	タケダシオリ	女	1981/05/17	080-3626-6461
20	18	山本聖子	ヤマモトセイコ	女	1974/11/25	080-4296-8709
21	19	李 祐介	リ ユウスケ	男	1985/02/27	090-4037-4286

Sheet1

入力　アクセシビリティ: 問題ありません

セル全体を上書き

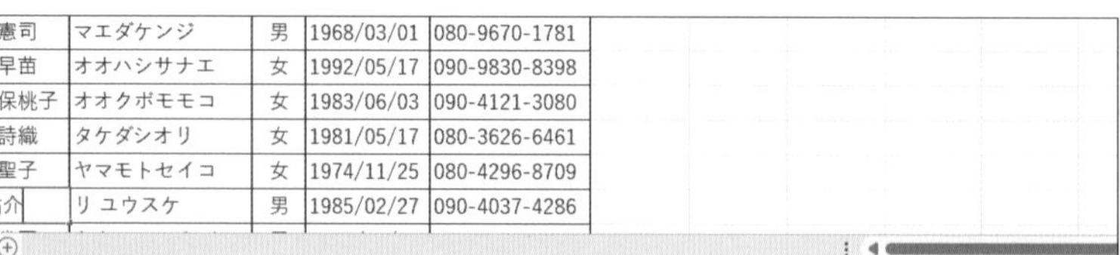

16	14	前田憲司	マエダケンジ	男	1968/03/01	080-9670-1781
17	15	大橋早苗	オオハシサナエ	女	1992/05/17	090-9830-8398
18	16	大久保桃子	オオクボモモコ	女	1983/06/03	090-4121-3080
19	17	武田詩織	タケダシオリ	女	1981/05/17	080-3626-6461
20	18	山本聖子	ヤマモトセイコ	女	1974/11/25	080-4296-8709
21	19	李 祐介	リ ユウスケ	男	1985/02/27	090-4037-4286

Sheet1

編集　アクセシビリティ: 問題ありません

セル内でカーソルを移動できる

また、入力モード時に方向キーを押すと、カーソルではなくアクティブセルが移動します。方向キーを押す前に画面の左下でモードを確認し、思い通りに動かしましょう。

記号や数字を入力した通りに表示する

先頭に「'」を付けて「01」や「@」を文字列扱いにする

Excelでは、記号や数字を入力すると、関数や数式と判断されて表記が変わってしまうことがあります。

先頭に「'（アポストロフィー）」を付けると、以降の値は文字列として扱われるため、入力した通りに表示できます。

●そのまま入力すると表示が変わってしまう

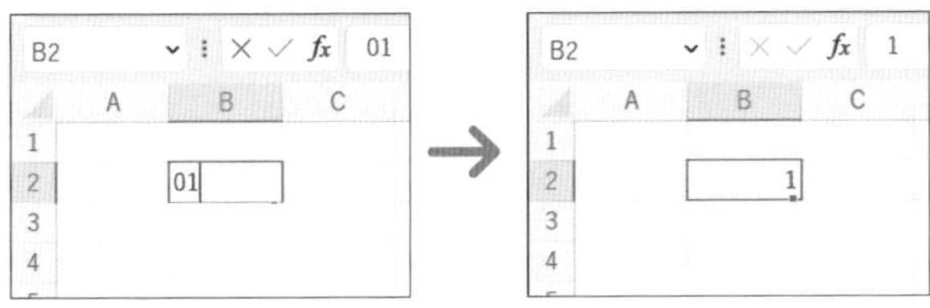

●先頭に「'」を付ける

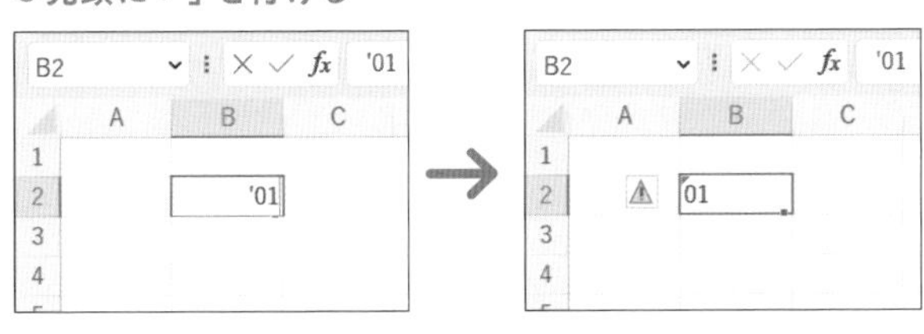

Memo

入力値を文字列として扱うには、あらかじめ対象となるセルの表示形式を［セルの書式設定］で［文字列］にする方法もあります。

●自動変換される例

入力値	結果	備考
01	1	数値と認識される
(1)	-1	()がマイナスと認識される
2-3	2月3日	日付と認識される
1/2	1月2日	日付と認識される
(c)	©	オートコレクトによる自動変換
@Excel	関数エラー	@から始まる値は関数として認識される
=Excel	#NAME?	=から始まる値は数式として認識される

Technique 023 365 2021 2019 2016

入力した値が「####」や「1E+20」のように表示される

列の幅を広げる

日付や数字を入力した際に「**####**」や「**1E+20**」などのように表示されることがあります。

セルの列の幅が足りず、すべて表記できない場合にこのように表示されるため、列の幅を調整すると、正しく表示できます。

列の幅は、列の境界線をドラッグして変更するほか、対象の列を右クリック→[列の幅]から数値で指定したり、対象の列またはセルを選択して Alt → H → O → I で自動調整することもできます。

●####エラーで表示される

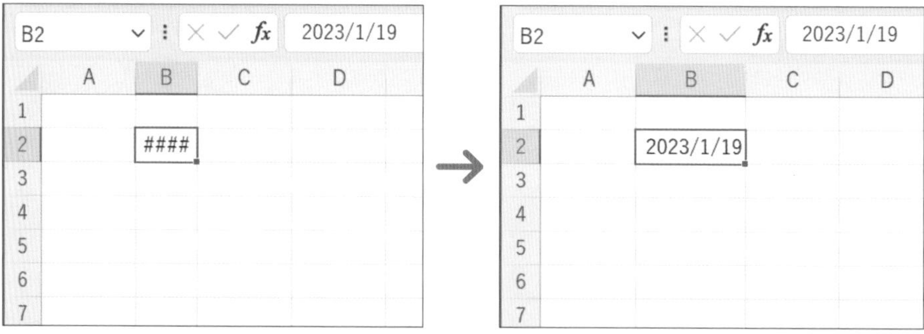

●数値が指数表記される

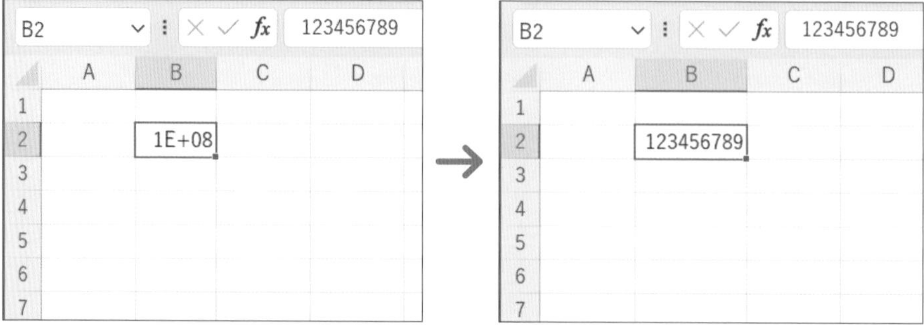

Technique 024 365 2021 2019 2016

入力時に列の幅が変わらないようにする

列の幅を指定する

日付や数値などの入力を行った際、勝手に幅が調整され、列の幅が若干広くなってしまうことがあります。

列の幅は手動で調整すると以降は勝手に動かなくなります。なお、調整のタイミングは、入力の前でも後でも問題ありません。

●ドラッグして列の幅を指定

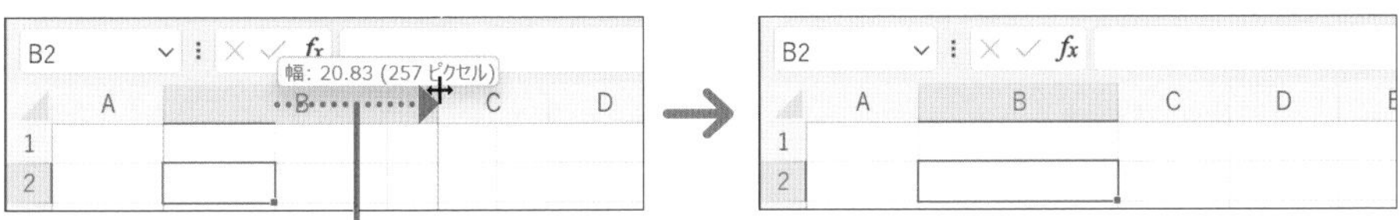

列番号の境界線にマウスポインターを合わせ、[+] に表示が変わったら右方向にドラッグ

列の幅を数値で指定したい場合は、幅を指定したい列のセルを選択した状態で、[ホーム] タブ→ [セル] の [書式] ❶をクリックし、[列の幅] ❷を選択して、数値を入力❸したら、[OK] ❹をクリックします。

●数値を入力して列の幅を指定

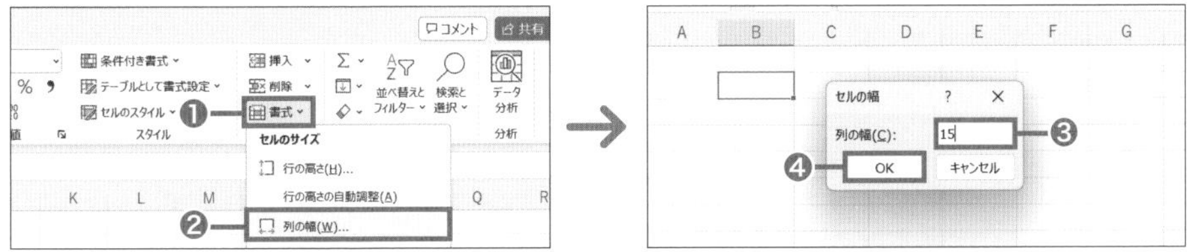

Memo

セル内で改行 (P.58参照) したときなどに行の高さが自動的に調整されてしまった場合も、同様に行の高さを固定することができます。

Technique 025　365　2021　2019　2016

セル内でテキストを改行する

セル内でテキストを改行する

入力したテキストを折り返して表示させたいセルを選択した状態で❶、[ホーム] タブ❷→ [配置] の [**折り返して全体を表示する**] ❸を選択します。

●折り返して全体を表示する

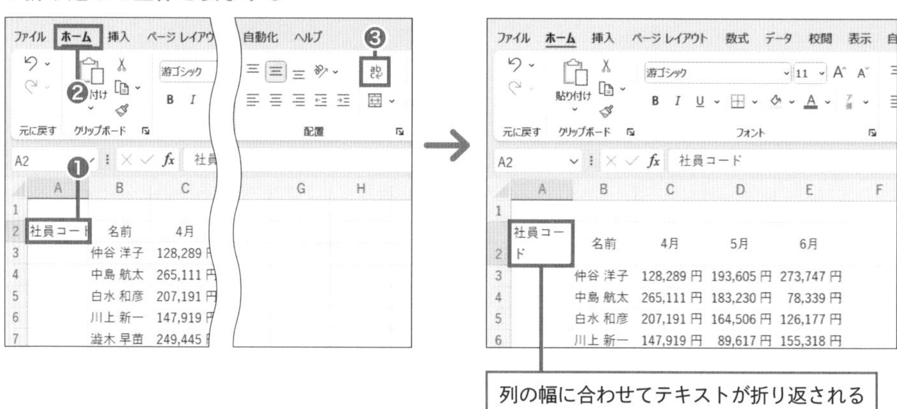

改行する位置を指定するには、改行位置にカーソルを合わせ、Alt + Enter を押します。

●改行位置を指定する

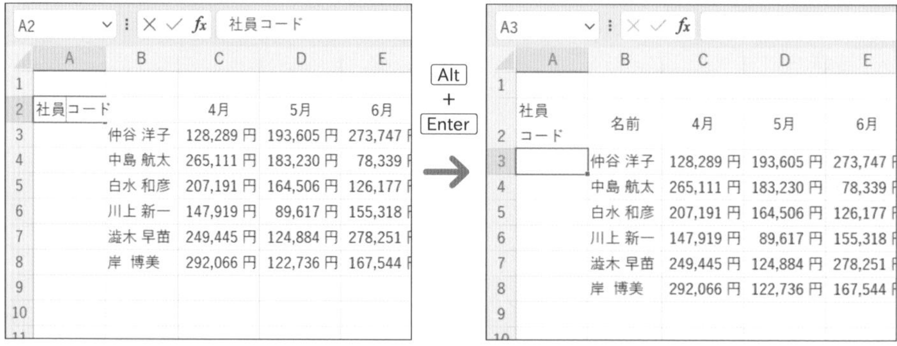

同じ値を複数のセルに一括入力する

飛び地のセルに同じ値を一括入力する

小規模なデータを作成するのであれば、複数のセルを選択して同じ値を一括入力する方法が便利です。

Ctrl を押しながら同じ値を入力したいセルをマウスクリックですべて選択し、値を入力します。入力が確定したら Ctrl ＋ Enter で選択したすべてのセルに反映させます。

●複数のセルを選択して値を入力する　02-01.xlsx

	名前	入社日	所属部署
3	秋山 孝幸	2003年04月11日	人事部
4	上野 智代	2003年05月26日	
5	立花 智子	2004年08月21日	
6	村井 瞳	2005年03月06日	
7	栗本 かい	2006年09月08日	
8	小林 彰宏	2007年06月26日	
9	山内 剛史	2007年07月20日	
10	高橋 香織	2007年09月22日	
11	加古 マリ	2008年01月10日	
12	諏訪 佑輔	2008年08月23日	
13	山田 優子	2010年05月07日	
14	成田 真由美	2011年10月09日	
15	岡崎 美幸	2012年07月21日	

● Ctrl ＋ Enter で複数のセルに値を反映させる

	名前	入社日	所属部署
3	秋山 孝幸	2003年04月11日	人事部
4	上野 智代	2003年05月26日	
5	立花 智子	2004年08月21日	人事部
6	村井 瞳	2005年03月06日	
7	栗本 かい	2006年09月08日	
8	小林 彰宏	2007年06月26日	人事部
9	山内 剛史	2007年07月20日	人事部
10	高橋 香織	2007年09月22日	
11	加古 マリ	2008年01月10日	
12	諏訪 佑輔	2008年08月23日	
13	山田 優子	2010年05月07日	
14	成田 真由美	2011年10月09日	
15	岡崎 美幸	2012年07月21日	

Technique 027　365 2021 2019 2016

入力時のミスや表記ゆれを防ぐ

入力用のリストを設定する

部署名や会員ランクなど、入力内容が決まっている場合は、誤字・脱字などを防ぐために、ドロップダウンリストなどを活用すると良いでしょう。

あらかじめ別のシートに入力内容のリストを作成しておきます。ドロップダウンリストを設定したい範囲を選択した状態で❶、[データ] タブ❷→ [**データの入力規則**] ❸→ [データの入力規則] ❹を選択します。[データの入力規則] ダイアログボックスの [設定] タブ❺で、[入力値の種類] を [リスト] ❻にし、[ドロップダウンリストから選択する] にチェックを入れ❼、[元の値] には別のシートに作成した入力内容のリストのデータ範囲を指定したら❽、[OK] ❾をクリックして適用します。

●データの入力規則を設定する　02-01.xlsx

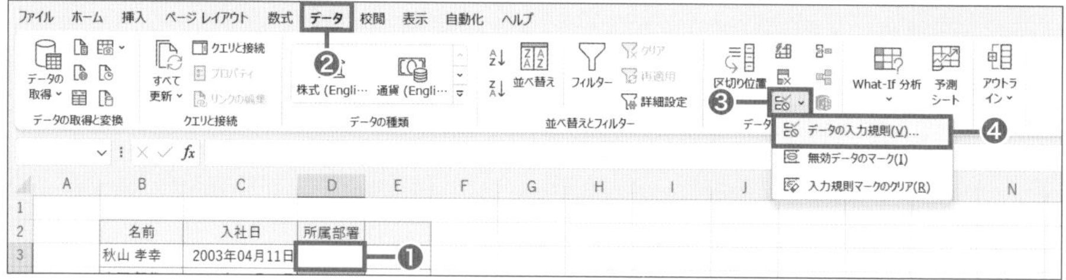

●ドロップダウンリストを設定する

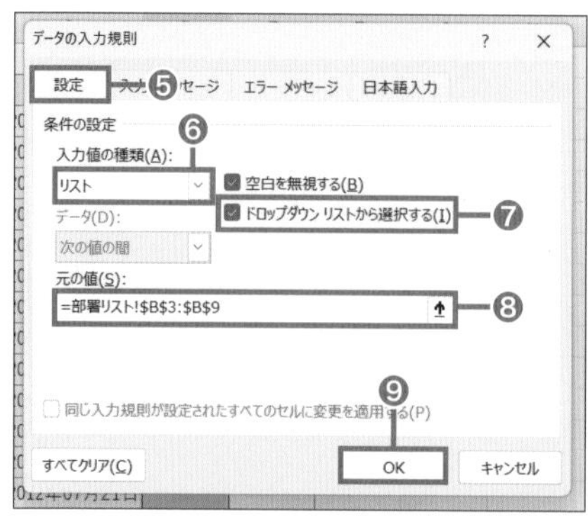

Memo

[元の値] には、「, (コンマ)」で区切ったテキストを直接入力することもできます。また、別のシートに作成したリストの項目が増える可能性がある場合は、「=OFFSET(部署リスト!$B$3,0,0,COUNTA(部署リスト!B3:B300),1)」のように設定すると、ドロップダウンリストに項目が自動的に追加されます。

●入力候補がドロップダウンリストで表示される

	名前	入社日	所属部署
3	秋山 孝幸	2003年04月11日	
4	上野 智代	2003年05月26日	
5	立花 智子	2004年08月21日	
6	村井 瞳	2005年03月06日	
7	栗本 かい	2006年09月08日	
8	小林 彰宏	2007年06月26日	
9	山内 剛史	2007年07月20日	
10	高橋 香織	2007年09月22日	

セルの右側に表示される［▼］をクリックするとドロップダウンリストが表示される

入力候補を表示して表記ゆれを防ぐ

データがある程度入力されているときは、Alt＋↓で同じ列に入力されているデータを選択できます。

●入力候補がドロップダウンリストで表示される

	B	C	D	E
7	栗本 かい	2006年09月08日	事業部	
8	小林 彰宏	2007年06月26日	人事部	課長
9	山内 剛史	2007年07月20日	開発部	部長
10	高橋 香織	2007年09月22日	事業部	
11	加古 マリ	2008年01月10日	営業部	
12	諏訪 佑輔	2008年08月23日	製造部	部長
13	山田 優子	2010年05月07日	総務部	
14	成田 真由美	2011年10月09日	総務部	
15	岡崎 美幸	2012年07月21日	開発部	
16	鈴木 絵理	2012年07月27日	事業部	
17	山下 義治	2013年06月16日	製造部	
18	福原 唯子	2015年10月06日	事業部	
19	原田 雄太	2015年11月18日	人事部	
20	松本 啓子	2018年07月03日	製造部	
21	澤村 祐輔	2020年04月28日	開発部	
22	前田 潔	2020年08月06日	営業部	

Alt＋↓でリストが表示されたら↓で項目を選択し、Enterで確定する

Technique 028　365　2021　2019　2016

規則性のあるデータを自動入力①
連続する日付や連番を一瞬で入力する

連続するデータをすばやく入力する

オートフィルや**連続データの作成**を利用すると、1つ目のデータを入力するだけで、数字が連続するデータの入力を自動化できます。いちいち入力する手間がかからず、ミスも防げます。

●日付の連続データを入力する（オートフィル）

02-02.xlsx

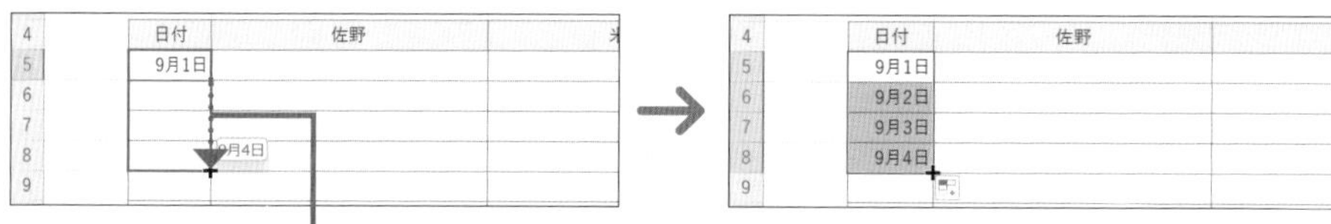

フィルハンドルにマウスポインター（+）を合わせてドラッグする

●連番を入力する（オートフィル）

02-03.xlsx

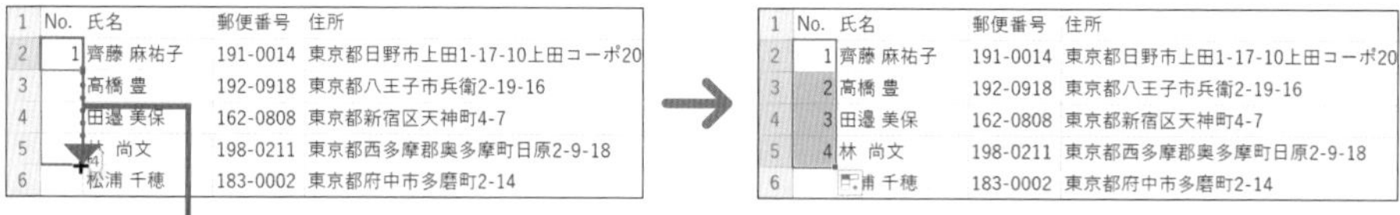

Ctrl を押しながらドラッグする。マウスポインターの形は+

連続するデータ数が多いときは、［ホーム］タブ→［編集］の［フィル］→［連続データの作成］を利用すると、スクロールしながらドラッグしなくてすみます。

●連番を入力する（連続データの作成）

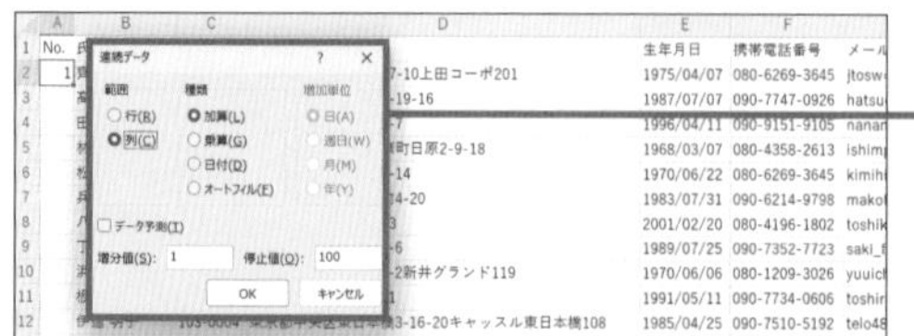

［範囲］を［列］にし、日付は［種類］を［日付］、連番は［加算］に設定して、［停止値］に連続データの最後の数を入力する。左の例では1～100までの連番がA2セル～A101セルに入力される

Technique 029　365　2021　2019　2016

規則性のあるデータを自動入力②　数字を10ずつ増やす

一定の数ずつ数字を増やす

「1つずつ数が増えるデータの入力はできたけれど、今度は10ずつや2ずつ数を増やしたい」といったときにも**オートフィル**や**連続データの作成**が活用できます。P.62とは少し設定を変えてみましょう。

オートフィルで一定の数ずつ数字を増やしたい場合は、最初の2つのデータを選択した状態で、フィルハンドルにマウスポインター（+）を合わせてドラッグします。

●オートフィルを利用する

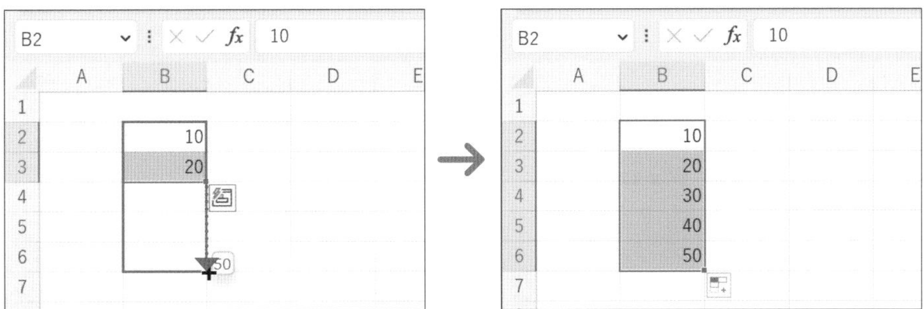

連続データの作成を利用する場合は、P.62と同様の方法で［連続データ］ダイアログボックスを表示し、［増分値］に増やしたい数を設定します。

●連続データの作成を利用する

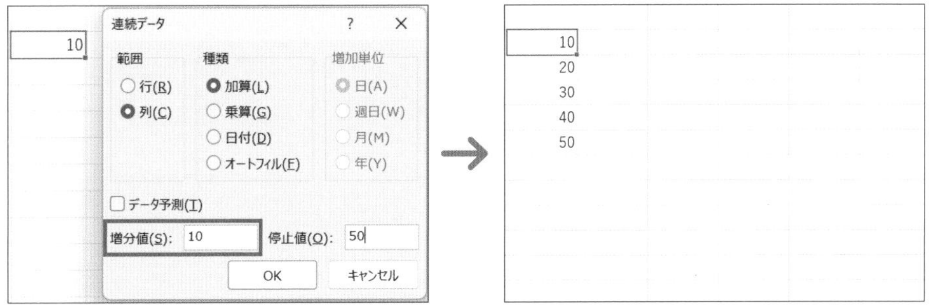

Technique 030　365　2021　2019　2016

規則性のあるデータを自動入力③ パターンの繰り返しを入力する

データ範囲を選択して繰り返す

店舗名など、決まった文字のパターンの繰り返しには**オートフィル**が便利です。

文字のパターンを入力・選択した状態で、フィルハンドルにマウスポインター（✚）を合わせてドラッグします。下図のようにあらかじめほかのセルに入力がある場合は、フィルハンドルをダブルクリックしても繰り返しが適用されます。

●パターンを選択してドラッグする　02-04.xlsx

●パターンが繰り返される

Technique 031　365　2021　2019　2016

規則性のあるデータを自動入力④ スピル機能を活用する

スピル機能とは

Excel for Microsoft 365とExcel 2021には、規則性のあるデータを自動入力する機能として、**スピル**（＝動的配列数式）機能が追加されています。スピル機能が適用されると、先頭のセルに入力した数式や関数が自動的に隣接するセルにも補完入力されます。

また、スピル機能で補完入力されたセルは、**ゴースト**といいます。数式を入力したセルを選択すると、数式バーの数式は黒い文字で表示されますが、ゴーストのセルでは、数式バーの数式がグレーの文字になっていることがわかります。

●スピルが働き、補完入力される

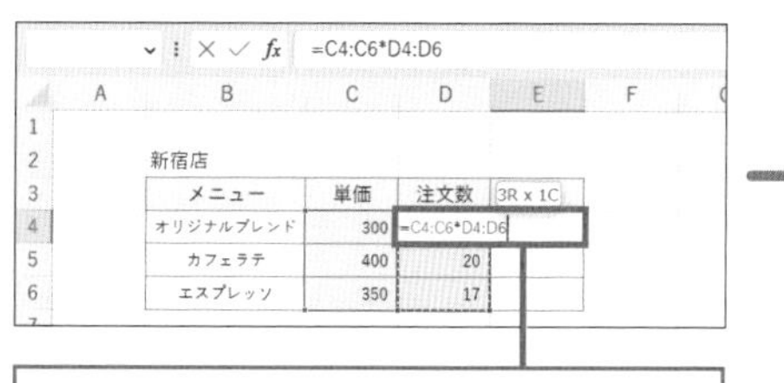

E4セルに「=C4:C6*D4:D6」と入力し、Enterで確定する

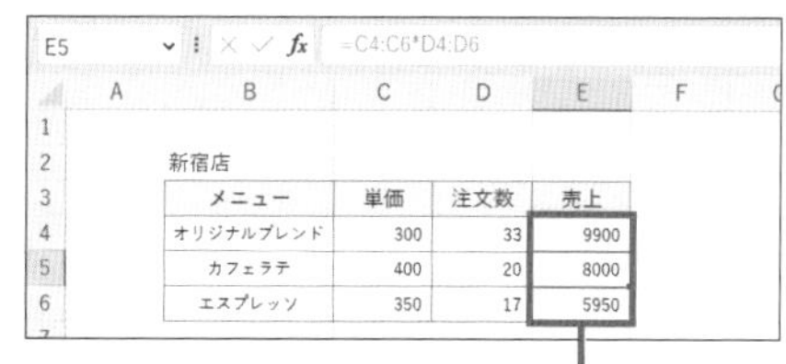

E4セルには「=C4*D4」の結果が反映され、E5セル、E6セルにも計算結果が反映される

なお、ゴーストのセルに別の値を入力すると、「#スピル!」エラーが表示されてしまいます。

●ゴーストのセルには入力できない

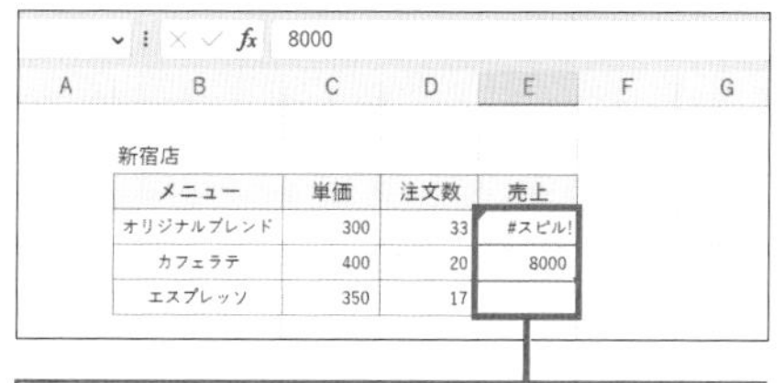

E5セルに数値を入力するとエラーが表示され、ほかの値も反映されない

Memo

スピル機能を利用できる関数には、以下のものがあります（詳しくはP.119参照）。

- FILTER
- SORT
- SORTBY
- UNIQUE
- RANDARRAY
- SEQUENCE
- XLOOKUP
- XMATCH

Technique 032　365　2021　2019　2016

ハイパーリンクを削除する

セル内のURLからハイパーリンクを削除する

Excelに URLを入力すると、**オートコレクト**機能によって、自動的に**ハイパーリンク**が設定されてしまいます。「選択するためにセルをクリックしたつもりが、ウェブブラウザが開いてしまった」といったことを経験した方もいらっしゃるのではないでしょうか。リンクが不要な場合は、ハイパーリンクを削除しましょう。

ハイパーリンクが設定されたセルを選択した状態で❶、[ホーム] タブ❷→ [編集] の [クリア] ❸を選択し、[ハイパーリンクのクリア] または [ハイパーリンクの削除] ❹を選択します。[ハイパーリンクのクリア] を選択すると、下線やフォントの色といった書式設定が残り、[ハイパーリンクの削除] を選択すると、セルの塗りつぶしの色や罫線などを含めたすべての書式設定も削除されます。

●ハイパーリンクを削除する　02-06.xlsx

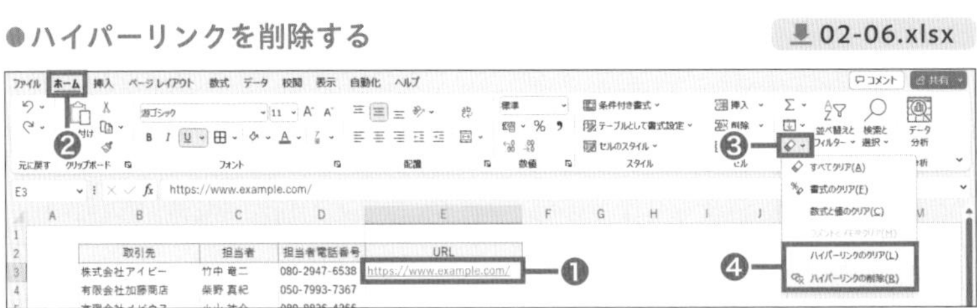

また、ハイパーリンクを自動的に作成しないようにしたいときは、P.24を参考に [オートコレクト] ダイアログボックスを表示し、[入力オートフォーマット] タブ❶で、[インターネットとネットワークのアドレスをハイパーリンクに変更する] のチェックを外します❷。

●オートコレクトの設定を変更する

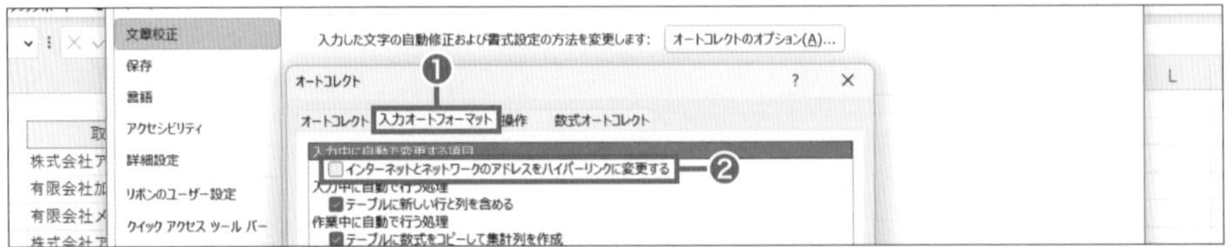

Chapter 3

実は奥が深い セルの書式設定を 使いこなす

「売上表の金額に￥マークや桁区切りを付けたい」「日付と一緒に曜日を表示したい」といった場合に、該当するセルのデータを入力し直すのは気が遠くなるような作業です。データ自体に問題がなければ［セルの書式設定］を使うと入力された値はそのままに、見た目の表示だけを変更することができます。

セルの書式設定では「日付と一緒に年号を表示する」「小数点以下第５位まで表示する」など、細かなカスタマイズが可能です。

Technique 033 365 2021 2019 2016

フォントの種類やサイズを変更する

フォントの変え方

Excelでは選択した文字またはセルごとにフォントの書式設定を変更できます。文字またはセルを選択した状態で、[ホーム] タブ→ [フォント] からフォントの種類やサイズ、色などを設定しましょう。

[フォント] では、フォントの種類とサイズ、[フォントサイズの拡大]、[フォントサイズの縮小]、[太字]、[斜体]、[下線]、[罫線] (P.90参照)、セルの [塗りつぶしの色]、[フォントの色]、[ふりがなの表示/非表示] (P.70参照) が設定できます。

●フォントを変更する

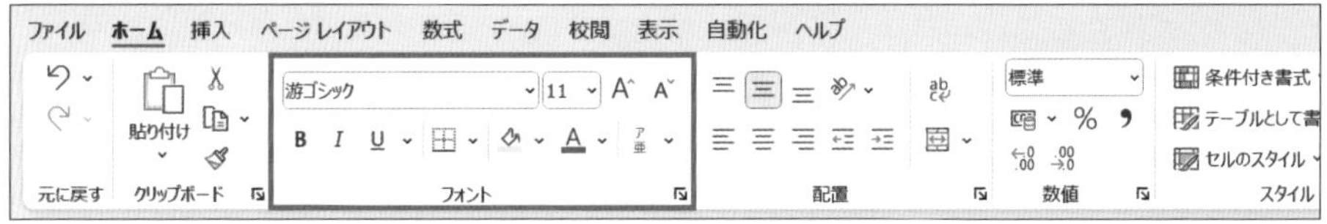

また、[セルの書式設定] ダイアログボックス (P.40参照) の [フォント] タブからもフォントの書式設定を設定できます。文字に取り消し線を付けるなど、リボンからは設定できない項目も利用可能です。

●[セルの書式設定] ダイアログボックスの [フォント] タブ

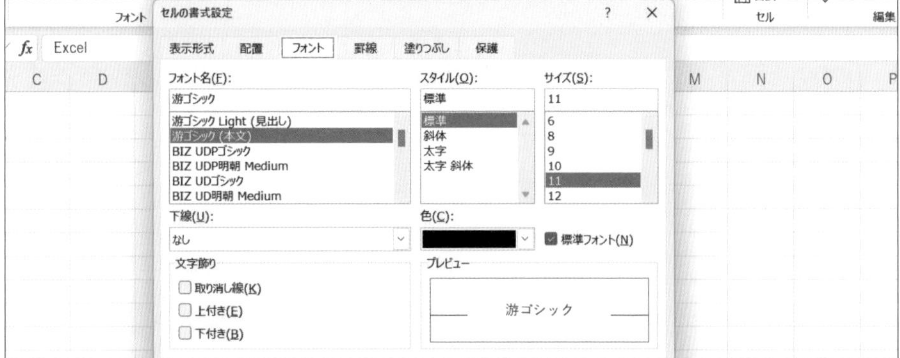

おすすめのフォント

Excelには、標準で利用できるフォントがいくつかあります。その中でも資料や表を作成する際に見やすいおすすめのフォントを紹介します。

❶「游ゴシック」初期状態のExcelで「既定フォント」になっているフォントです。

❷「MS Pゴシック」Excel 2013以前のバージョンで和文入力時の「既定フォント」になっていたフォントです。昔に作成されたExcelデータでよく見かけます。

❸「Arial」英語版のExcelやExcel 2013以前のバージョンで英数字入力時の「既定フォント」にされています。海外とデータのやり取りがある場合などにおすすめです。

❹「メイリオ」Windowsだけでなく、Macにも互換性があるフォントなので、取引先のOSに関係なくやり取りができます。ややくだけた印象のフォントです。

●游ゴシック

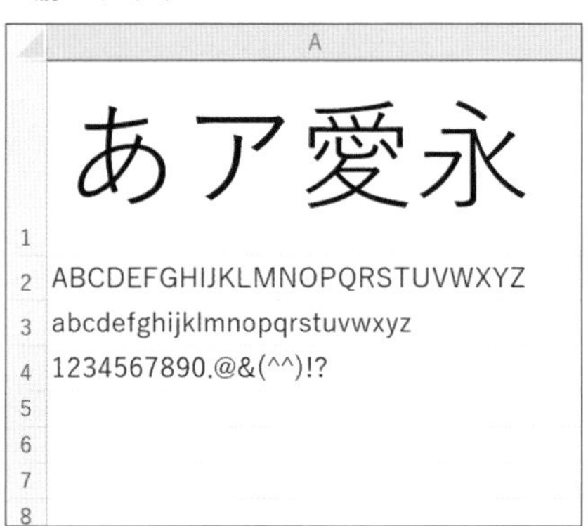

●MS Pゴシック

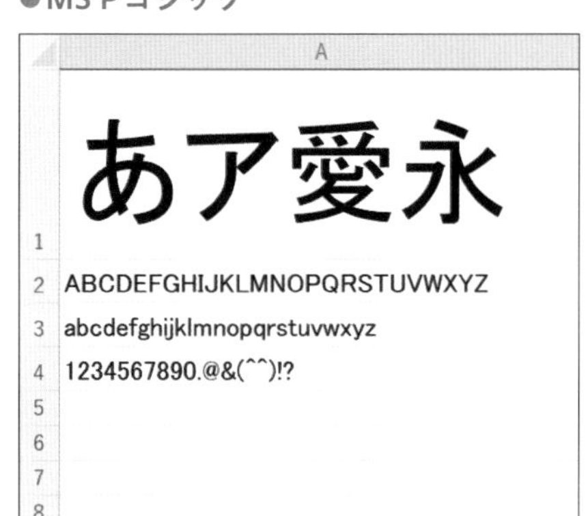

●Arial

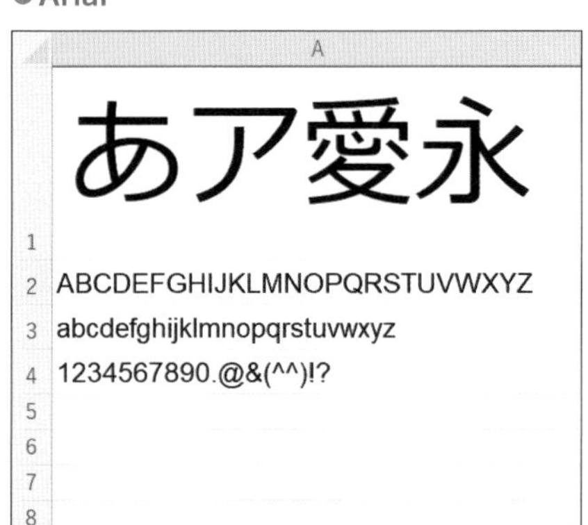

●メイリオ

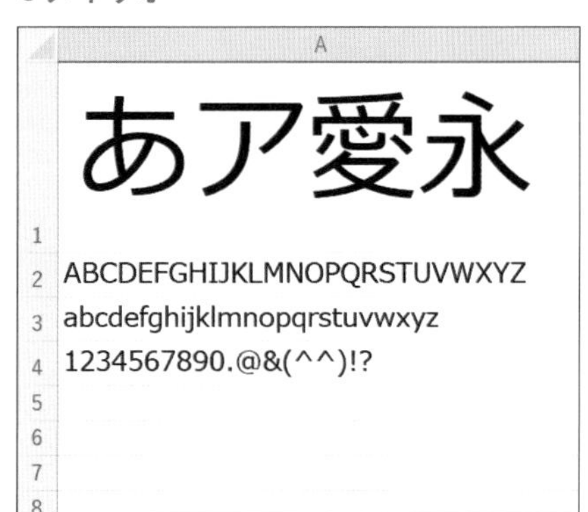

Technique 034　365　2021　2019　2016

ふりがなを表示する

文字の上にふりがなを表示する

会員名や商品名など、入力した名前にふりがなを表示させたいときは、ふりがなを表示させたいセルを選択した状態で❶、[ホーム] タブ❷→ [フォント] の [ふりがなの表示/非表示] ❸を選択します。再度 [ふりがなの表示/非表示] を選択すると、ふりがなは非表示状態に戻ります。

なお、コピー&ペーストしたテキストにはふりがなが表示されません。入力し直すか [変換] をするとふりがなが適用されます。

●ふりがなを表示する

03-01.xlsx

セルに入力されているアルファベットやひらがな、カタカナには、ふりがながふられていませんが、[ふりがなの編集] から手動でふりがなを表示させることが可能です。

ふりがなを表示させたい箇所を選択した状態で、[ホーム] タブ→ [フォント] の [ふりがなの表示/非表示] の右側の [⌄] ❶→ [ふりがなの編集] ❷を選択し、表示させたいふりがなを入力します❸。同様に間違っているふりがなの編集もできます。

●ふりがなを編集する

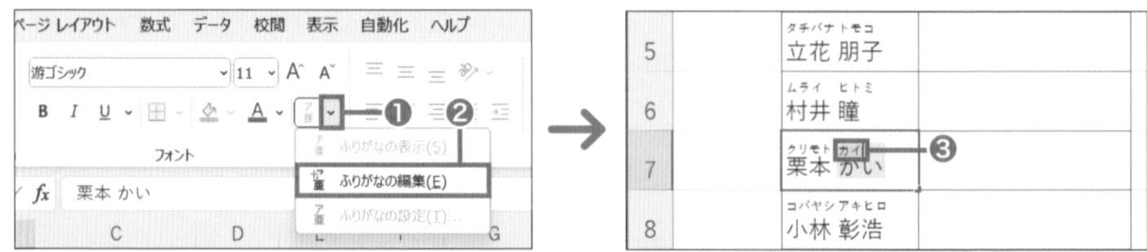

別のセルにふりがなのみを表示させる

名前を入力しているセルとは別に、ふりがなだけを表示するセルを作りたい場合は、**PHONETIC関数**が便利です。

> =PHONETIC(参照)（フォネティック）
>
> **ふりがなの文字列を取り出します。**

●ふりがなを別のセルに表示する

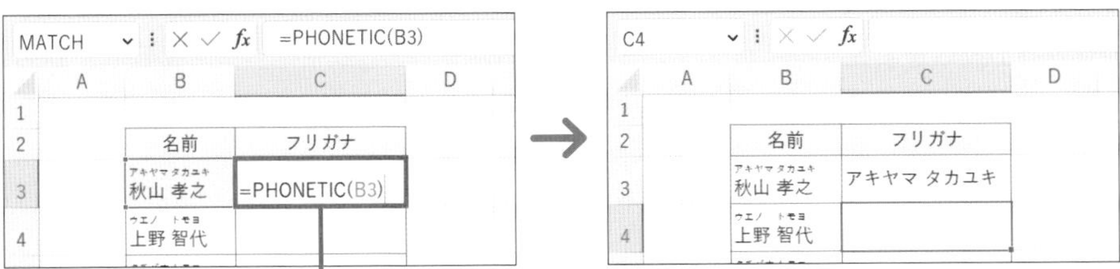

参照元のセル（上図の場合はB3セル）のふりがなが編集されると、C3の表示も自動的に更新されます。

ふりがなをひらがな表示にする

Excelのデフォルト設定では、ふりがながカタカナで表示されます。ふりがなをひらがな表示にしたいセルを選択した状態で、[ホーム] タブ→ [フォント] の [ふりがなの表示/非表示] の右側の [⌄] → [ふりがなの設定] を選択し、[ふりがなの設定] ダイアログボックスで [ふりがな] タブ❶→ [種類] の [ひらがな] ❷を選択するとふりがながひらがなになります。

●ふりがなをひらがな表示にする

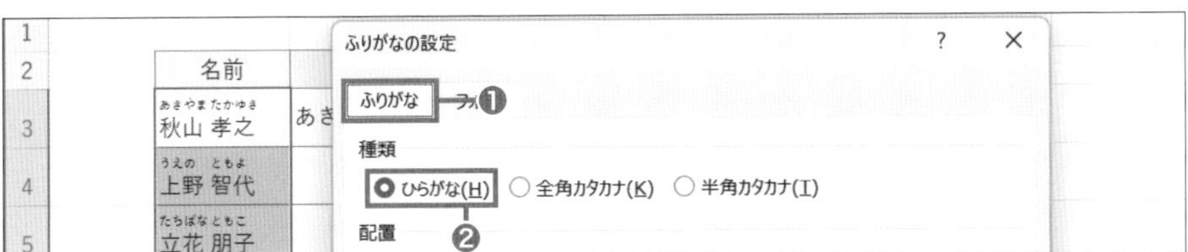

文字を縦書きにする

文字を縦書きにする

文字を縦書きにしたいセルを選択した状態で❶、[ホーム] タブ❷→ [配置] の [方向] ❸→ [縦書き] ❹を選択します。

●縦書きの設定をする

03-02.xlsx

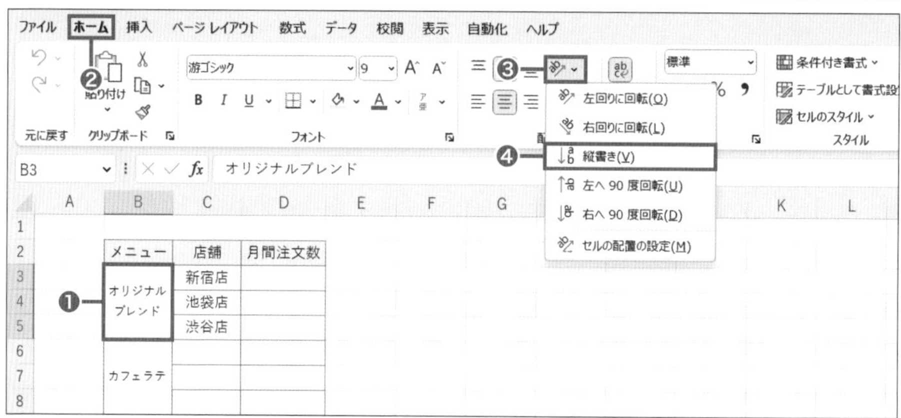

●文字が縦書きになった

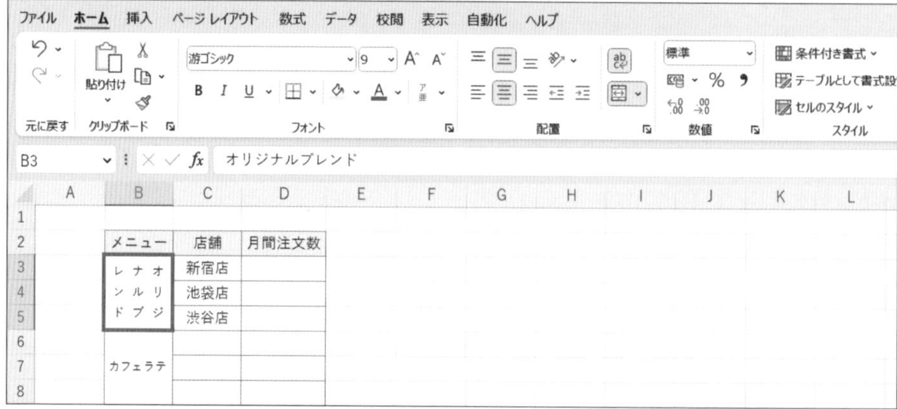

Technique 036　365　2021　2019　2016

セル内の表示位置を調整する

文字の配置を設定する

Excelの文字の配置のデフォルト設定は、横位置が［標準］（左揃えでインデントなし）と、縦位置が［上下中央揃え］になっています。こうした文字の配置は、リボンから簡単に変更できます。

文字の配置を変更したいセルを選択した状態で❶、［ホーム］タブ❷→［配置］の左側6つのアイコンで設定します❸。

●文字の配置を設定する

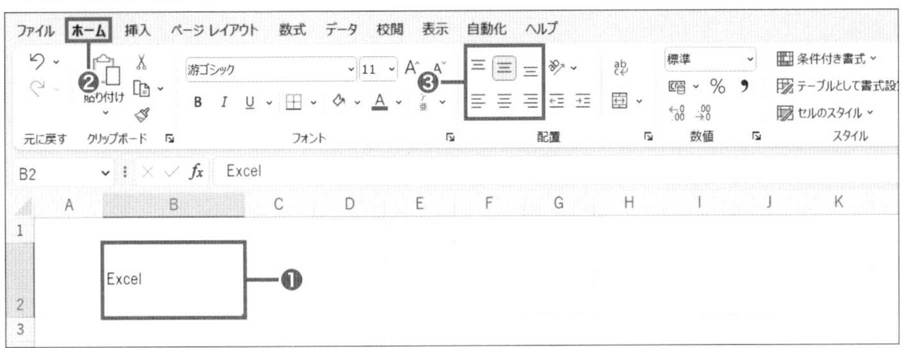

●リボンから設定できる文字の配置

	横位置	縦位置
❶	左揃え	上揃え
❷	中央揃え	上揃え
❸	右揃え	上揃え
❹	左揃え	上下中央揃え
❺	中央揃え	上下中央揃え
❻	右揃え	上下中央揃え
❼	左揃え	下揃え
❽	中央揃え	下揃え
❾	右揃え	下揃え

Technique 037　365　2021　2019　2016

セル結合せず文字を中央に揃える

横並びのセルの中央に文字を揃える

Excelでは、複数のセルを1つに結合する［セルの結合］機能がありますが、結合されたセルには［並べ替えとフィルター］機能が利用できない、関数でエラーになることがあるなど不便な点もあります。エラーは原因の究明が難しい場合もあるので、エラー解析の手間を省くためにも、極力［セルの結合］は利用しないことがおすすめです。ここでは、**［セルの結合］機能を使わずに、複数のセルの中央に文字を揃える**方法を紹介します。

文字を中央に表示させたい横並びのセルを選択した状態で❶、［ホーム］タブ❷→［配置］の［配置の設定］❸を選択し、［セルの書式設定］ダイアログボックスの［配置］タブ❹→［文字の配置］の［横位置］を［選択範囲内で中央］❺に設定し、［OK］をクリックします。

●文字の横位置を［選択範囲内で中央］にする　03-03.xlsx

●文字が左右中央に揃った

	B	C
2	店舗	
3	新宿	新宿東口店
4	新宿	新宿西口店
5	池袋	池袋店

縦横に並んだセルの中央に文字を揃える

P.74の方法では、[文字の配置] の [横位置] を [選択範囲内で中央] にしましたが、[縦位置] にはその機能がありません。縦並びのセルや縦横に並んだセルをつなげて見た目を整えたい場合には以下の方法がおすすめです。

[挿入] タブ❶→ [テキスト] ❷→ [テキストボックス] ❸→ [横書きテキストボックスの描画] ❹を選択します。セルをつなげてみせたい箇所にテキストボックスを作成し、テキストを入力しておきます。テキストボックスが選択された状態で❺、[図形の書式] タブ→ [サイズ] の [サイズとプロパティ] ❻を選択し、[図形の書式設定] ウィンドウで、[プロパティ] の [セルに合わせて移動やサイズ変更をする] ❼を選択して、[テキストボックス] の [垂直方向の配置] を [中心] ❽に設定します。

●テキストボックスを挿入する

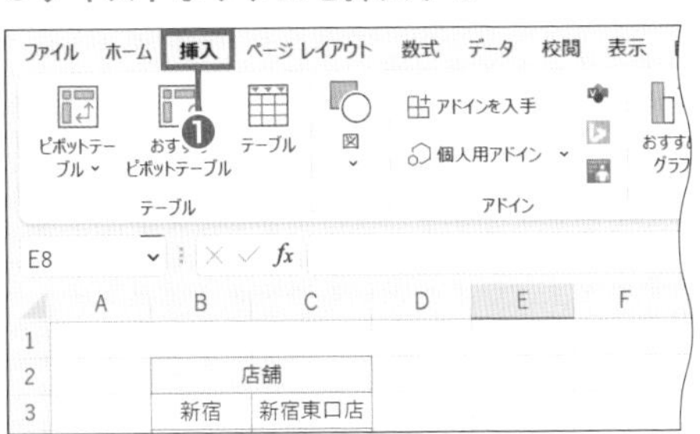

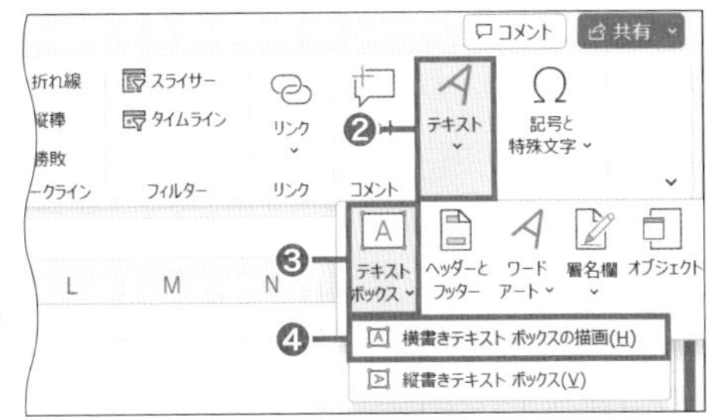

●テキストボックスの書式を設定する

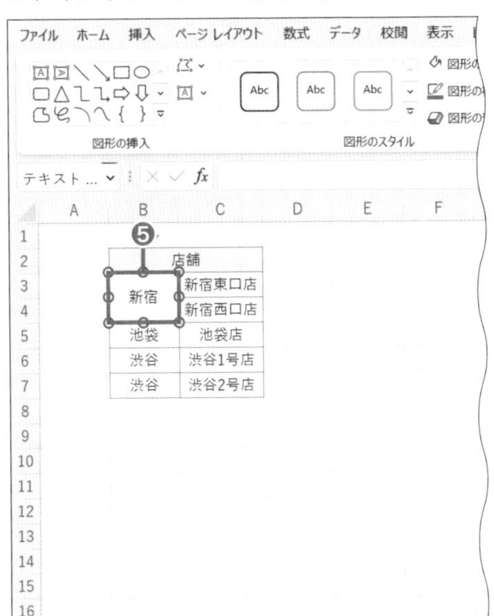

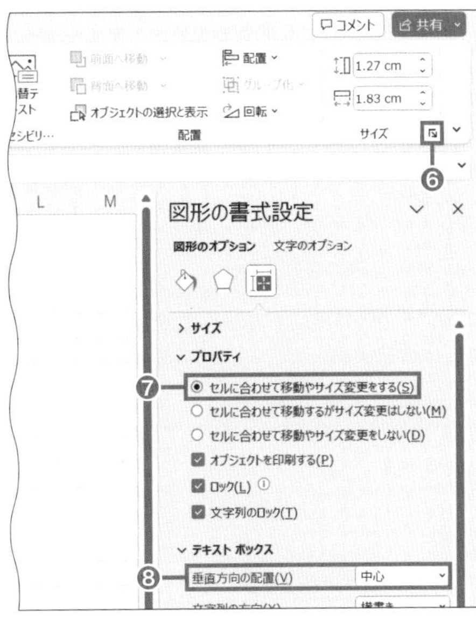

Technique **038** 365 2021 2019 2016

セル内にデータ全体を収める

文字サイズを縮小してデータを表示させる

セルの幅よりも文字が長くなってしまったとき、どのように調整していますか？　フォントサイズを小さくしたり（P.68参照）、[折り返して全体を表示する]（P.58参照）で文字をセル内で改行させたりして調整する方が多いかもしれませんが、1つひとつ設定するのは手間ですし、行の高さが変わってしまうのも見た目に美しくありません。ここでは、**セルの幅以上の長さの文字を縮小して表示させる**方法を紹介します。

文字サイズを調整したいセルを選択した状態で❶、[ホーム] タブ→ [配置] の [配置の設定] ❷を選択します。[セルの書式設定] ダイアログボックスで、[配置] タブ❸→ [文字の制御] の [縮小して全体を表示する] にチェックを入れ❹、[OK] をクリックします。

●書式の設定をする　　03-04.xlsx

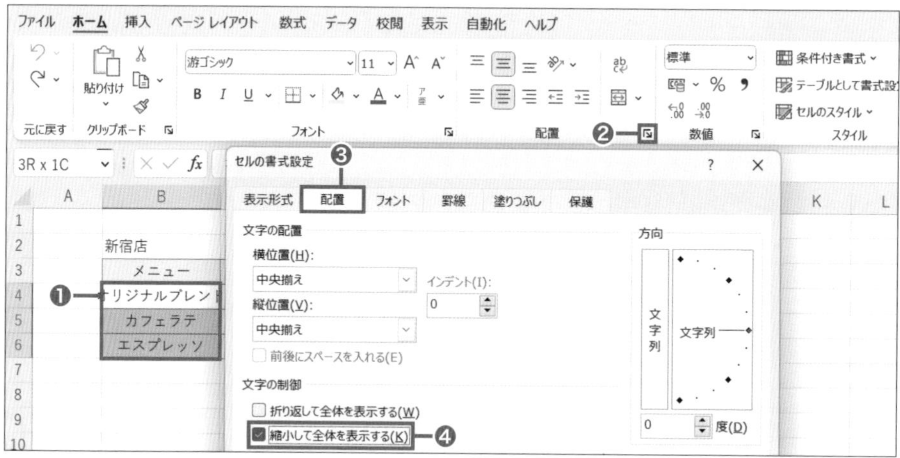

●文字が縮小された

	メニュー	単価	注文数	売上
2	新宿店			
3	メニュー	単価	注文数	売上
4	オリジナルブレンド	300	33	
5	カフェラテ	400	20	
6	エスプレッソ	350	17	

セルの幅に収まる文字は調整されない

結合されたセルを探す

書式の検索をして結合セルを見つける

結合されたセルがシート内にあると、エラーの原因になることがあります。エラーの原因がセル結合だと考えられるようであれば、セル結合を解除する必要があります。まずは結合されたセルがあるか、**書式の検索**機能で調べてみましょう。

[ホーム] タブ→ [編集] の [検索と選択] → [検索] を選択し（または Ctrl + F を押し）、[検索と置換] ダイアログボックスで [オプション] → [書式] を選択します。[書式の検索] ダイアログボックスが表示されるので、[配置] タブ❶→ [文字の制御] の [セルを結合する] にチェックを入れ❷、[OK] をクリックします。[検索と置換] ダイアログボックスに戻るので、[すべて検索] ❸をクリックしてシート内の結合セルを検索します。

●[書式の検索] ダイアログボックスで設定する　03-05.xlsx

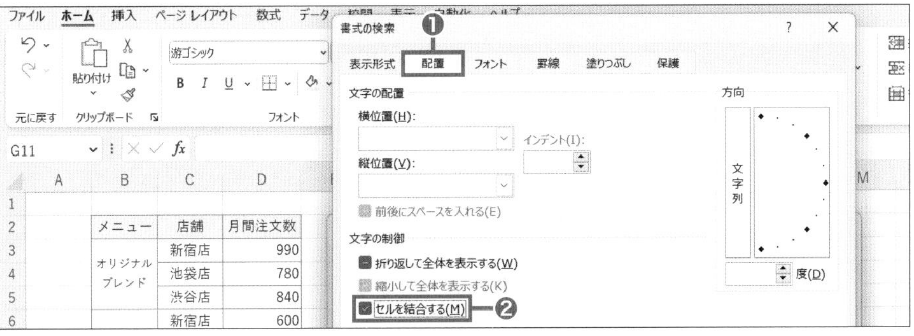

●シート内の結合セルを検索する

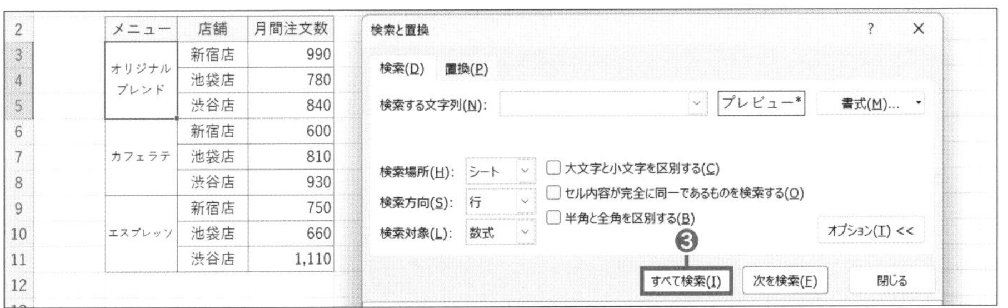

Technique 040　365　2021　2019　2016

年齢を自動入力する

DATEDIF関数を使う

「名簿に年齢を入力すると、誕生日を過ぎたときに更新するのが面倒」と感じたことはありませんか？

DATEDIF関数を活用して、年齢が自動で入力・更新されるようにしてみましょう。

=DATEDIF(開始日,終了日,単位)（デートディフ）

2つの日付の間の日数、月数、または年数を計算します。

●年齢を自動計算する

03-06.xlsx

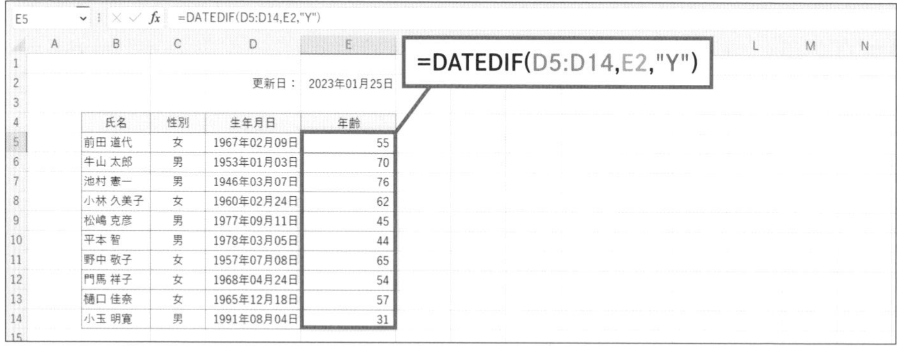

E5　=DATEDIF(D5:D14,E2,"Y")

更新日：　2023年01月25日

氏名	性別	生年月日	年齢
前田 道代	女	1967年02月09日	55
牛山 太郎	男	1953年01月03日	70
池村 憲一	男	1946年03月07日	76
小林 久美子	女	1960年02月24日	62
松嶋 克彦	男	1977年09月11日	45
平本 智	男	1978年03月05日	44
野中 敬子	女	1957年07月08日	65
門馬 祥子	女	1968年04月24日	54
樋口 佳奈	女	1965年12月18日	57
小玉 明寛	男	1991年08月04日	31

DATEDIF関数の開始日にはスピル（P.65参照）が利用できます。また、単位には「"Y"（年数）」「"M"（月数）」「"D"（日数）」「"YM"（年と日を無視した月数）」「"YD"（年を無視した日数）」を指定できます。

Memo

DATEDIF関数は、会員の継続期間や社員の勤続年数にも応用ができます。

数字に桁区切りを設定する

桁区切りスタイルを設定する

Excelでは、[ホーム] タブからワンクリックで数字の3桁ずつのコンマ区切りを設定することができます。

桁区切りを設定したいセルを選択した状態で❶、[ホーム] タブ❷→ [数値] の [桁区切りスタイル] ❸を選択します。

●桁区切りスタイルを設定する　03-07.xlsx

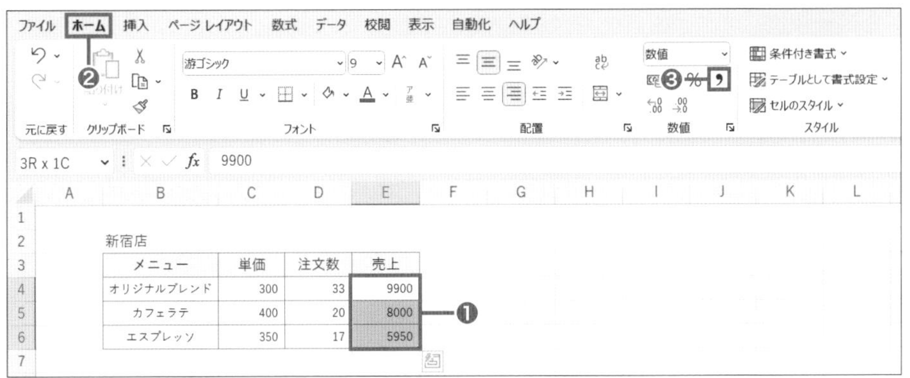

●数字に3桁ずつのコンマ区切りが設定された

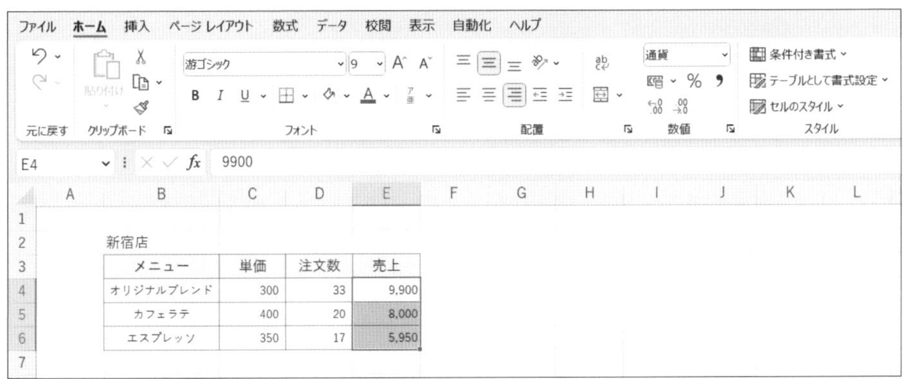

Technique 042　365　2021　2019　2016

数字の前に「¥」などの通貨記号を付ける

通貨表示形式を設定する

Excelで**通貨表示形式**を設定すると「¥」マークが付くだけでなく、数字の3桁ずつのコンマ区切りも自動的に付くようになっています。

通貨記号を表示させたいセルを選択した状態で❶、[ホーム] タブ❷→ [数値] の [通貨表示形式] ❸を選択します。

●通貨表示形式を設定する　03-07.xlsx

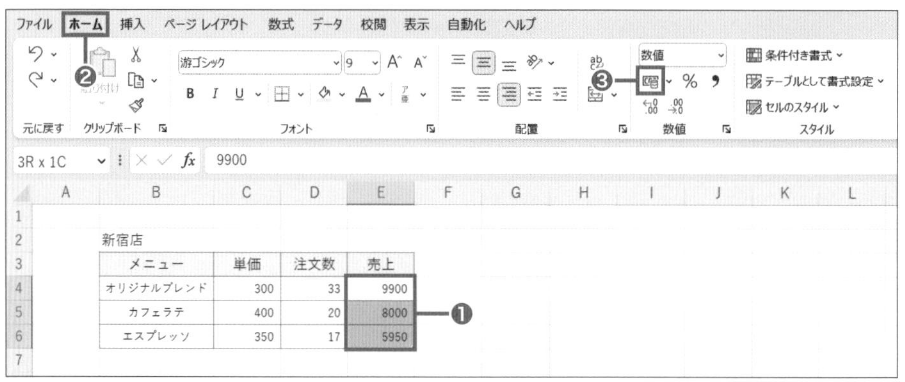

●通貨記号が表示される

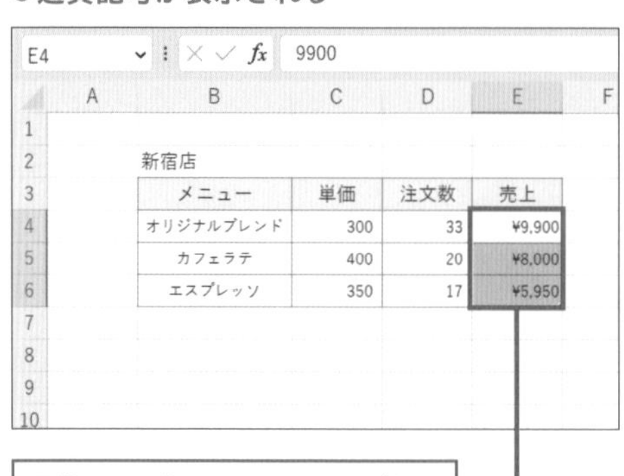

Memo

[通貨表示形式] の右側の [⌄] をクリックすると、$ (ドル) など海外の通貨記号を選択できます。また、「円」などの表記にしたい場合はP.82を参考に設定します。

数字を「%」表示に変更する

パーセントスタイルを設定する

売り上げの達成率などを数式で出すことがあると思います。セルにとくに設定がされていない場合には、小数で結果が表示されるので、**パーセント表示**に直しておくと良いでしょう。

パーセント表示にしたいセルを選択した状態で❶、[ホーム] タブ❷→ [数値] の [通貨表示形式] ❸を選択します。

●パーセントスタイルを設定する　03-07.xlsx

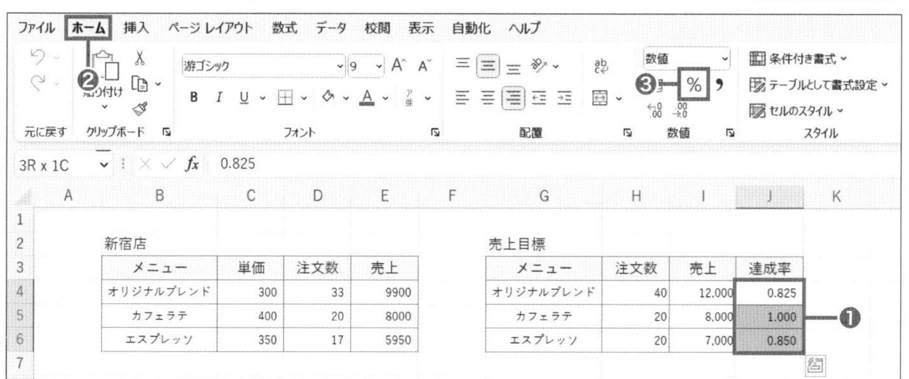

メニュー	単価	注文数	売上
オリジナルブレンド	300	33	9900
カフェラテ	400	20	8000
エスプレッソ	350	17	5950

メニュー	注文数	売上	達成率
オリジナルブレンド	40	12,000	0.825
カフェラテ	20	8,000	1.000
エスプレッソ	20	7,000	0.850

●「%」表示になった

売上目標

メニュー	注文数	売上	達成率
オリジナルブレンド	40	12,000	83%
カフェラテ	20	8,000	100%
エスプレッソ	20	7,000	85%

Memo

パーセントスタイルは、Ctrl + Shift + 5 のショートカットキーでも設定できます。

Technique 044　365　2021　2019　2016

数値に単位を付ける

単位をユーザー定義する

「個」や「本」、「枚」などExcelに登録のない単位を付けるには、オリジナルのセルの表示形式を登録する必要があります。

単位を表示させたいセルを選択した状態で❶、[ホーム] タブ→ [数値] の [表示形式] ❷を選択します。[セルの書式設定] ダイアログボックスで、[表示形式] タブ❸→ [分類] の [ユーザー定義] ❹を選択し、[種類] にここでは「0"個"」と入力して❺、[OK] をクリックします。

●単位をカスタマイズする　03-07.xlsx

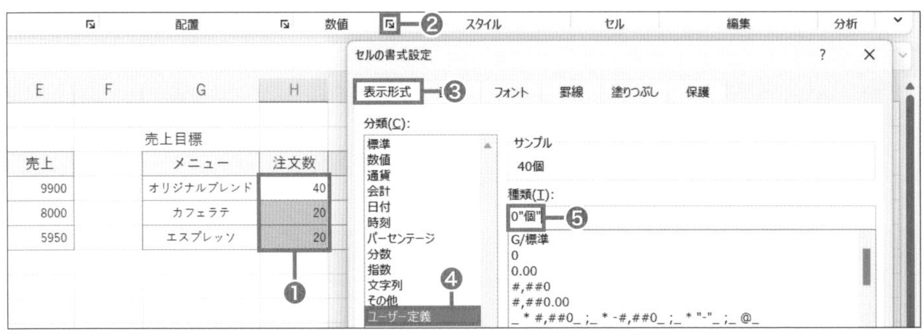

●設定した単位が表示された

Memo

千単位、百万単位などで数値を設定したい場合は、書式記号で工夫が必要です。千円単位は「#,###,」、百万単位は「#,###,,」と入力します。「# (ハッシュマーク)」は1桁の数字、「, (コンマ)」は1000単位の桁の区切りを表します。最後に「,」を追加することで下3桁ずつ省略されます。

Technique 045　365 2021 2019 2016

小数点以下の表示桁数を変更する

小数点以下の表示桁数を増やす

Excelでは、[ホーム] タブからワンクリックで小数点以下の表示を増減できます。

小数点以下の表示桁数を増やしたいときは、セルを選択した状態で❶、[ホーム] タブ→[数値] の [小数点以下の表示桁数を増やす] ❷を選択します。

●小数点以下の表示桁数を増やす　03-07.xlsx

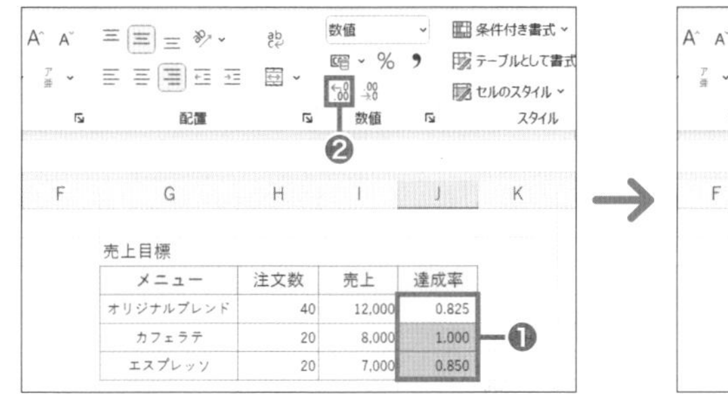

小数点以下の表示桁数を減らす

小数点以下の表示桁数を減らしたいときは、セルを選択した状態で❶、[ホーム] タブ→[数値] の [小数点以下の表示桁数を減らす] ❷を選択します。

●小数点以下の表示桁数を減らす

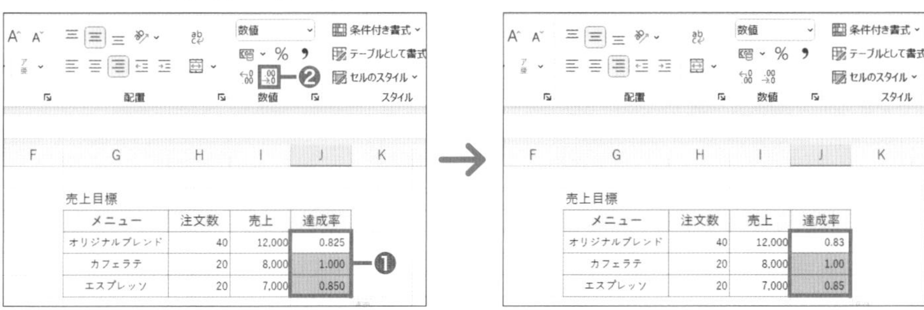

Technique 046 365 2021 2019 2016

小数点の位置を揃える

小数点の位置を揃える

小数点以下の表示桁数をそれぞれの値に合わせていたり、小数と整数が混ざっていたりすると、行ごとに小数点の位置が異なって見た目に美しくありません。見づらさもあるので、小数点の位置が揃うように設定しましょう。

小数点の位置を揃えたいセルをすべて選択した状態で❶、[ホーム] タブ→ [数値] の [表示形式] ❷を選択します。[セルの書式設定] ダイアログボックスで、[表示形式] タブ❸→ [分類] の [ユーザー定義] ❹を選択し、[種類] に「0.???」と入力して❺、[OK] をクリックします。

●表示形式をカスタマイズする 03-08.xlsx

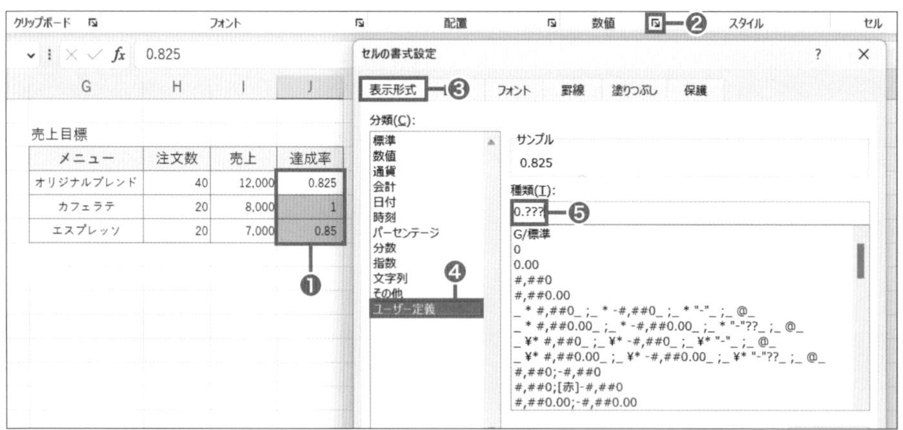

●小数点の位置が揃った

新宿店

メニュー	単価	注文数	売上
オリジナルブレンド	300	33	9900
カフェラテ	400	20	8000
エスプレッソ	350	17	5950

売上目標

メニュー	注文数	売上	達成率
オリジナルブレンド	40	12,000	0.825
カフェラテ	20	8,000	1.
エスプレッソ	20	7,000	0.85

整数に表示される小数点を非表示にする

P.84の方法で小数点の位置を揃えることができましたが、整数のセルに本来なら不要な小数点が表示されてしまいます。気になる場合は整数のセルの表示形式を変更しましょう。

整数のセルを選択した状態で❶、[ホーム] タブ→ [数値] の [表示形式] ❷を選択します。[セルの書式設定] ダイアログボックスで、[表示形式] タブ❸→ [分類] の [ユーザー定義] ❹を選択し、[種類] に「0_._0_0_0」と入力して❺、[OK] ❻をクリックします。

●整数のセルの表示形式をカスタマイズする

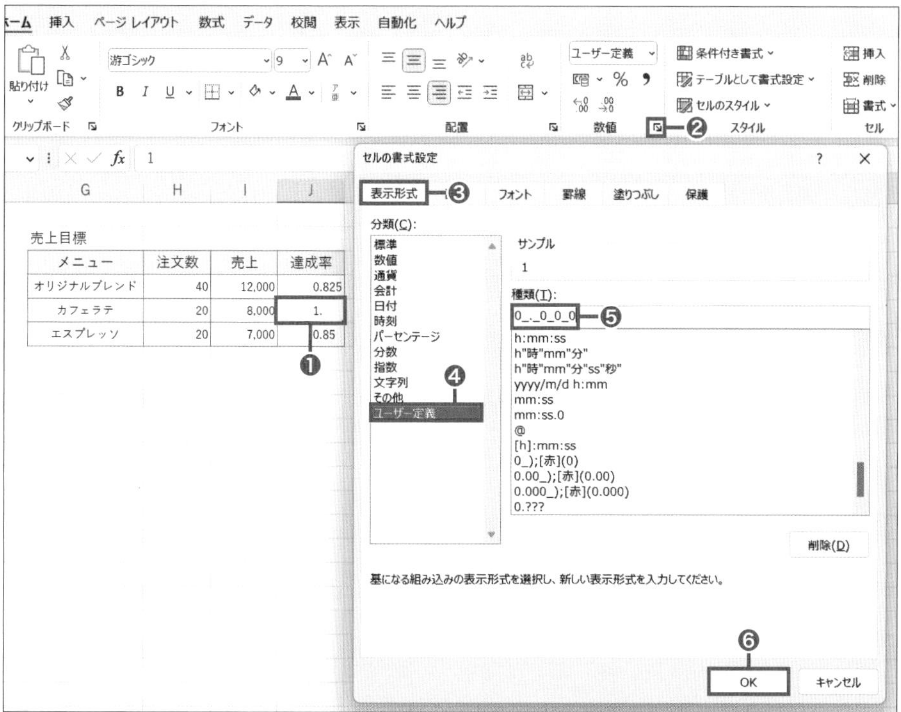

●整数のセルから小数点が消えた

売上目標

メニュー	注文数	売上	達成率
オリジナルブレンド	40	12,000	0.825
カフェラテ	20	8,000	1
エスプレッソ	20	7,000	0.85

Technique 047　365 2021 2019 2016

日付の書式を設定する

長い日付形式に設定する

Excelで日付を入力すると、初期状態では「2023/1/5」のように短い日付形式で表示されます。日付の書式は、さまざまなカスタマイズが可能なので、資料に合った形式に変更しましょう。

「2023年1月5日」のような形式にしたい場合は、日付の入力されたセルを選択した状態で❶、[ホーム] タブ→ [数値] の [数値の書式] の [⌄] ❷→ [長い日付形式] ❸を選択します。

●長い日付形式に設定する

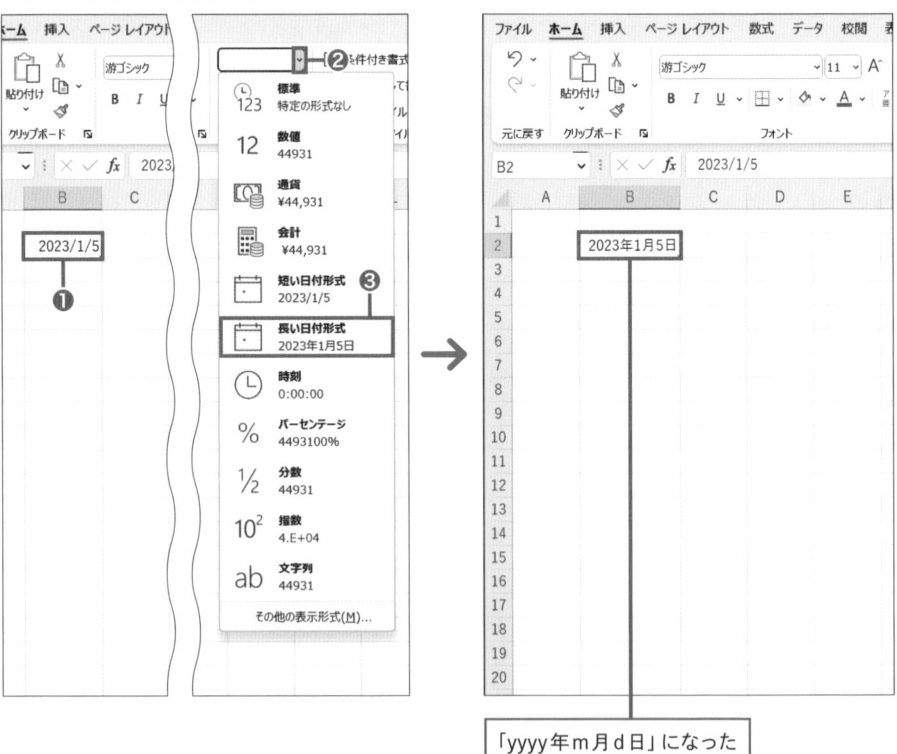

日付の後に時刻を表示する

「2023/1/5 13:00」のように、時刻も表示させたい場合は、日付の入力されたセルを選択した状態で、[ホーム] タブ→ [数値] の [表示形式] を選択します。[セルの書式設定] ダイアログボックスで、[表示形式] タブ❶→ [分類] の [日付] ❷を選択し、[種類] から [2012/3/14 13:30] ❸を選択して、[OK] をクリックします。下の例では24時間の時刻表示を選択していますが、[2012/3/14 1:30 PM] を選択すると12時間の時刻表示にすることもできます。

●日付の後に時刻を表示する

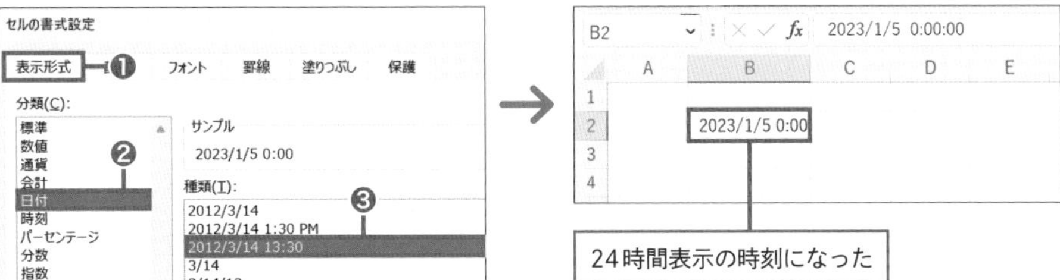

西暦を和暦にする

「令和5年1月5日」のように、和暦の表示にしたい場合は、日付の入力されたセルを選択した状態で、[ホーム] タブ→ [数値] の [表示形式] を選択します。[セルの書式設定] ダイアログボックスで、[表示形式] タブ❶→ [分類] の [日付] ❷を選択し、[カレンダーの種類] を [和暦] ❸に設定して、[種類] から [平成24年3月14日] ❹を選択したら、[OK] をクリックします。

●日付を和暦で表示する

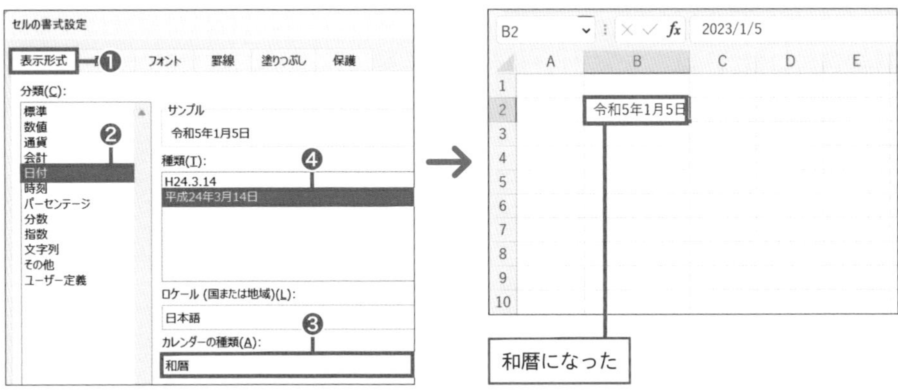

月日を２桁表示にする

「2023/01/05」のように、月日を２桁の形式にしたい場合は、日付の入力されたセルを選択した状態で、[ホーム] タブ→ [数値] の [表示形式] を選択します。[セルの書式設定] ダイアログボックスで、[表示形式] タブ❶→ [分類] の [ユーザー定義] ❷を選択し、[種類] に「yyyy/mm/dd」と入力して❸、[OK] をクリックします。

●月日を２桁表示にする

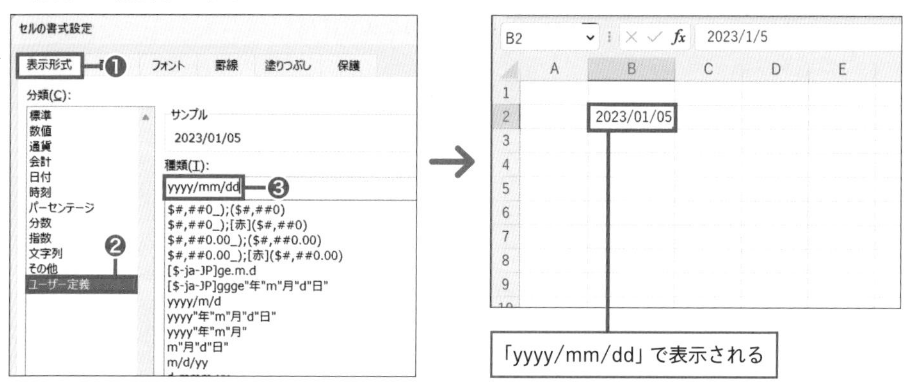

日付の後に曜日を表示する

「2023/1/5(木)」のように、曜日を表示させたい場合は、日付の入力されたセルを選択した状態で、[ホーム] タブ→ [数値] の [表示形式] を選択します。[セルの書式設定] ダイアログボックスで、[表示形式] タブ❶→ [分類] の [ユーザー定義] ❷を選択し、[種類] に「yyyy/m/d(aaa)」と入力して❸、[OK] をクリックします。

●日付の後に曜日を表示する

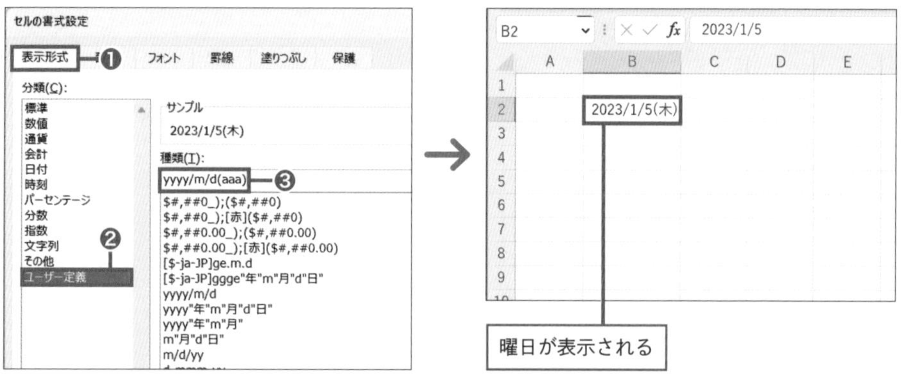

日付や時刻をユーザー定義でカスタマイズする

セルの表示形式を［ユーザー定義］にすると、書式記号を組み合わせることでExcelに登録されていないオリジナルの形式を登録できます。ここでは、日付や時刻に関する書式記号を紹介します。

●ユーザー設定に利用できる書式記号

書式記号	意味
yy	西暦の下2桁を表示
yyyy	西暦を4桁で表示
e	和暦の年を表示
ee	和暦の年を2桁で表示
g	元号をアルファベットの頭文字（M、T、S、H、R）で表示
gg	元号を漢字の頭文字（明、大、昭、平、令）で表示
ggg	元号を漢字（明治、大正、昭和、平成、令和）で表示
m	月を表示
mm	1桁の月に0を付けて2桁で表示
mmm	英語の月の頭文字3文字（Jan～Dec）を表示
mmmm	英語の月（January～December）を表示
mmmmm	英語の月の頭文字（J～D）を表示
d	日にちを表示
dd	1桁の日にちに0を付けて2桁で表示
ddd	英語の曜日の頭文字から 3 文字（Sun～Sat）を表示
dddd	英語の曜日（Sunday～Saturday）を表示
aaa	漢字で曜日の頭文字（日～土）を表示
aaaa	漢字で曜日（日曜日～土曜日）を表示
h	時刻（0～23）を表示。「 AM/PM」を含めると12時間表示になる
hh	1桁の時刻に0を付けて2桁（00～23）で表示
m	分（0～59）を表示
mm	1桁の分に0を付けて2桁（00～59）で表示
s	秒（0～59）を表示
ss	1桁の秒に0を付けて2桁（00～59）で表示

和暦で元号を漢字表記にする場合（「gg」または「ggg」）、「1年」を「元年」と表記させたい場合は「[$-ja-JP-x-gannen]」を先頭に入力します。また、「年」「月」などの文字を表示させたいときは、「"（ダブルクォーテーション）」で文字を囲みます。

セルに罫線を設定する

セルに罫線を設定する

作成した表に罫線を引いて、データを見やすくしましょう。

罫線を引きたいセルや表を選択した状態で、[ホーム] タブ❶→ [フォント] の [罫線] の [⌄] ❷→ [格子] ❸を選択します。

●罫線を設定する

⬇ 03-09.xlsx

●セルに罫線が引かれた

	取引先	担当者	担当者電話番号
001	株式会社アイビー	竹中 竜二	080-2947-6538
002	有限会社加藤商店	柴野 真紀	050-7993-7367
003	有限会社メビウス	小山 祐介	080-8836-4266
004	株式会社アプロ	三木 さえ	050-3222-7005
005	株式会社LOOP	甲斐 麗子	090-4254-1258
006	株式会社たくみ	服部 祥子	070-2580-0714
007	株式会社光和	馬場 大作	080-8233-8170
008	株式会社ハピネス	渡辺 恵子	050-4459-0290
009	有限会社ユニバーサル	矢沢 裕子	090-9708-4614
010	有限会社アトミック	佐々木 ゆかり	050-8648-1844

セルに斜線を設定する

斜線は、[セルの書式設定] ダイアログボックスから設定できます。

斜線を引きたいセルを選択した状態で、[ホーム] タブ→ [フォント] の [罫線] の [⌄] → [その他の罫線] を選択します。[セルの書式設定] ダイアログボックスで、[罫線] タブ❶→ [罫線] の [⧅] ❷を選択し、[OK] ❸をクリックします。

●斜線を設定する

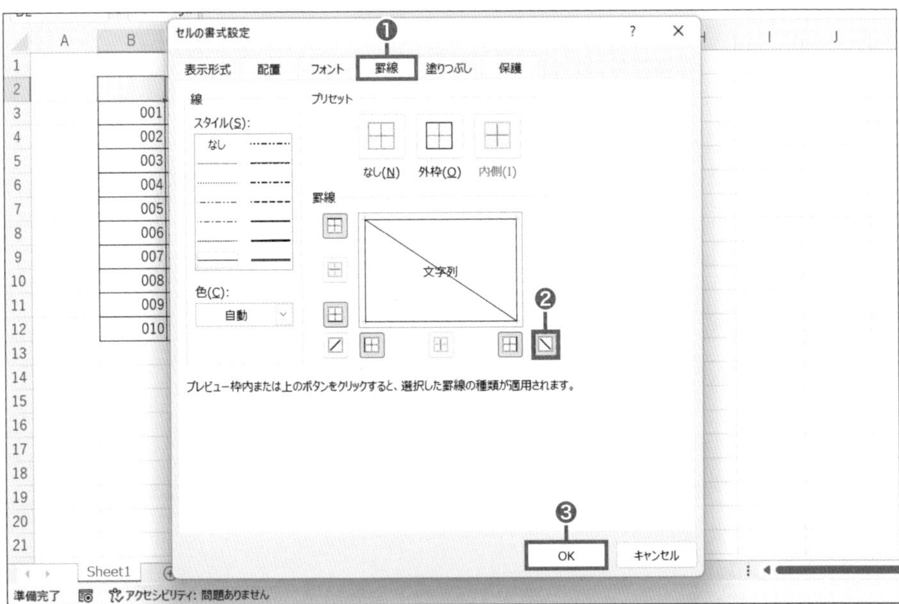

●セルに斜線が引かれた

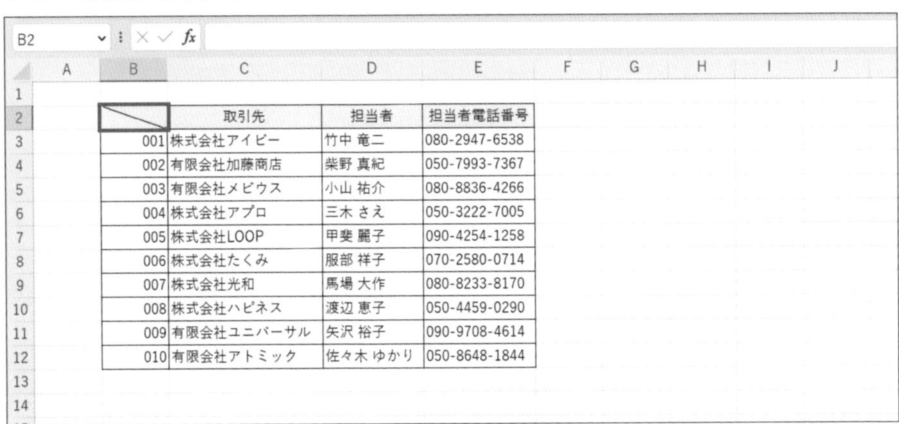

	取引先	担当者	担当者電話番号
001	株式会社アイビー	竹中 竜二	080-2947-6538
002	有限会社加藤商店	柴野 真紀	050-7993-7367
003	有限会社メビウス	小山 祐介	080-8836-4266
004	株式会社アプロ	三木 さえ	050-3222-7005
005	株式会社LOOP	甲斐 麗子	090-4254-1258
006	株式会社たくみ	服部 祥子	070-2580-0714
007	株式会社光和	馬場 大作	080-8233-8170
008	株式会社ハピネス	渡辺 恵子	050-4459-0290
009	有限会社ユニバーサル	矢沢 裕子	090-9708-4614
010	有限会社アトミック	佐々木 ゆかり	050-8648-1844

Technique 049　365　2021　2019　2016

条件を満たすセルを強調表示する

条件付き書式で特定のセルを強調する

セルの値に応じて、文字の書式や背景の色、罫線などを変化させられる機能が**条件付き書式**です。ここでは、特定の値が含まれるセルを強調させる条件付き書式を設定します。

条件付き書式を反映させたいセルを選択した状態で❶、[ホーム] タブ→ [スタイル] の [条件付き書式] ❷→ [セルの強調表示ルール] ❸→ [指定の値より大きい] ❹を選択します。数値を入力すると❺、入力した数値より大きい数値が入力されたセルが強調されます。[OK] ❻をクリックして書式を確定させます。

●条件付き書式を設定する

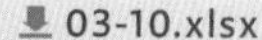

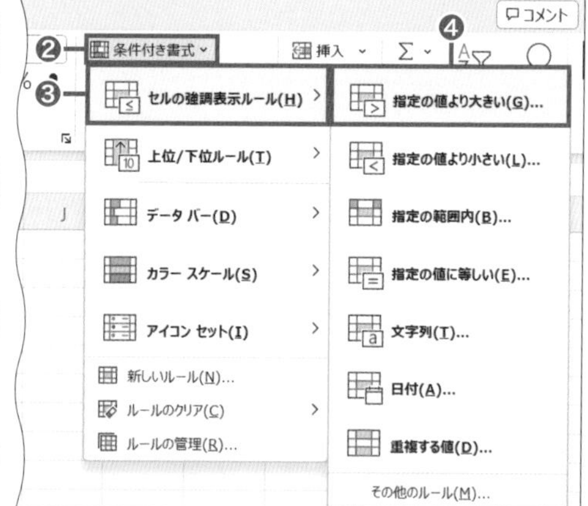

●条件を満たすセルが強調される

数値の大小を見た目で表示する

［条件付き書式］で選択できる［データバー］［カラースケール］［アイコンセット］を使うと、数値の大小を見た目でわかりやすく表現できます。

●データバー

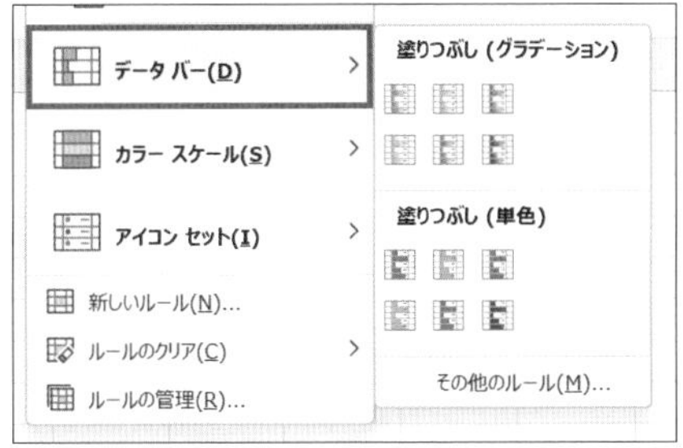

A B C D E

名前	1月	2月	3月
仲谷 洋子	280,197	180,105	106,676
中島 航太	133,062	111,798	165,221
白水 和彦	210,839	291,447	293,710
川上 新一	212,118	105,609	191,644
澁木 早苗	106,081	195,234	132,443
岸 博美	201,896	57,733	160,712

●カラースケール

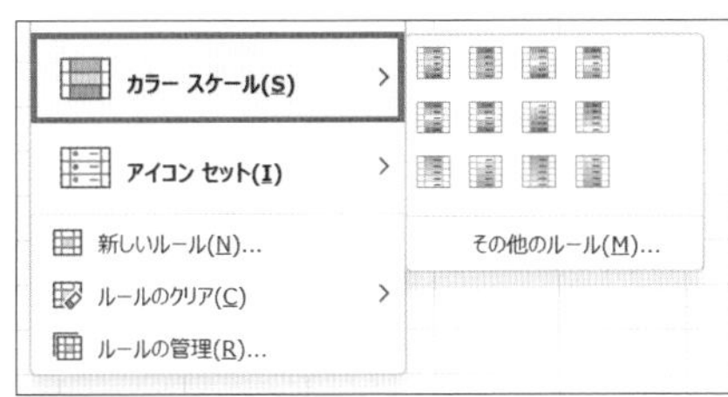

名前	1月	2月	3月
仲谷 洋子	280,197	180,105	106,676
中島 航太	133,062	111,798	165,221
白水 和彦	210,839	291,447	293,710
川上 新一	212,118	105,609	191,644
澁木 早苗	106,081	195,234	132,443
岸 博美	201,896	57,733	160,712

●アイコンセット

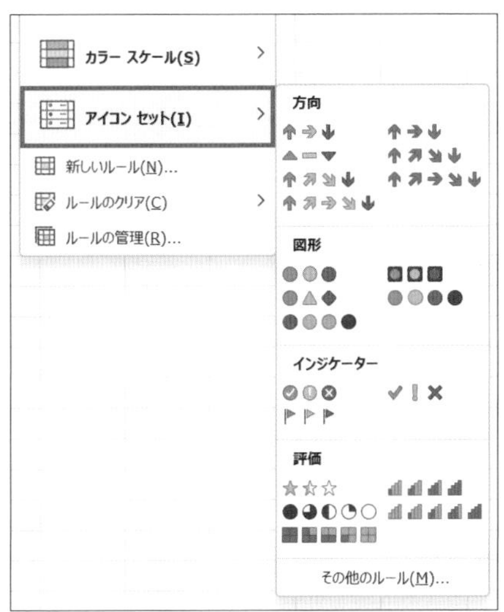

A B C D E

名前	1月	2月	3月
仲谷 洋子	280,197	180,105	106,676
中島 航太	133,062	111,798	165,221
白水 和彦	210,839	291,447	293,710
川上 新一	212,118	105,609	191,644
澁木 早苗	106,081	195,234	132,443
岸 博美	201,896	57,733	160,712

Technique 050 365 2021 2019 2016

書式だけを削除する

書式をクリアする

表のデザインを大きく変更したいときなどに便利な機能が**書式のクリア**です。セルに入力した数式や値はそのままに、フォントやセルの書式だけを削除してくれます。

書式を削除したいセルを選択した状態で❶、[ホーム] タブ❷→ [編集] の [クリア] ❸→ [書式のクリア] ❹を選択します。

●書式をクリアする

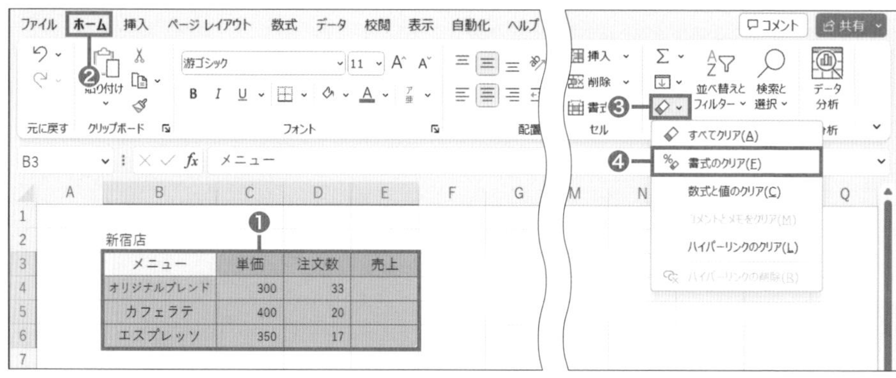

●書式が削除された

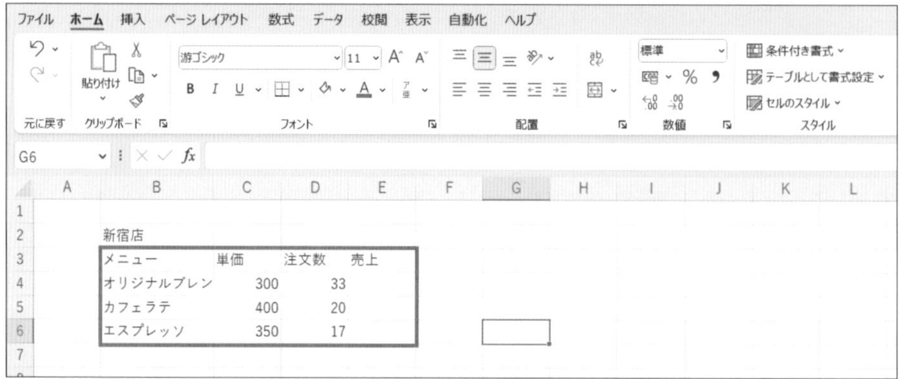

Chapter

4

データの移動を極める

普段なにげなく使っているコピー&ペーストは案外奥深く、さまざまなオプションを使って柔軟にデータを貼り付けることができます。本章では、小回りの利くコピー&ペーストの設定を中心に紹介しつつ、ハイパーリンクの挿入やシートの追加などにも触れていきます。

Technique 051　365　2021　2019　2016

表を条件付きでコピーする

貼り付け時の条件を指定する

何も指定せずにコピー&ペーストを行うと、罫線などセルの書式設定は反映されますが、調整した行の高さや列の幅は反映されないなど、思うように貼り付けられない場合があります。

コピーしたいセルやセル範囲を選択した状態で［ホーム］タブ❶→［クリップボード］の［貼り付け］❷をクリックすると、貼り付けオプションを表示できます。

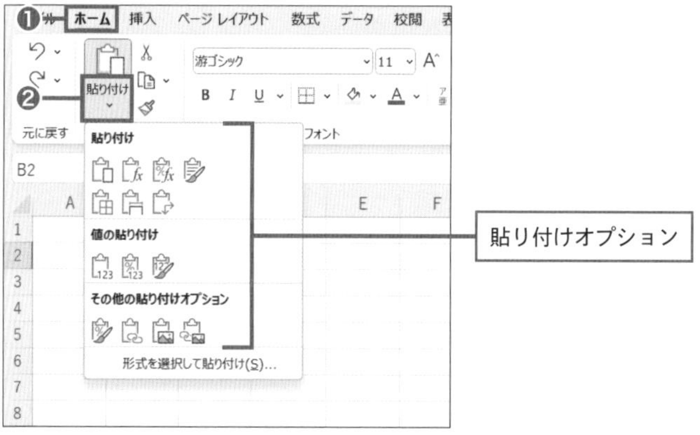

元の列の幅を保持する

通常のコピー&ペーストでは、コピー元の行の高さや列の幅は反映されないため、そのまま貼り付けるとデータの一部が隠れてしまったり、幅が余ってしまうことがあります。

列の幅を調整した表をコピーして貼り付ける場合は、表をコピーして貼り付け先のセルを選択した状態で、貼り付けオプションから［元の列幅を保持］❶を選択します。

●列の幅もコピーする　04-01.xlsx

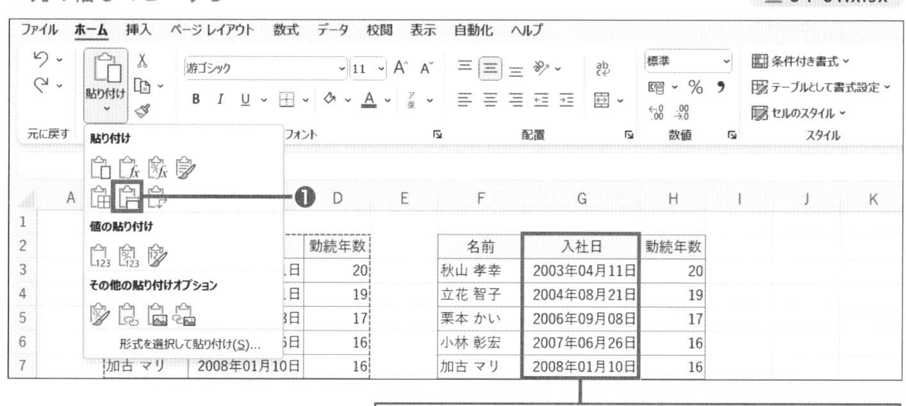

値を貼り付ける

数式が入ったセルをコピーして貼り付ける場合、何も設定しなければ数式がそのままコピーされます。ここでは貼り付けオプションから［値］❶を選択し、「勤続年数」列に表示されている値をそのまま貼り付けます❷。

●値だけを貼り付ける

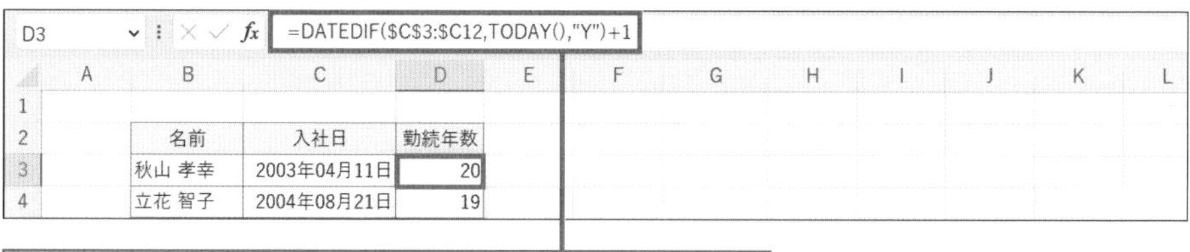

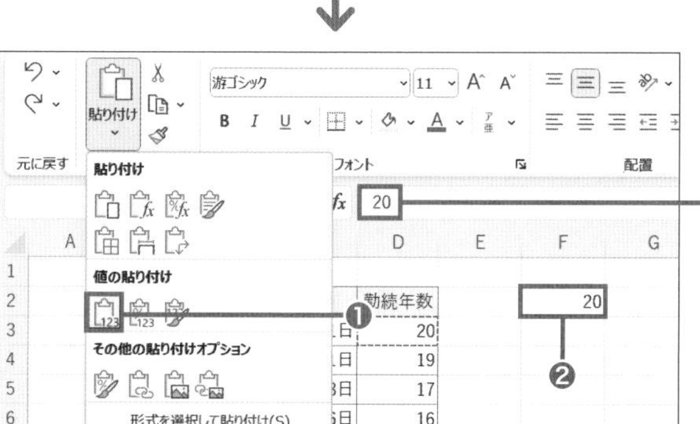

Technique 052　365　2021　2019　2016

表の書式をコピーする

書式をコピーする

表の列を右側に増やしたいといったときに便利なのが**書式のコピー/貼り付け**機能です。セルに入力された内容以外の、罫線やセルの背景色などを複製できます。

書式をコピーしたいセルや列を選択した状態で❶、[ホーム] タブ❷→ [クリップボード] の [書式のコピー/貼り付け] ❸を選択し、貼り付けたいセルや列をクリックします❹。

●書式をコピーする　04-02.xlsx

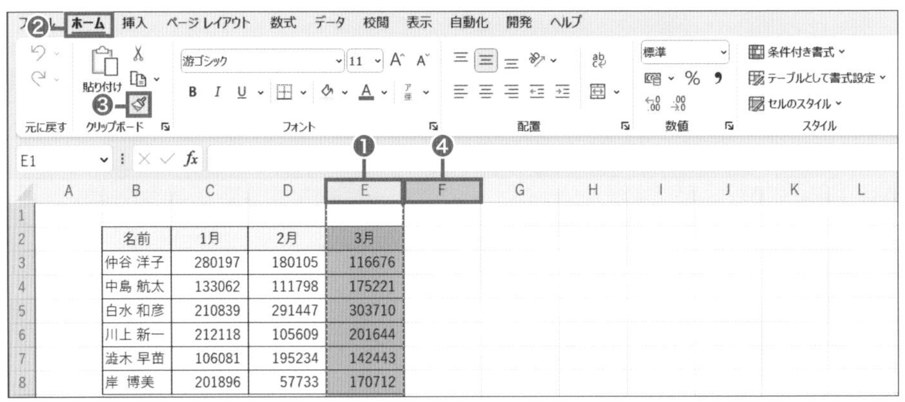

名前	1月	2月	3月
仲谷 洋子	280197	180105	116676
中島 航太	133062	111798	175221
白水 和彦	210839	291447	303710
川上 新一	212118	105609	201644
澁木 早苗	106081	195234	142443
岸　博美	201896	57733	170712

●書式が貼り付けられた

名前	1月	2月	3月	
仲谷 洋子	280197	180105	116676	
中島 航太	133062	111798	175221	
白水 和彦	210839	291447	303710	
川上 新一	212118	105609	201644	
澁木 早苗	106081	195234	142443	
岸　博美	201896	57733	170712	

書式を連続で貼り付ける場合は、[書式のコピー/貼り付け] をダブルクリックします。

Technique 053 365 2021 2019 2016

貼り付け時に書式が変わってしまうのを防ぐ

形式を選択して貼り付ける

Webなど外部からコピーした表や値をExcelに貼り付けると、フォントやセルの書式設定がくずれてしまうことがあります。

●Webの表を貼り付けるとフォントや行の高さが変わる

2	soft Excel for Windows 日本語版 バージョ			
3	発表年	名称	バージョン	備考
4	1989[42]	Excel 2.1	2.1	Windows 2.1またはWindows /386用。
5	1990[43]	Excel 2.1	2.11	対応プリンターの強化。

Webなどの表や値をコピーし、貼り付けたいセルを選択した状態で❶、[ホーム] タブ→[クリップボード] の [貼り付け] の [⌄] → [形式を選択して貼り付け] を選択します (または Ctrl + Alt + V)。[形式を選択して貼り付け] ダイアログボックスで、[貼り付ける形式] の [テキスト] ❷を選択し、[OK] をクリックします。

●テキストで貼り付ける

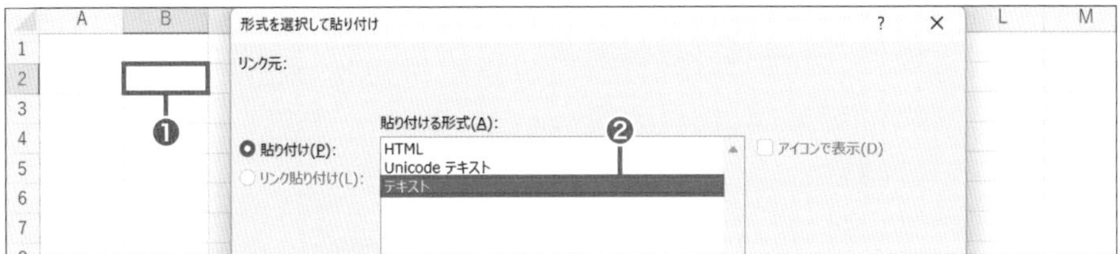

●Excelの書式がくずれない

2	Microsoft Excel for Windows 日本語版 バージョン履歴			
3	発表年	名称	バージョン	備考
4	1989[42]	Excel 2.1	2.1	Windows 2.1またはWindows/386用。
5	1990[43]	Excel 2.1	2.11	対応プリンターの強化。
6	1991[44]	Excel 2.1	2.11	Windows 3.0に対応。
7	1991[45]	Excel 3.1	3.1	3Dグラフ機能を追加。

Technique 054　365　2021　2019　2016

コピー元へのハイパーリンクを追加する

ハイパーリンクを追加する

データの参照元などにデータを関連付けて表示したいときには、**ハイパーリンク**が便利です。ここでは、Webを開くハイパーリンクの設定方法を紹介します。

ハイパーリンクを設定したいセルを選択した状態で、[挿入] タブ❶→ [リンク] の [リンク] ❷を選択します。[ハイパーリンクの挿入] ダイアログボックスで、[アドレス] にURLを入力し❸、[OK] ❹をクリックします。

●リンクを設定する

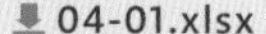
04-01.xlsx

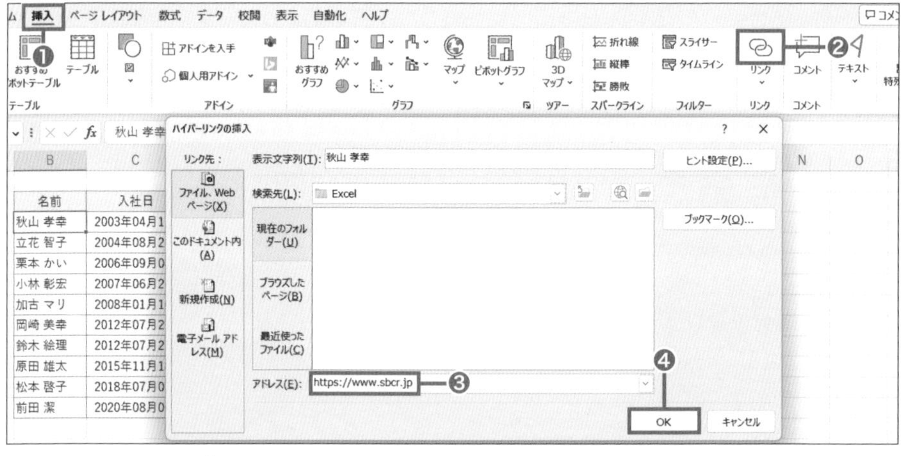

名前	入社日	勤続年数
秋山 孝幸	2003年04月11日	20
立花 智子	2004年08月21日	19
栗本 かい	2006年09月08日	17
小林 彰宏	2007年06月26日	16
加古 マリ	2008年01月10日	16
岡崎 美幸	2012年07月21日	11

セルにリンクが設定された

Memo

セルやシートへのハイパーリンクを設定したい場合は、[ハイパーリンクの挿入] ダイアログボックスで、[リンク先] の [このドキュメント内] を選択して設定します。

Technique 055 365 2021 2019 2016

数値や文字が入力されたセルのみ選択する

数値や文字が入力されたセルのみ選択する

「表の書式や数式を残したまま、数値や文字を変更して再利用したい」そんなときは、指定したセルに移動できる**ジャンプ**機能を応用し、数値や文字が入力されたセルを選択して、削除などの操作をします。

［ホーム］タブ❶→［編集］の［検索と選択］❷→［条件を選択してジャンプ］❸を選択します。［選択オプション］ダイアログボックスで、［定数］❹→［数値］❺を選択し、［OK］❻をクリックします。

●ジャンプ機能を使う　04-03.xlsx

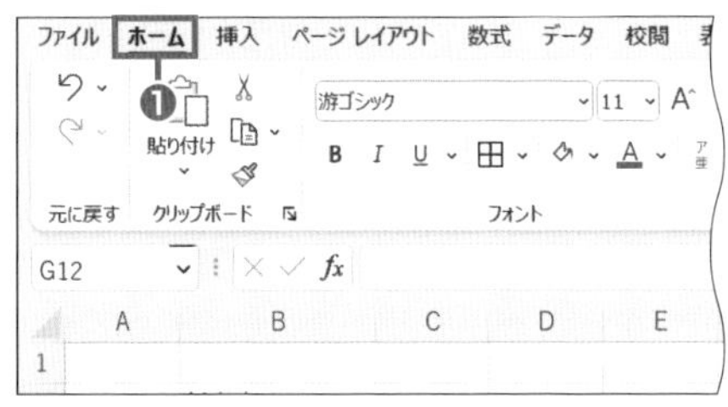

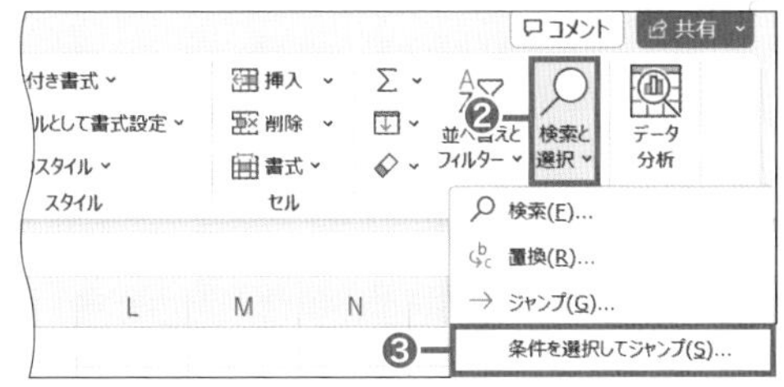

●選択するセルの条件を設定する

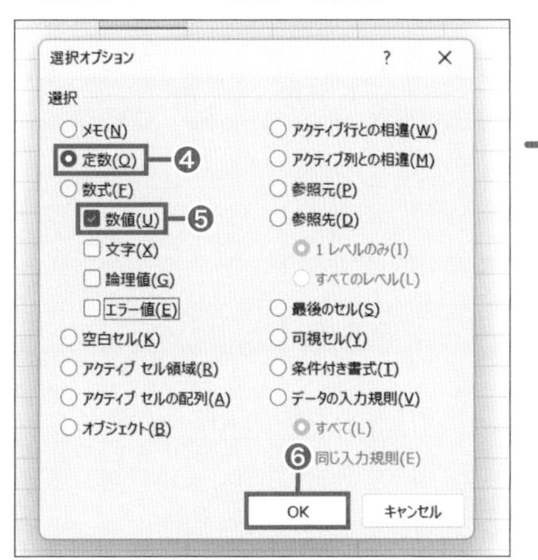

メニュー	単価	注文数	売上
オリジナルブレンド	300	33	9,900
カフェラテ	400	20	8,000
エスプレッソ	350	17	5,950
合計		70	23,850

数式が入力されているセルは選択されない

Memo

［文字］を選択すると、文字が入力されたセルが選択されます。

Technique 056 365 2021 2019 2016

貼り付け後も元のデータの修正を反映させる

リンク貼り付けをする

「元のデータが変わってしまったけど、ほかの資料のデータも修正しなくちゃいけないのは面倒」と感じたことはありませんか？コピーしたデータを貼り付ける際に**リンク貼り付け**すると、元のデータの変更がコピー先にも反映されます。

セルのデータをコピーし❶、貼り付けたいセルを選択した状態で❷、[ホーム] タブ❸→[クリップボード] の [貼り付け] の [⌄] ❹→ [リンク貼り付け] ❺を選択します。

●リンク貼り付けする

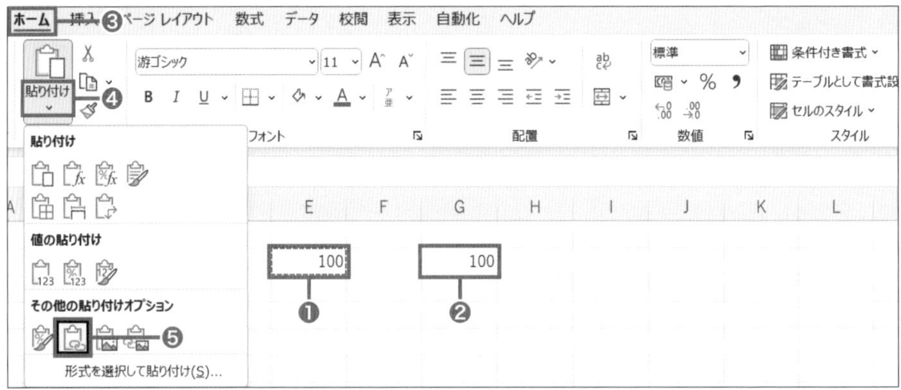

元のデータが変化すると、コピー先のデータも変更されます。

●データの変更が自動的に反映される

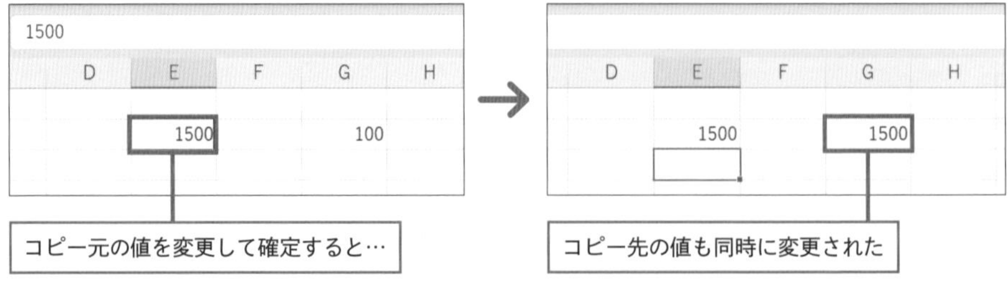

Technique 057 365 2021 2019 2016

表のレイアウトを崩さずにほかのOfficeソフトに貼り付ける

図として貼り付ける

「Excelで作成した表をWordに貼り付けたら、レイアウトが変わってしまった」そんな経験はありませんか？

●Excelの表をWordに貼り付けた　04-04.xlsx

名前	入社日	勤続年数
秋山 孝幸	2003年04月11日	20
立花 智子	2004年08月21日	19
栗本 かい	2006年09月08日	17
小林 彰宏	2007年06月26日	16
加古 マリ	2008年01月10日	16

→

名前	入社日	勤続年数
秋山 孝幸	2003 年 04 月 11 日	20

Wordに貼り付けた表を編集しないのであれば、コピーした表を図にして貼り付けると、レイアウトが崩れません。

Excelで表をコピーした状態でWordに移動し、[ホーム] タブ❶→ [クリップボード] の [貼り付け] の [⌄] ❷→ [図] ❸を選択します。ここではWordで解説しましたが、PowerPointでも同様の手順でレイアウトを崩さずに表をコピーできます。

●Excelの表をWordに図で貼り付け

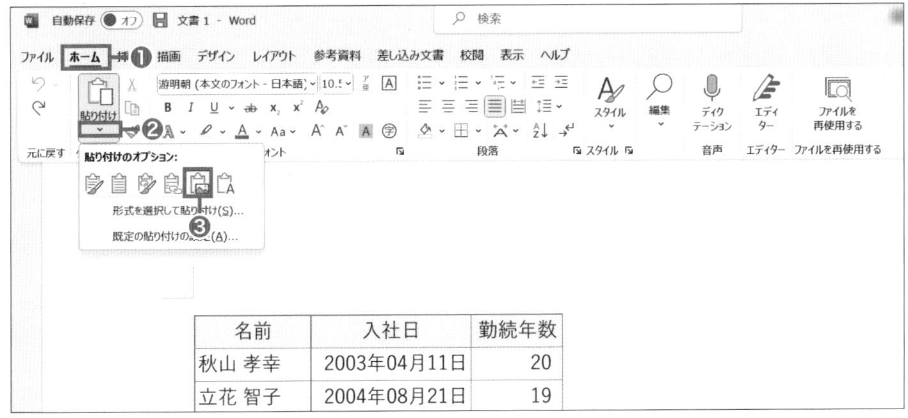

Technique 058　365　2021　2019　2016

シートを追加する

新しいシートを右側に追加する

シート見出しの［新しいシート］❶をクリックすると、表示中のシートの右側に新しいシートが追加されます。

●新しいシートを追加する

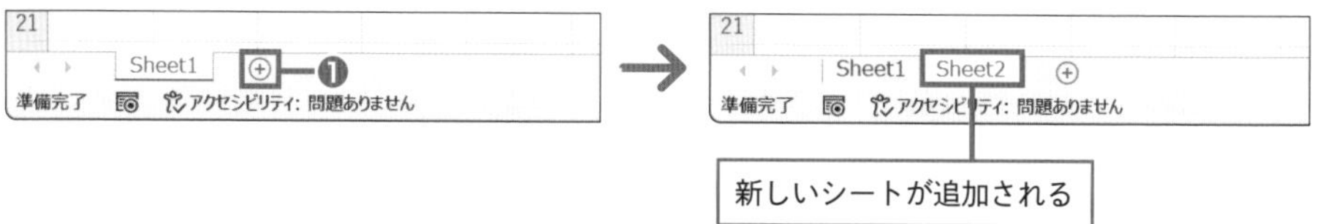

新しいシートを左側に追加する

Shift ＋ F11 のショートカットキーを利用すると、新しいシートが左側に追加されます。

●ショートカットキーで新しいシートを追加する

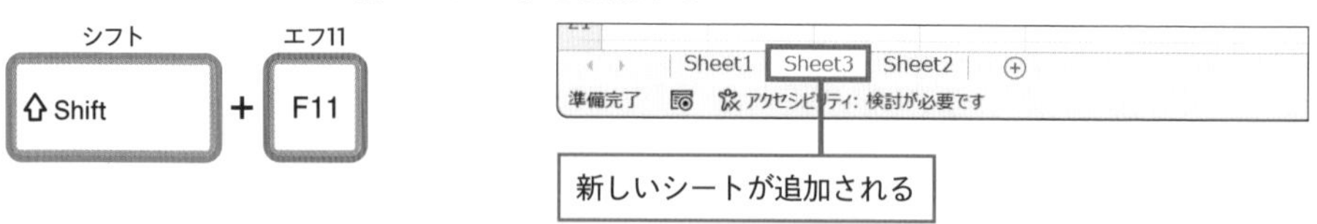

Memo

シート見出しのタブをドラッグして左右の順番を入れ替えることができます。

Memo

シート見出しのシート名をダブルクリックすると、シート名を変更できます。初期状態ではシート名が「Sheet1」「Sheet2」のようになっているため、シートの内容に合わせてわかりやすい名前に変更しましょう。

シートをコピーする

シートをコピーする

シート見出しのシート名を右クリックし❶、[移動またはコピー] ❷を選択します。[移動またはコピー] ダイアログボックスで、[コピーを作成する] にチェックを入れ❸、[OK] ❹をクリックします。

●シートのコピーを作成する

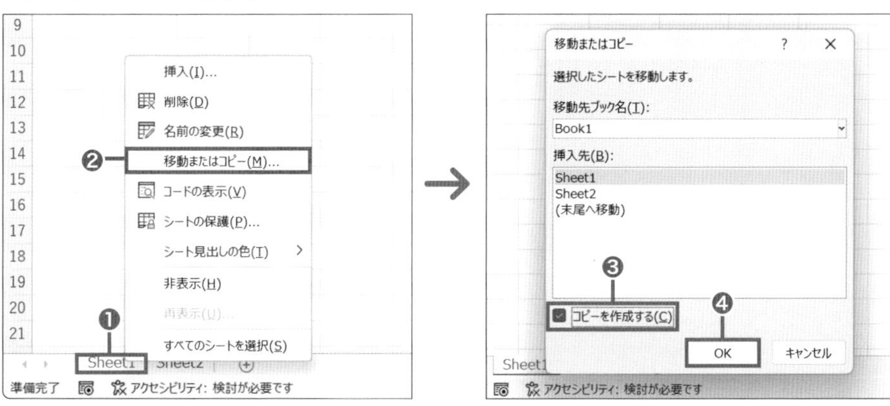

●シートが複製された

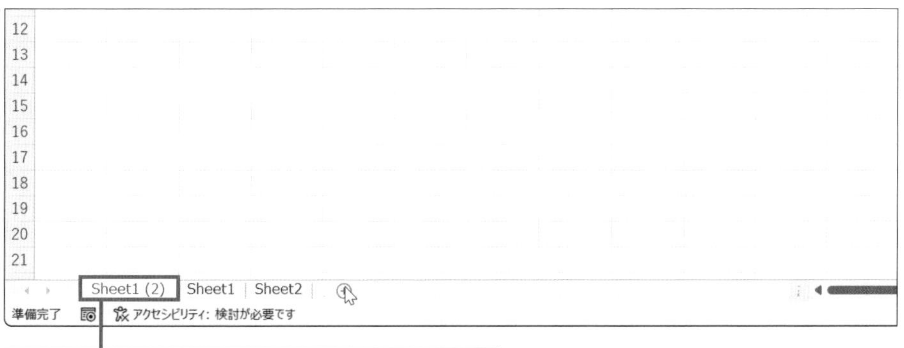

Technique 060　365　2021　2019　2016

シートを別のブックに移動する

ブックをまたいでシートを移動する

移動先のブックをあらかじめ開いた状態で、シート見出しのシート名を右クリックし❶、[移動またはコピー] ❷を選択します。[移動またはコピー] ダイアログボックスで、[移動先ブック名] の [⌄] ❸→シートの移動先のブック名❹を選択し、[OK] ❺をクリックします。

●シートの移動先を設定する

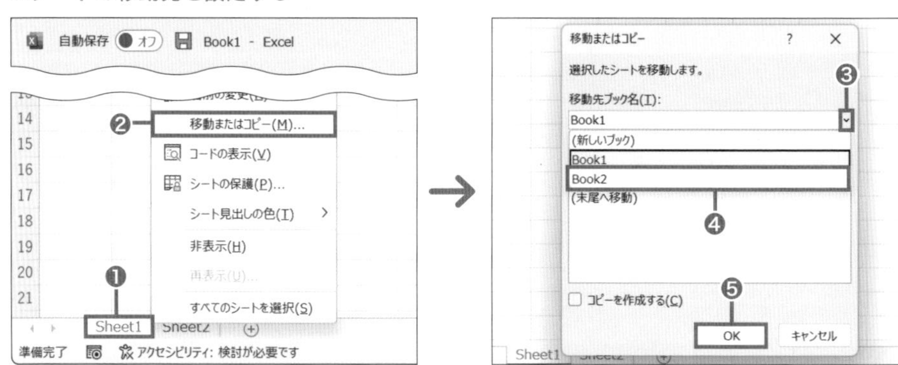

移動先のブックが開き、シートが移動したことを確認できます。

●シートが別のブックに移動した

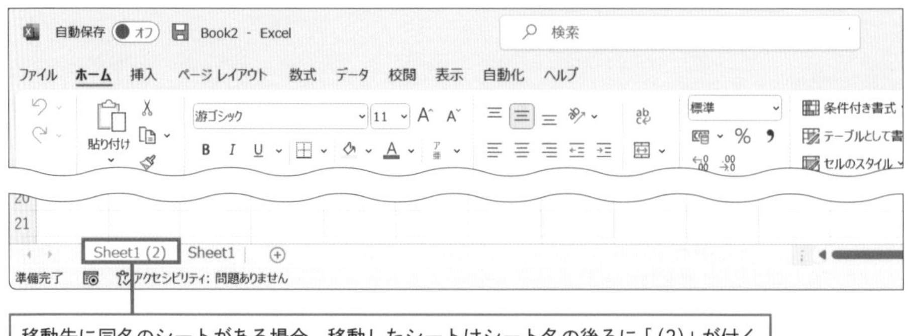

Chapter

5

Excelの神髄！表計算とテーブルを活用する

Excel の得意分野は、なんといっても計算です。本章では数式や関数、ピボットテーブルなど、集めたデータの集計に役立つ機能を多数紹介します。

また、Excel にデータを取り込む方法や、取り込んだデータを加工したり、自在に並べ替える方法も見ていきましょう。大量のデータ内に重複がないかを調べたり、一気に修正するのも自動でできるため、すばやく正確に作業をすることができます。

Technique 061　365　2021　2019　2016

見やすい表の作り方

表を作る目的を意識する

Excelで表を作る際は、最初に「この表は何のために作るのか」を整理しておきましょう。表は情報量が多ければ良いとも限りません。例えば、カフェの店舗ごとのメニュー別売上について、PCを使って分析を行うなら左のような販売情報が羅列されたデータベース形式が適していますが、人に見せる場合は右のようにメニュー別・店舗別に見出しを立てて集計するなど、必要に応じて加工したほうが良い場合もあります。

●PC向け

	メニュー	店舗	販売日
3	エスプレッソ	池袋店	2023/2/14
4	エスプレッソ	渋谷店	2023/2/14
5	エスプレッソ	新宿店	2023/2/14
6	オリジナルブレンド	新宿店	2023/2/14
7	カフェラテ	渋谷店	2023/2/14
8	エスプレッソ	渋谷店	2023/2/14
9	カフェラテ	池袋店	2023/2/14

●人向け

メニュー	店舗	月間注文数
オリジナルブレンド	新宿店	2,093
	池袋店	1,978
	渋谷店	2,143
	小計	6,214
カフェラテ	新宿店	2,266
	池袋店	2,459
	渋谷店	2,379

デザインはシンプルが一番

［セルの書式設定］ではさまざまな設定ができますが、色や罫線は最小限にしたシンプルなデザインがおすすめです。装飾を使う場合は「見出しに色を付ける」「合計金額を太字にする」など、ルールを決めておくとメリハリがある表になります。

また、Excelにはさまざまなフォントがありますが、特別な理由がなければ標準搭載されている「游ゴシック」「MS Pゴシック」や「メイリオ」を推奨します。読みやすく馴染みのあるフォントを使うことで、引っかかりなく表の内容に集中しやすくなるためです。

●推奨フォント

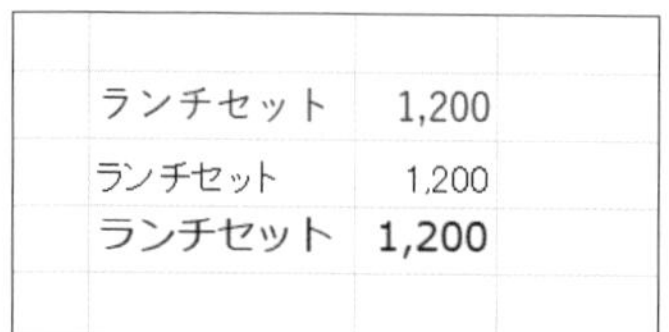

上から游ゴシック、MS Pゴシック、メイリオ

Technique 062　365 2021 2019 2016

小計と合計を求める

オートSUMで小計と合計を求める

小計と合計を求める際は、まず小計のセルと合計のセルを別々に選択します。複数のセルを選択したい場合は、Ctrl を押しながら小計・合計のセルをすべてクリックすることで選択できます。

小計のセルと合計のセルをすべて選択した状態で、リボンの［数式］タブ❶→［関数ライブラリ］の［**オートSUM**］❷を選択すると、小計と合計をそれぞれ求めることができます。

●Ctrl を押しながら小計と合計のセルを選択し、オートSUMを実行する　05-01.xlsx

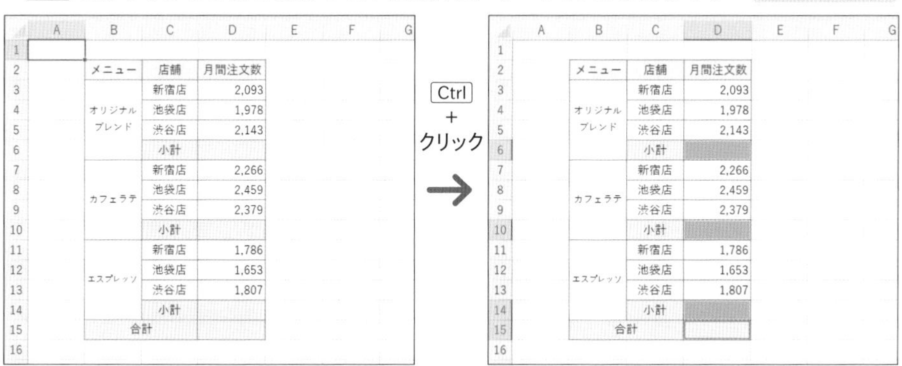

メニュー	店舗	月間注文数
オリジナルブレンド	新宿店	2,093
	池袋店	1,978
	渋谷店	2,143
	小計	
カフェラテ	新宿店	2,266
	池袋店	2,459
	渋谷店	2,379
	小計	
エスプレッソ	新宿店	1,786
	池袋店	1,653
	渋谷店	1,807
	小計	
合計		

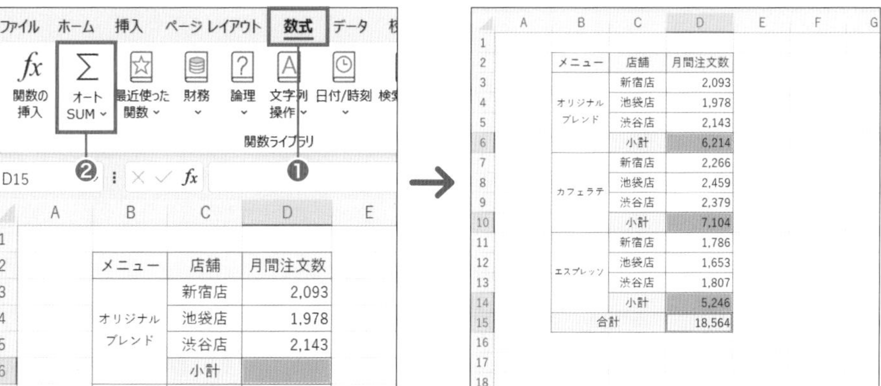

メニュー	店舗	月間注文数
オリジナルブレンド	新宿店	2,093
	池袋店	1,978
	渋谷店	2,143
	小計	6,214
カフェラテ	新宿店	2,266
	池袋店	2,459
	渋谷店	2,379
	小計	7,104
エスプレッソ	新宿店	1,786
	池袋店	1,653
	渋谷店	1,807
	小計	5,246
合計		18,564

Technique 063　365 2021 2019 2016

関数を直接入力する

「=」に続けて入力する

関数はセルに直接入力することができます。名前の短い関数や覚えている関数であれば、[数式] タブから選択するよりも、直接入力したほうが作業時間を短縮でき、効率的です。

関数を直接入力する際は、入力モードを**半角英数字**に切り替えて、セルに「**=**」を入力します。続けて、任意の関数を入力しましょう。なお、「=」の後に関数の文字を入力していくと、入力された文字に応じて関数の候補リストが表示されます (P.111 参照)。

●関数を直接入力する

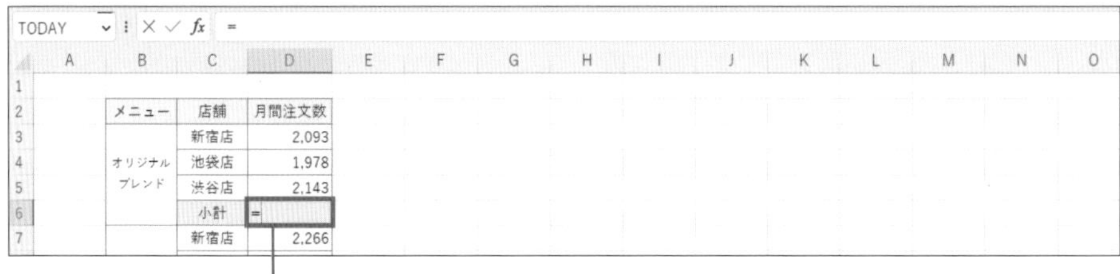

関数を直接入力したいセルを選択し、「半角英数字」モードに切り替えて、「=」を入力する

●SUM関数が直接入力された

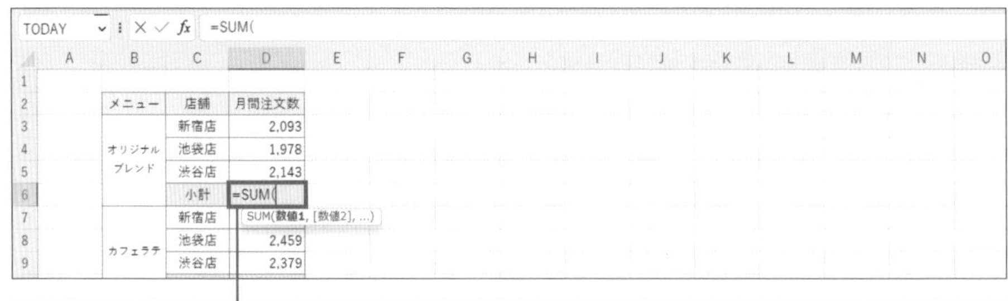

「=」に続けて任意の関数を入力することができる。ポップアップ表示を参考にして、引数を指定する

関数を入力したいセルを選択した状態で、数式バーに「=」と関数を入力していくこともできます。

関数入力の補完機能を活用する

数式オートコンプリートとは

Excelには、数式を入力する際に、関数の入力を自動で行う**数式オートコンプリート**という機能があります。使用したい関数のスペルが曖昧な場合であっても、途中まで入力していくと、関数の候補リストが自動的に表示されます。

●数式オートコンプリートを利用する

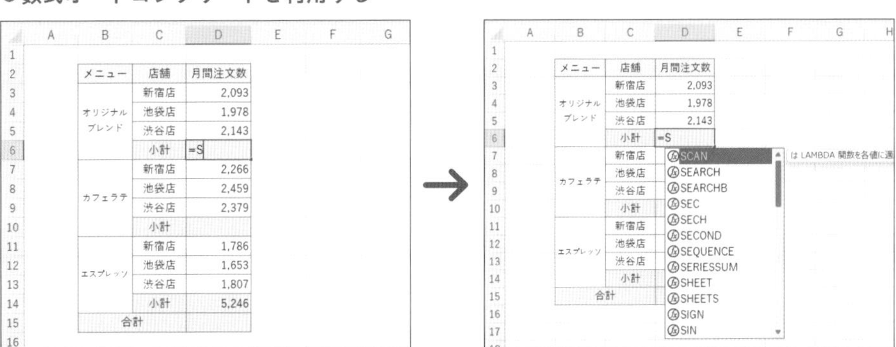

リスト内を↑↓で選択し、Tabで確定すると、セルに関数が入力された状態になります。

●↑↓で選択してTabで確定する

関数の候補リストが表示されたら↑↓で項目を選択し、Tabで確定する

数式をコピーする

オートフィルでコピーする

同じ列や行に同じ数式を入力したい場合、**オートフィル**で数式をコピーすると、セルごとに手入力する手間を省くことができます。

●数式をコピーする（オートフィル）

05-02.xlsx

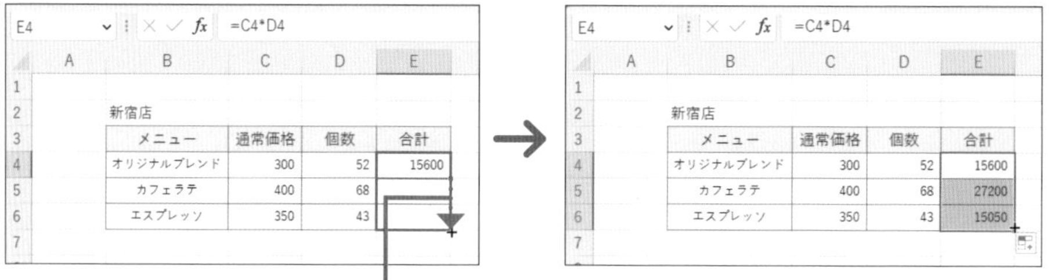

フィルハンドルにマウスポインター（✚）を合わせてドラッグする

なお、オートフィルでコピーを実行すると、通常はセルに設定されている書式（フォントや罫線、塗りつぶしなど）も一緒にコピーされてしまいます。

数式のみコピーしたい場合は、オートフィルを実行した後に表示される［**オートフィルオプション**］から設定しましょう。［ ］❶→［書式なしコピー（フィル）］❷をクリックすると、数式のみコピーされた状態になります。

●オートフィルオプションで数式のみコピーする

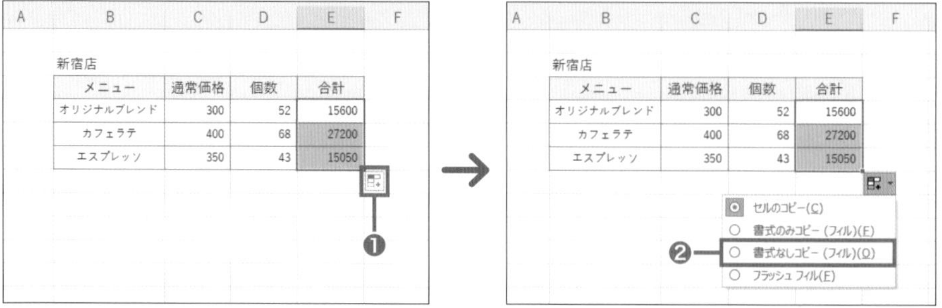

Technique 066 365 2021 2019 2016

数式をセルに表示する

数式の内容を表示する

数式が入力されているセルをクリックすると、**数式バー**に数式の内容が表示されます。また、すべてのセルに入力されている数式をそのセルに直接表示することも可能です。入力されているデータが「数式」なのか「値」なのかを一目で確認できるため、作成したデータを確認したいときや人から引き継いだデータを編集したいときに便利です。

セルに数式の内容を表示するには、［数式］タブ❶→［ワークシート分析］の［数式の表示］❷をクリックします。数式が入力されているセルは、列の幅が広がり、数式が表示されます。もう一度［数式の表示］をクリックすると、非表示になります。

●各セルに数式を表示させる

05-02.xlsx

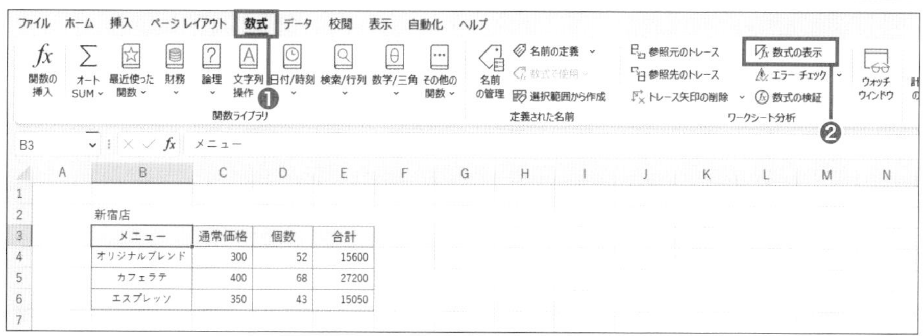

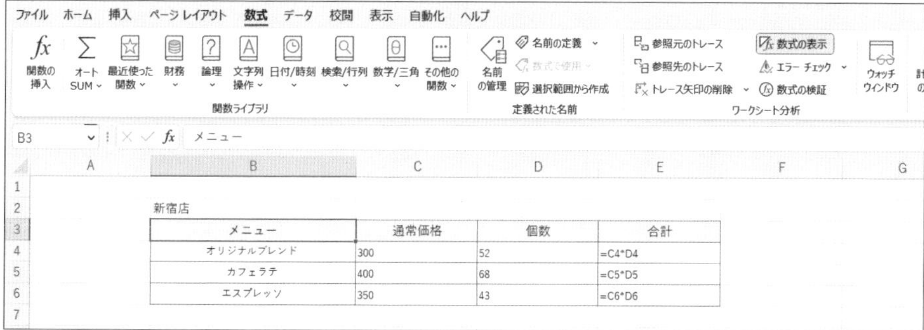

Technique 067　365　2021　2019　2016

絶対参照と相対参照とは

絶対参照とは

Excelでは数式を入力する際、セルを参照する必要があります。セルの参照方法には、大きく分けて「絶対参照」と「相対参照」の2つがあります。

絶対参照とは、セル番地が固定されたままの状態で参照される方法です。セル番地の列番号と行番号の前に半角の「**$**」を付けると絶対参照にすることができます。数式をコピーすると、コピー先のセルに合わせて、セル番地も自動的に変更されますが、数式によっては、絶対参照にしなければ正しく計算されない場合があるので、覚えておきましょう。

●参照するセル番地が固定されていないと正しく計算されない

05-03.xlsx

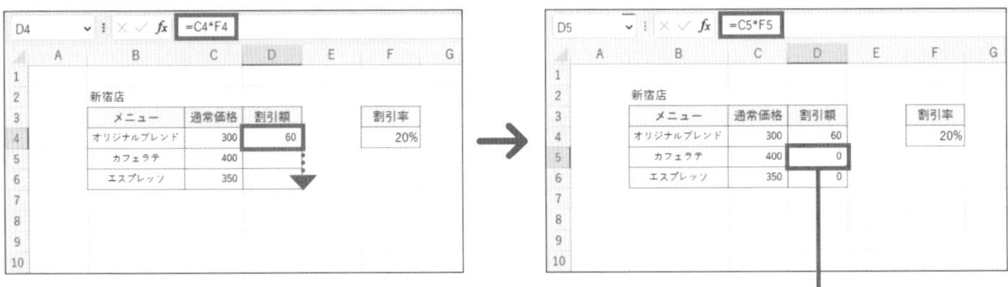

絶対参照にしないいまま数式をドラッグしてコピーすると、コピー先のセルに合わせてセル番地もずれてしまい、正しい計算結果が反映されない

●絶対参照でセル番地を指定する

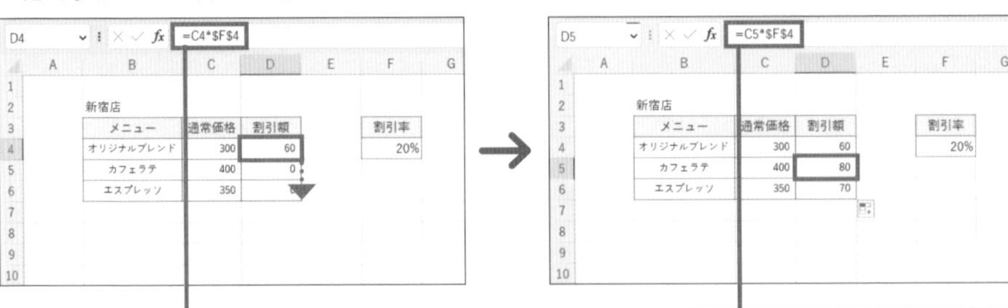

割引率の値のセルがずれないように「=C4*$F$4」と入力

数式をコピーしても絶対参照のセルは変更されない

相対参照とは

相対参照とは、数式をコピーした際にセル番地がコピー先のセルに合わせて自動的に変更される参照方法です。Excelでは「$」で指定しない限り、相対参照で数式がコピーされるようになっています。そのため、数式に応じて絶対参照と相対参照を適切に使い分ける必要があります。

●相対参照でセル番地を指定する　05-04.xlsx

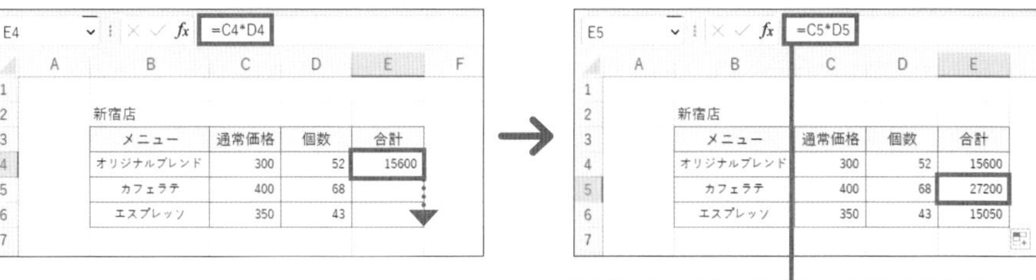

E5のセルにコピーされる数式は、参照されるセルが相対的に変更される

絶対参照と相対参照をすばやく切り替えるには、数式の入力中に F4 を押します（P.48参照）。1回押すと列と行、2回押すと行のみ、3回押すと列のみ絶対参照にできます。4回押すと、相対参照に戻ります。

●絶対参照と相対参照を切り替える

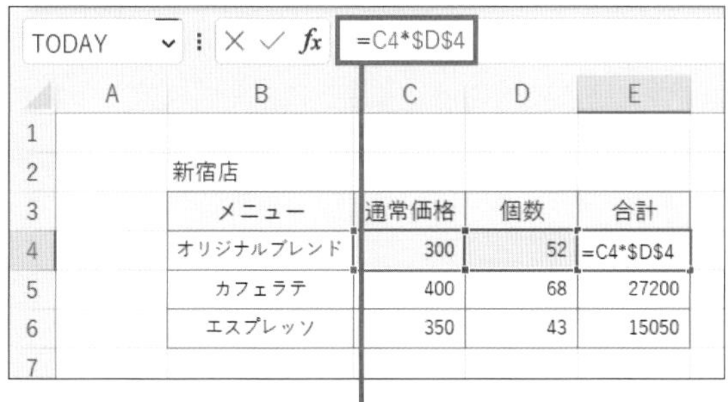

1回	$D$4	行と列を絶対参照
2回	D$4	行のみ絶対参照
3回	$D4	列のみ絶対参照
4回	D4	相対参照

数式を入力する際に、F4 を押すと絶対参照と相対参照を切り替えることができる

Memo

列のみ、または行のみ固定する複合参照という参照方法もあります。「$A7」であればA列のみ、「A$7」であれば7行のみ固定することができます。

Technique 068 365 2021 2019 2016

配列数式と動的配列数式とは

配列数式とは

Excelでは、複数のセルの集まりを配列といいます。**配列数式**とは、配列（複数のセル）を対象に、1つの数式で処理できる式のことです。

配列数式を用いると、例えばC列（販売価格）とD列（数量）の配列の値で掛け算し、計算結果をE列にまとめて反映させるといった使い方が可能です。

●配列数式で計算する　05-05.xlsx

E4　{=C4:C8*D4:D8}

	A	B	C	D	E
1					
2					
3		商品	販売価格	数量	金額
4		ショートケーキ	440	6	2640
5		チョコレートケーキ	400	5	2000
6		チーズケーキ	380	4	1520
7		アップルパイ	420	2	840
8		モンブラン	460	3	1380

Memo

配列数式が適用されているセルの数式を修正したり、削除したりしたいときは、同一の配列数式になっているすべてのセル（左の例ではE4セル～E8セル）を選択して行う必要があります。

また配列数式は、関数と組み合わせることで真価を発揮します。通常であれば、作業列を作成して値を求めた後に、関数の引数として処理していた数式も、配列数式であれば、1つの数式で計算結果を求めることができるのです。

●配列数式と関数を組み合わせる

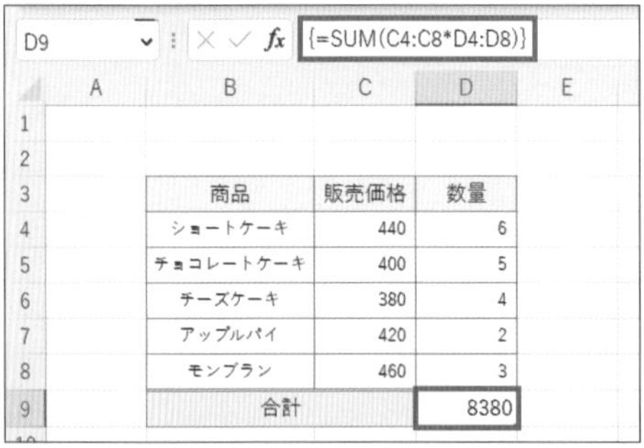

D9　{=SUM(C4:C8*D4:D8)}

	A	B	C	D	E
1					
2					
3		商品	販売価格	数量	
4		ショートケーキ	440	6	
5		チョコレートケーキ	400	5	
6		チーズケーキ	380	4	
7		アップルパイ	420	2	
8		モンブラン	460	3	
9		合計		8380	

Memo

配列数式「{=SUM(C3:C7*D3:D7)}」は、数式「=SUM(C3*D3,C4*D4,C5*D5,C6*D6,C7*D7)」と同じです。

配列数式を入力する

Excel 2019やExcel 2016で配列数式を入力するには、結果を求めたいセルまたはセル範囲を選択し、「=」を入力します。続けて任意の数式を入力し、Ctrl+Shift+Enterを押すと、数式全体が「{}」で囲まれて、配列数式として確定されます。

配列数式を修正したり、削除したりした場合も同様にCtrl+Shift+Enterで確定します。Enterではないので注意しましょう。

●配列数式を入力する

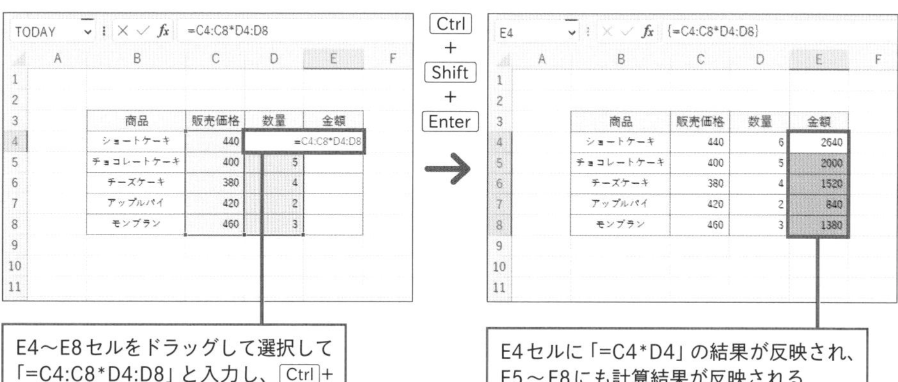

E4～E8セルをドラッグして選択して「=C4:C8*D4:D8」と入力し、Ctrl+Shift+Enterで確定する

E4セルに「=C4*D4」の結果が反映され、E5～E8にも計算結果が反映される

配列数式に関数を組み合わせる場合は、結果で求めたいセルを選択し、任意の関数を入力し、続いて配列数式を入力します。Ctrl+Shift+Enterを押すと数式全体が配列数式として確定され、求めたい計算結果を一気に出すことができます。

●配列数式と関数を組み合わせて入力する

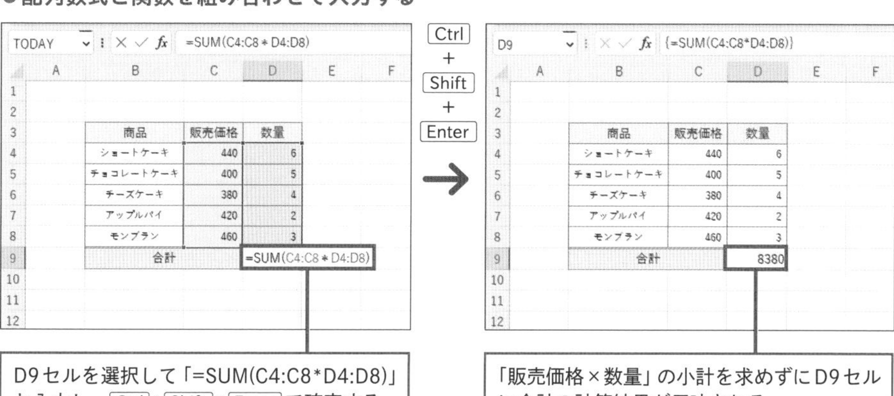

D9セルを選択して「=SUM(C4:C8*D4:D8)」と入力し、Ctrl+Shift+Enterで確定する

「販売価格×数量」の小計を求めずにD9セルに合計の計算結果が反映される

動的配列数式とは

Excel for Microsoft 365とExcel 2021には、配列数式のワンランク上の機能として、**動的配列数式**という機能が追加されています。

先頭のセルに配列に返す数式を入力し、Enterを押すことで、自動的に配列数式として処理されます。

●先頭のセルに数式を入力する

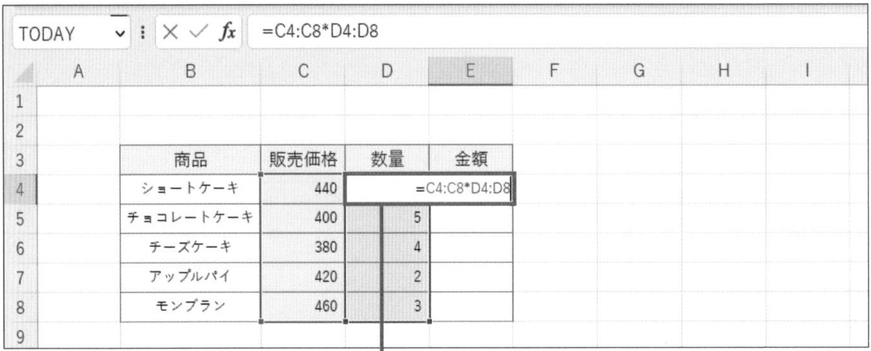

TODAY　=C4:C8*D4:D8

	A	B	C	D	E	F	G	H	I
1									
2									
3		商品	販売価格	数量	金額				
4		ショートケーキ	440		=C4:C8*D4:D8				
5		チョコレートケーキ	400	5					
6		チーズケーキ	380	4					
7		アップルパイ	420	2					
8		モンブラン	460	3					
9									

E4セルを選択して「=C4:C8*D4:D8」と入力し、Enterで確定する

また、「スピル」という機能が働き、自動的に隣接するセルにも結果が表示されます(P.65参照)。配列数式のように、セル範囲を選択する必要がありません。

●自動的に隣接するセルにもスピルされる

E5　=C4:C8*D4:D8

	A	B	C	D	E
1					
2					
3		商品	販売価格	数量	金額
4		ショートケーキ	440	6	2640
5		チョコレートケーキ	400	5	2000
6		チーズケーキ	380	4	1520
7		アップルパイ	420	2	840
8		モンブラン	460	3	1380
9					
10					

E4セルと、E4セルに隣接するセル(E5～E8セル)に自動的に計算結果が反映される。動的配列数式が入力されたセル範囲は青枠で囲まれる

Memo

スピルを利用したセルに「#(スピル範囲演算子)」を付けると、動的配列数式を参照することができます。左の例の場合、「=SUM(E4#)」という数式でE4セル～E8セルの合計を計算できます。

スピルを利用する関数

Excel for Microsoft 365とExcel 2021では、スピルを利用する関数として「FILTER関数」や「SORT関数」「SORTBY関数」などの新しい関数が追加されています。

●スピル機能を利用できる関数

FILTER関数	範囲または配列をフィルターする
SORT関数	範囲または配列を並べ替える
SORTBY関数	範囲または配列を、対応する範囲または配列の値に基づいて並べ替える
UNIQUE関数	範囲または配列から一意の値を返す
RANDARRAY関数	乱数の配列を返す
SEQUENCE関数	数列を返す
XLOOKUP関数	範囲または配列を検索し、最初に見つかった一致に対応する項目を返す。 既定では完全一致が使用される
XMATCH関数	範囲または配列内で指定された項目の相対的な位置を返す。 既定では、完全一致が必要

例えば、FILTER関数はセル範囲または配列などのリストに対して、条件に一致するデータを抽出します。先頭のセルにFILTER関数を入力すると、指定した条件に合うデータが抽出結果として反映されます。抽出結果の行・列数分の範囲の数式がスピルされます。

●FILTER関数を利用すると抽出結果がスピルされる

05-06.xlsx

F5 =FILTER(B5:D9,D5:D9=G2,"")

	A	B	C	D	E	F	G	H	I
1									
2						合否	合格		
3									
4		氏名	性別	合否		氏名	性別	合否	
5		安藤	男	合格		安藤	男	合格	
6		小暮	女	合格		小暮	女	合格	
7		作井	男	不合格		立花	男	合格	
8		立花	男	合格					
9		春井	女	不合格					
10									
11									
12									
13									

F5セルにFILTER関数を入力し、G2セルに抽出したい条件を入力すると、行・列数分の範囲の数式がスピルされる

Technique 069　365　2021　2019　2016

条件によって表示する文字を変える

IF関数を使う

IF関数は、論理式で指定した条件に一致する（真、TRUE）場合と一致しない（偽、FALSE）場合で処理の内容を切り替えることができます。

なお、論理式には**比較演算子**（>や=）を用いた条件式などを入力します（P.123参照）。

次の例では、一次試験の点数が80以上なら「合格」、そうでなければ「不合格」と「合否」列に表示します。

=IF（論理式,真の場合,偽の場合）（イフ）

論理式の結果（真または偽）の結果に応じて、指定された値を返します。

●条件によって表示する文字を変える　05-07.xlsx

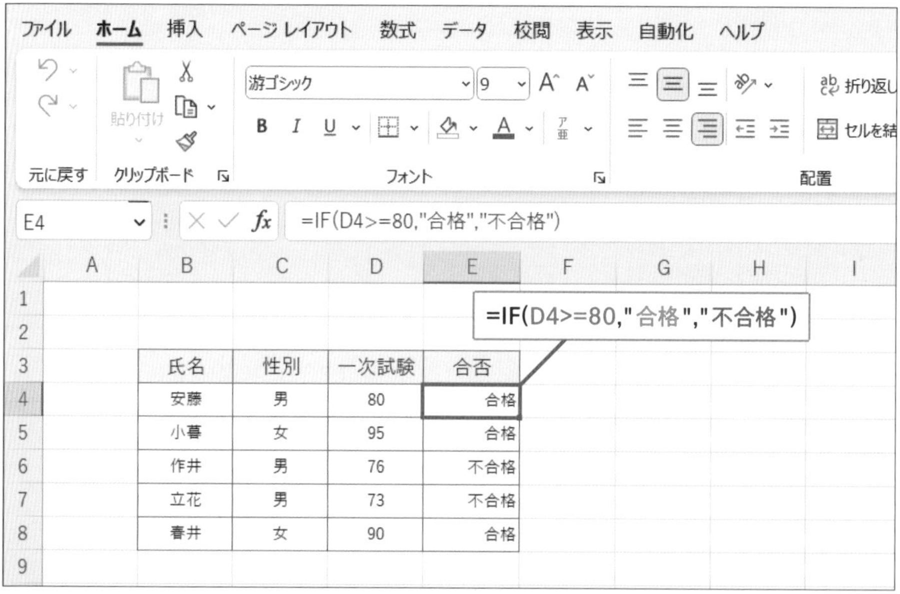

E4　=IF(D4>=80,"合格","不合格")

氏名	性別	一次試験	合否
安藤	男	80	合格
小暮	女	95	合格
作井	男	76	不合格
立花	男	73	不合格
春井	女	90	合格

=IF(D4>=80,"合格","不合格")

複数の条件を段階的に組み合わせる

IFS関数を使う

IFS関数は、複数の条件を段階的に組み合わせることができます。論理式1が真であれば、真の場合1の値を返し、偽であれば次は論理式2を調べる、といったように順に場合分けを行います。

IFS関数では、最大127の条件（論理式）を指定することができ、どの条件にも当てはまらない場合を指定する際は、引数の最後に「TRUE」とその値を入力します。

次の例では、得点が90以上で「優」、80以上で「良」、70以上で「可」、69以下であれば「不可」と「評価」列に表示します。

=IFS(論理式1,真の場合1,論理式2,真の場合2,…)（イフエス）

1つ以上の条件が満たされるかどうかを確認し、最初の真条件に対応する値を返します。

●複数の条件を段階的に組み合わせる　05-08.xlsx

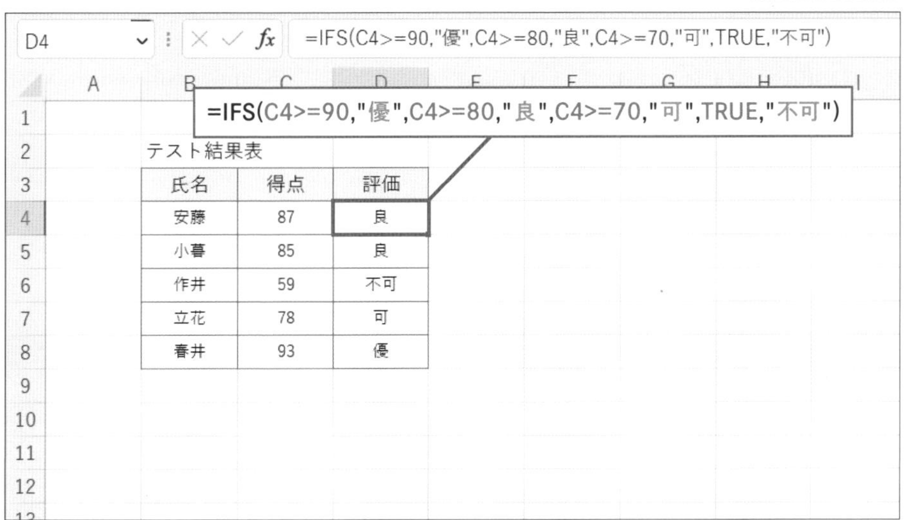

Technique 071　365　2021　2019　2016

複数の条件を同時に組み合わせる

AND関数を使う

AND関数のANDは「なおかつ」の意味で、指定した条件がすべて真の場合は「TRUE」、1つでも偽の場合は「FALSE」と結果を表示します。

AND関数では、最大255の条件（論理式）を指定することができます。

> =AND(論理式1,論理式2,…)
>
> **すべての引数がTRUEのとき、TRUEを返します。**

IF関数（P.120参照）と組み合わせることで、条件が真の場合と、偽の場合それぞれの表示を指定することもできます。

ここでは、AND関数の結果がTRUEの場合は「◎」、FALSEの場合は「△」を表示します。

●複数の条件を同時に組み合わせる（AND関数）　05-09.xlsx

	映画タイトル	本編時間（分）	100分以上150分未満
3	タイタニック	202	△
4	ショーシャンクの空に	143	◎
5	レ・ミゼラブル	133	◎
6	華麗なるギャツビー	144	◎
7	スタンド・バイ・ミー	89	△
8	ローマの休日	118	◎
9	ジュラシック・パーク	127	◎

OR関数を使う

OR関数のORは「または」の意味で、指定した条件のいずれかが真の場合に「TRUE」とし、すべて偽の場合は「FALSE」と返します。

OR関数も、最大255の条件（論理式）を指定することができます。

> =OR(論理式1,論理式2,…)
> (OR：オア)
>
> **いずれかの引数がTRUEのとき、TRUEを返します。引数がすべてFALSEである場合は、FALSEを返します。**

IF関数（P.120参照）と組み合わせることで、条件が真の場合と、偽の場合それぞれの表示を指定することもできます。

●複数の条件を段階的に組み合わせる（OR関数）

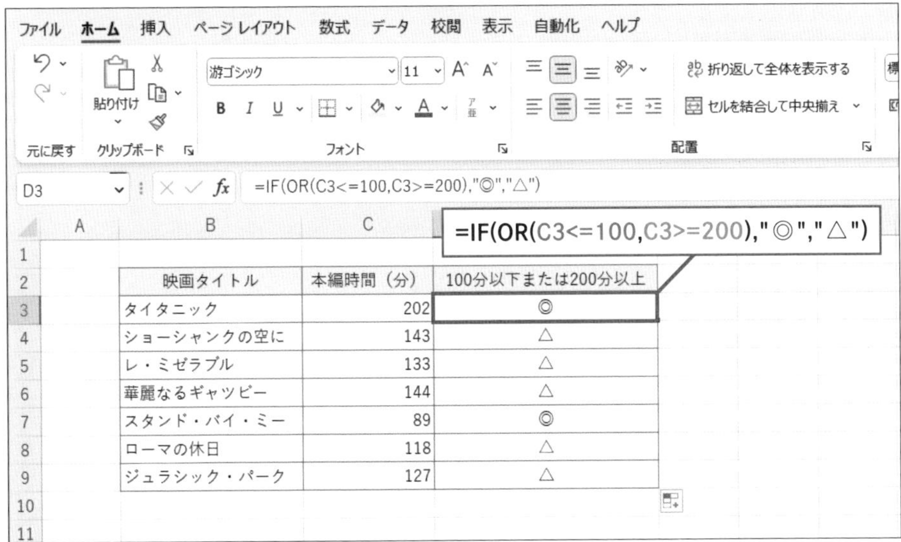

Memo

論理式には「=」や「<」などの「比較演算子」を用います。「A=70」は「Aが70と等しい」、「A>70」は「Aは70より大きい」、「A>=70」は「Aは70以上」、「A<>70」は「Aは70でない（と等しくない）」という意味を表します。

Technique 072　365　2021　2019　2016

値を条件に結果を振り分ける

SWITCH関数を使う

SWITCH関数は、指定した範囲内で複数の条件で判定を行い、条件ごとに合った結果に返します。

SWITCH関数では、最大126の値を指定することができます。なお、どの条件にも当てはまらない場合を指定する際は、引数の最後に「既定値」を入力します。

> **=SWITCH(式,値1,結果1,値2,結果2,…,既定値)**（スウィッチ）
>
> **値の一覧で式を計算し、最初に一致する値に対応する結果が返されます。一致しない場合は、任意の既定値が返されます。**

ただしSWITCH関数では、IF関数やIFS関数のように「=」や「<」などの比較演算子を使った論理式を指定することができない点に注意しましょう。

●値を条件に結果を振り分ける　05-10.xlsx

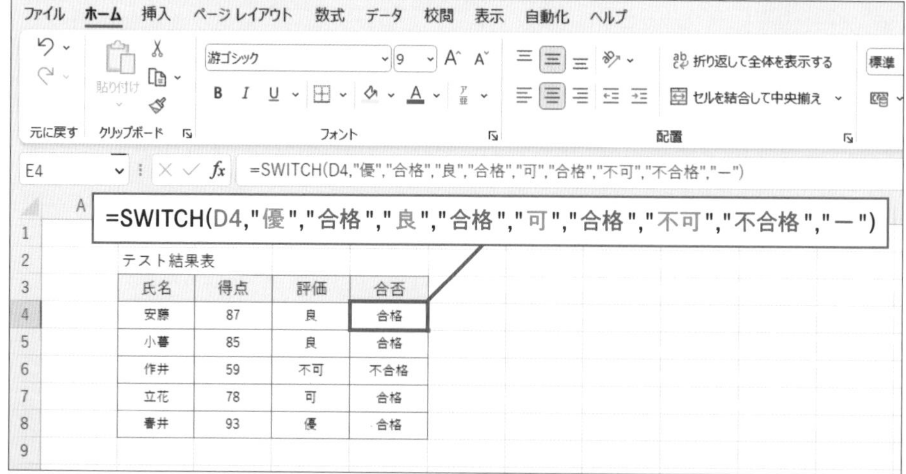

氏名	得点	評価	合否
安藤	87	良	合格
小暮	85	良	合格
作井	59	不可	不合格
立花	78	可	合格
春井	93	優	合格

条件に一致するデータを数える

COUNTIF関数を使う

COUNTIF関数は、指定した範囲中で条件に一致するセルを検索します。引数の「検索条件」には、直接セルを指定する方法と、文字列で指定する方法があります。文字列で指定する場合は「"」で囲んで入力します。

次の例では、セルC4からC8の間で、値が90以上のセルの個数を数えています。

カウントイフ
=COUNTIF(範囲,検索条件)

検索範囲の中から、条件範囲に一致するセルの数を返します。

●条件に一致するデータを数える　05-11.xlsx

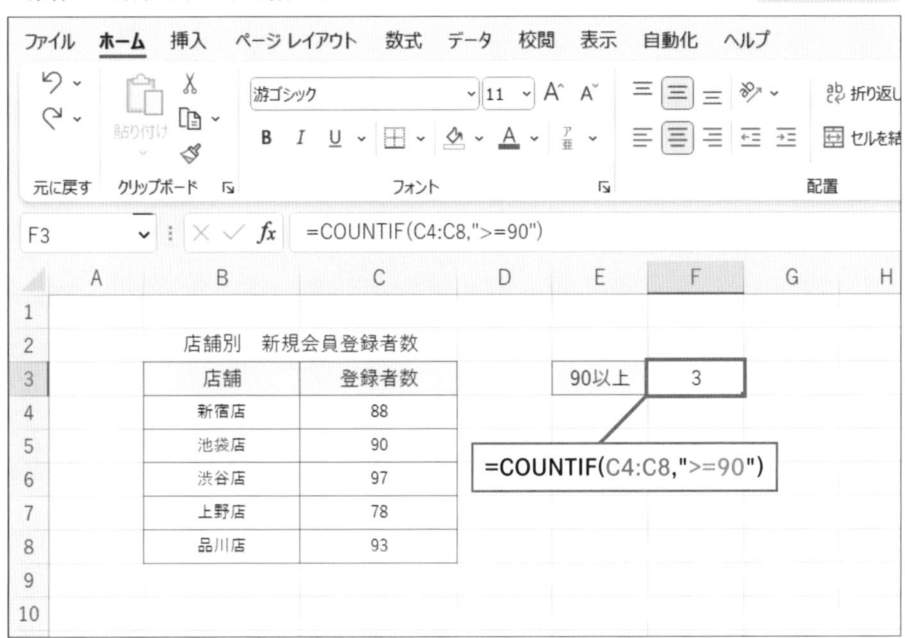

Technique 074 365 2021 2019 2016

金額列に数値以外が入らないようにする

数値のみ入力可能にする

数値のみを入力したいセル範囲を選択し、数値以外のデータが入らないように設定することができます。

設定したい範囲を選択した状態❶で、[データ] タブ→❷ [データツール] の [データの入力規則] ❸→ [データの入力規則] ❹を選択します。[データの入力規則] ダイアログボックスの [設定] タブ❺で、[入力値の種類] を [整数] ❻にし、[最小値] [最大値] ❼をそれぞれ設定し、[OK] ❽をクリックして適用します。

●データの入力規則を設定する

05-12.xlsx

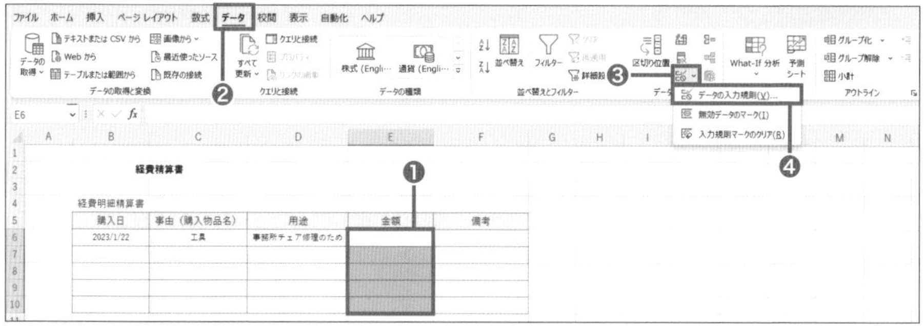

●入力値の種類を設定する

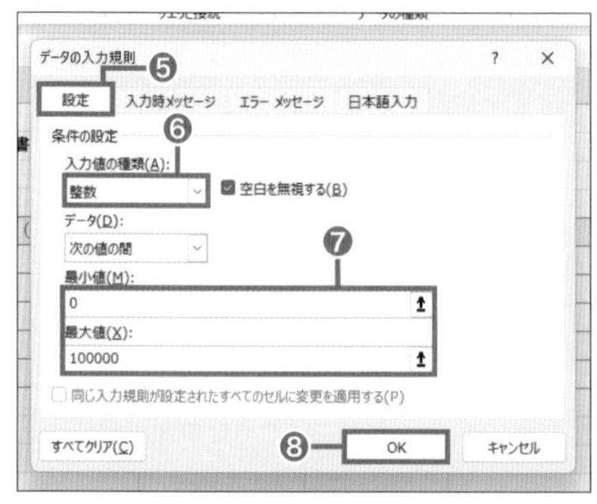

Memo

[入力値の種類] は、既定では [すべての値] になっています。[整数] のほか、[小数点数] [リスト] [日付] [時刻] [文字列 (長さ指定)] [ユーザー設定] を設定できます。なお、入力値の種類を指定した範囲に指定以外の値を入力するとエラーが表示されます。

条件に合うデータを検索する

文字列を検索する

セルに含まれている文字列を検索したい場合、[ホーム] タブ❶→[編集] の [検索と選択] ❷→ [検索] ❸をクリックします。[検索と置換] ダイアログボックスの [検索] タブが表示されるので、[検索する文字列] に任意の文字列を入力し❹、[すべて検索] または [次を検索] ❺をクリックします。任意で [検索場所] [検索方向] [検索対象] をそれぞれ設定することもできます。

なお、Ctrl+F を押すことでも [検索と置換] ダイアログボックスが表示されます（P.41参照）。

●文字列を検索する

05-13.xlsx

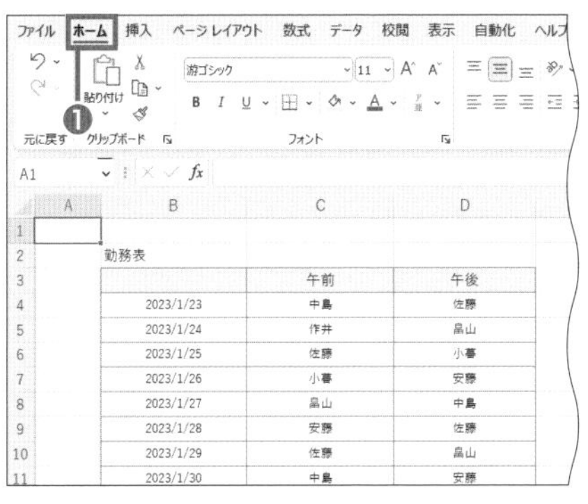

●検索する文字列を入力する

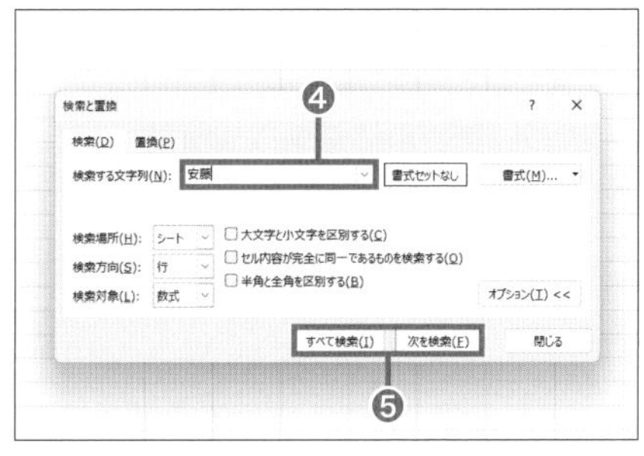

Technique 076　365　2021　2019　2016

セル範囲を簡単に入力する

セル範囲をドラッグして選択する

関数にセル範囲を入力する際、例えば「A2」セルから「C4」セルまでと入力したい場合は、「A2:C4」のように入力します。

狭い範囲や1つの範囲だけであれば、直接入力しても良いですが、広い範囲を入力する必要があるときは、マウスでドラッグする方法がおすすめです。

●セル範囲をドラッグして入力する

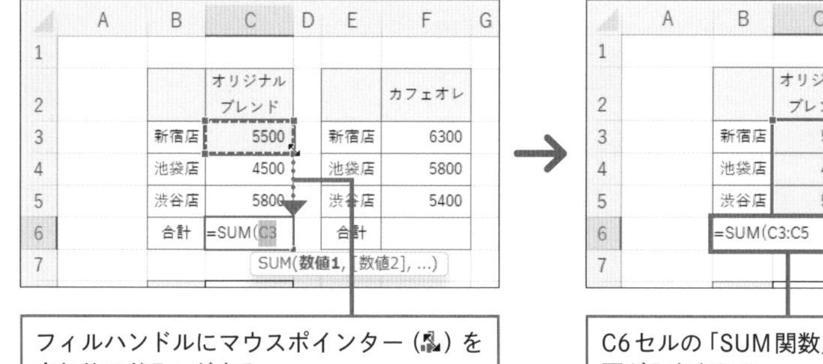

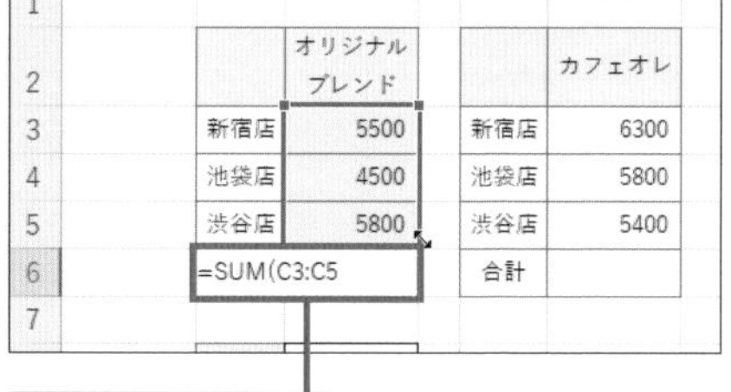

なお、指定したいセル同士が離れている場合は、1つ目のセル範囲を選択❶した後、Ctrl を押しながら2つ目のセル範囲をクリック❷することで入力できます。

● Ctrl を押しながら離れたところのセル範囲を入力する

	A	B	C	D	E	F	G	H	I
1			❶			❷			
2			オリジナルブレンド			カフェオレ			エスプレッソ
3		新宿店	5500		新宿店	6300		新宿店	3800
4		池袋店	4500		池袋店	5800		池袋店	4300
5		渋谷店	5800		渋谷店	5400		渋谷店	3400
6		合計	15800		合計			合計	
7									
8		池袋店	=SUM(C4,F4						

表全体を選択する

表全体を選択する

全選択したい表のセルを1つクリックして選択し、Ctrl+Aを押すことで、表全体をすぐに選択することができます。表をコピーしたいときや、移動させたいときなどに便利です（P.34参照）。

●表全体を選択する

05-14.xlsx

表が全選択された後、さらにCtrl+Aを押すと、シート全体が選択されます。

●シート全体を選択する

Memo

Ctrl+Shift+↑↓←→を押すと、行または列の一連のデータを一気に選択することができます。

Technique 078　365　2021　2019　2016

セルを参照する

表などの範囲内から参照する

セルを参照する際は、「**=**」に続けてセル名を入力するか、「=」を入力した後に参照したいセルをクリックします。または、セル範囲をドラッグして選択し、Enter で確定します。通常は**相対参照**として、参照されます。

相対参照では、数式をコピーすると、コピー先のセルに合わせて参照範囲が自動的に変わります（P.115参照）。

●セルを相対参照で指定する

⬇ 05-15.xlsx

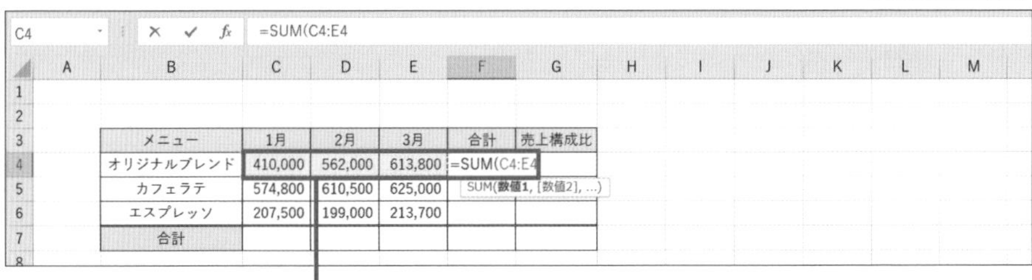

メニュー	1月	2月	3月	合計	売上構成比
オリジナルブレンド	410,000	562,000	613,800	=SUM(C4:E4	
カフェラテ	574,800	610,500	625,000		
エスプレッソ	207,500	199,000	213,700		
合計					

「=」に続けて参照したいセル範囲をドラッグして選択する

元のセル番地を固定しておくには**絶対参照**で参照しましょう（P.114参照）。F4 を押すと、相対参照と絶対参照を切り替えられます。

●セルを絶対参照で指定する

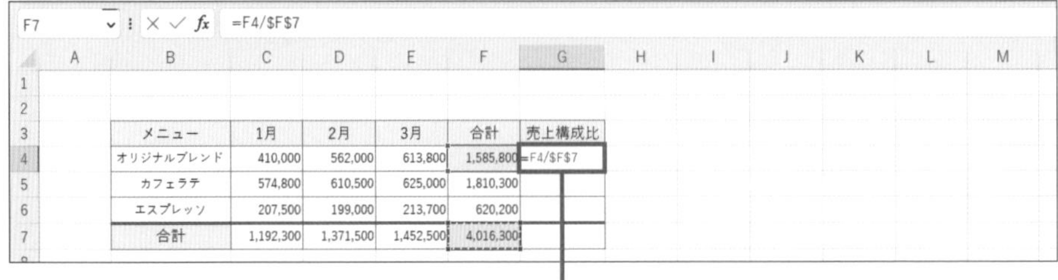

メニュー	1月	2月	3月	合計	売上構成比
オリジナルブレンド	410,000	562,000	613,800	1,585,800	=F4/$F$7
カフェラテ	574,800	610,500	625,000	1,810,300	
エスプレッソ	207,500	199,000	213,700	620,200	
合計	1,192,300	1,371,500	1,452,500	4,016,300	

「=」に続けて参照したいセルをクリックして選択し、F4 で絶対参照に指定する

別のシートから参照する

数式の入力中に、別のシートに切り替えて、参照したいセルをクリックし、Enterで確定すると別のシートのセル参照を指定することができます。

別のシートから参照したセルは「**シート名!セル番号**」のように表示されます。例えば、「新宿店」のシートからC7セルを参照した場合、「新宿店!C7」と入力されます。

●シートを切り替えてセルを参照する

05-16.xlsx

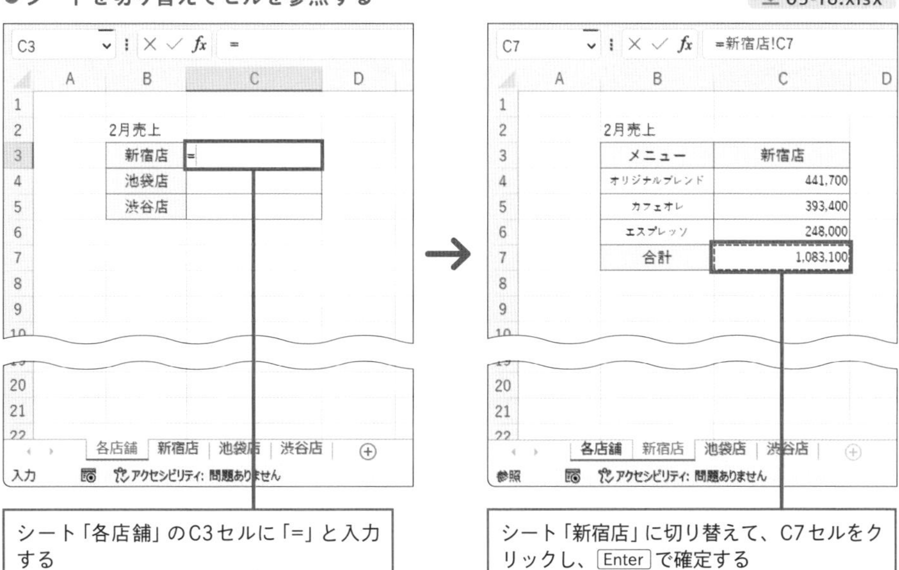

●別のシートからセルが参照される

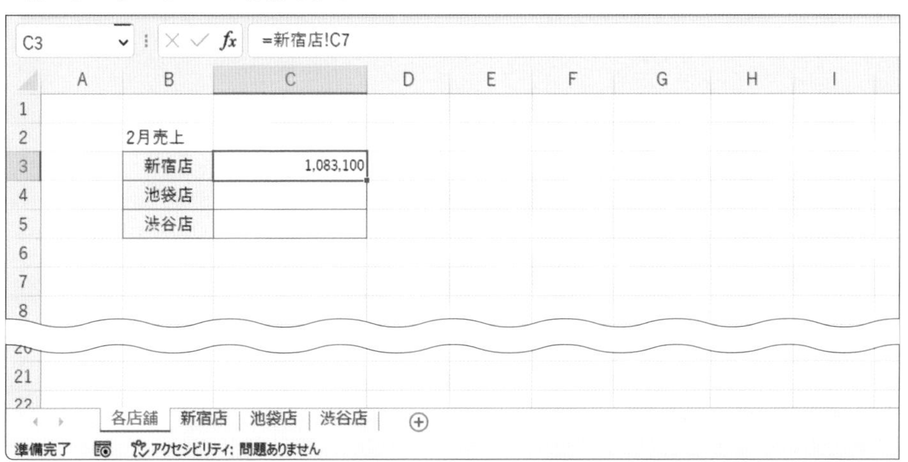

Technique 079　365　2021　2019　2016

表をテーブルに変換する

テーブルとして書式設定する

Excelで作成した表は、さまざまなデザインを適用することができます。**テーブル**と呼ばれる機能を利用することで、作成した表のスタイルや、フィルターボタンを設定することが可能です。

テーブルに変換したい表を選択した状態で❶、［ホーム］タブ❷→［スタイル］の［テーブルとして書式設定］❸をクリックします。設定したいスタイルをクリックし❹、［テーブルの作成］ダイアログボックスが表示されたら［OK］❺をクリックします。

●テーブルとして書式設定をする

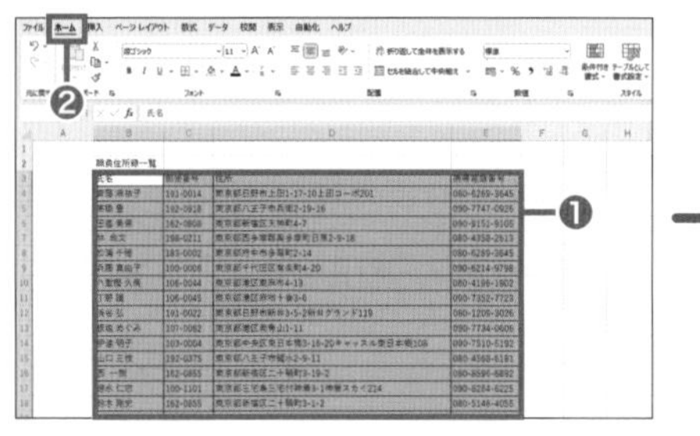

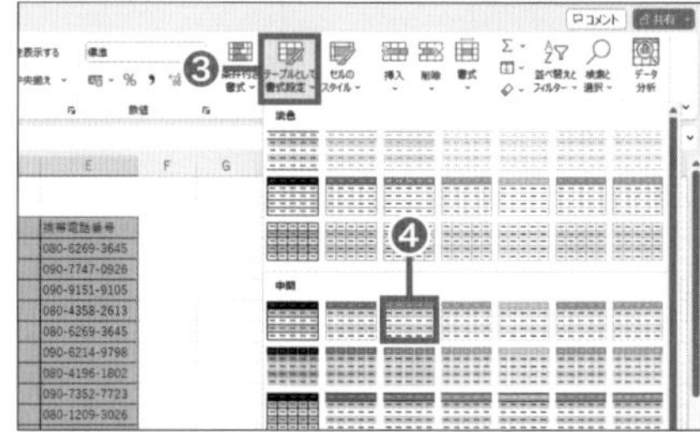

［テーブルの作成］ダイアログボックスで［**先頭行をテーブルの見出しとして使用する**］のチェックボックスをクリックしてチェックを付けると、先頭行が見出しとして変換されます。

●表がテーブルに変換される

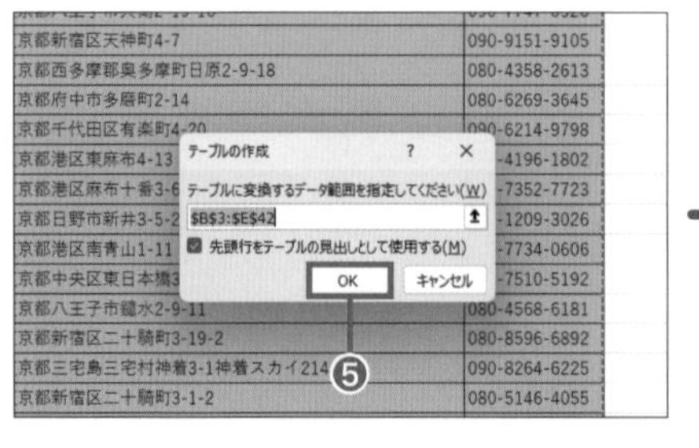

Technique 080 365 2021 2019 2016

外部のデータを取り込む① Excel

別のExcelファイルから取り込む

Excelでは、外部のさまざまな形式のデータを取り込むことができます。

別のExcelファイルからデータを取り込むには、[データ] タブ❶→ [データの取得と変換] の [データの取得] ❷→ [ファイルから] ❸→ [Excelブックから] ❹を選択します。[データの取り込み] ダイアログボックスが表示されるので、取り込みたいExcelファイル❺をクリックして選択し、[インポート] ❻をクリックします（ここでは、Chapter5_import_data>Technique080_商品販売価格.xlsx を取り込んでいます）。

●Excelファイルからデータを取得する

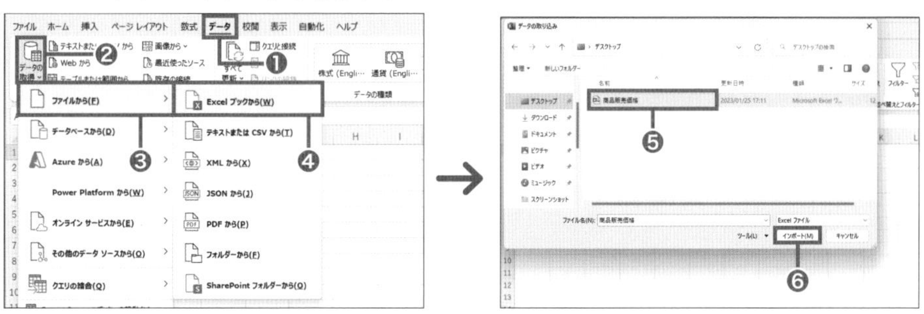

[ナビゲーター] 画面が表示されたら取り込みたいシートをクリックして選択し、[読み込み] をクリックすると、データが読み込まれます。

●Excelファイルのデータが読み込まれる

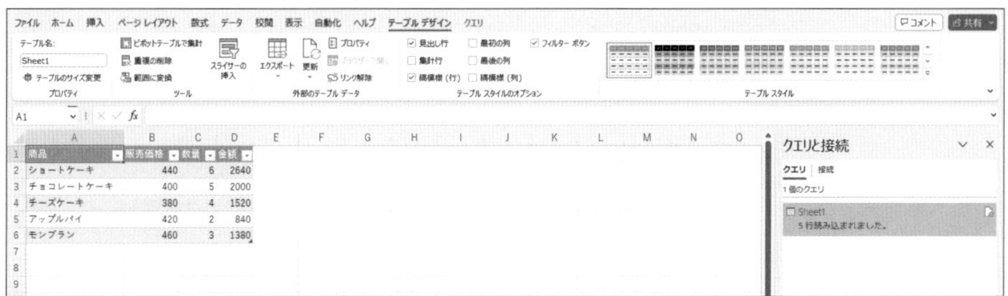

Technique 081 365 2021 2019 2016

外部のデータを取り込む② CSV

CSVファイルから取り込む

CSVとは、「comma separated values」の頭文字から取ったもので、その名の通り、**値や項目を「,」で区切って入力されたテキストファイル**のことです。CSVファイルはテキストデータのみのため、幅広いソフトで開くことができます。

CSVファイルからデータを取り込むには、[データ] タブ❶→ [データの取得と変換] の [テキストまたはCSVから] ❷をクリックします。[データの取り込み] ダイアログボックスが表示されるので、取り込みたいCSVファイル❸をクリックして選択し、[インポート] ❹をクリックします (ここでは、Chapter5_import_data>Technique081_職員住所録一覧.csv を取り込んでいます)。

●CSVファイルからデータを取得する

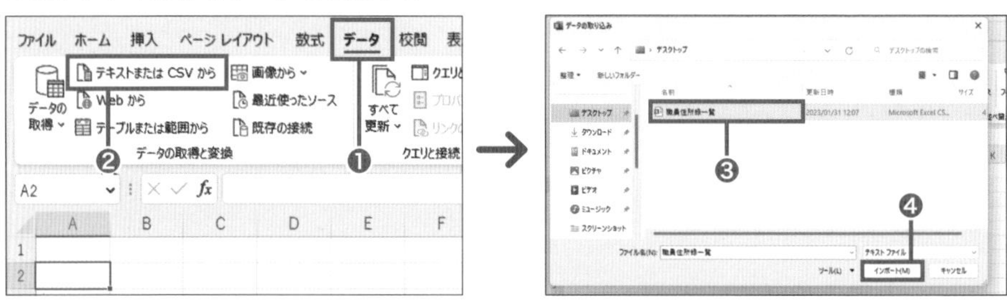

[○○.csv] 画面で [読み込み] をクリックすると、データが読み込まれます。

●CSVファイルが読み込まれる

外部のデータを取り込む③ Web

Webから取り込む

Excelでは、Web上のデータをExcelに取り込むことができます。

Webからデータを取り込むには、［データ］タブ❶→［データの取得と変換］の［Webから］❷を選択します。［Webから］画面が表示されたらURLを入力（またはコピー＆ペースト）❸して［OK］❹をクリックし、次の画面で［接続］をクリックします。

●Webからデータを取得する

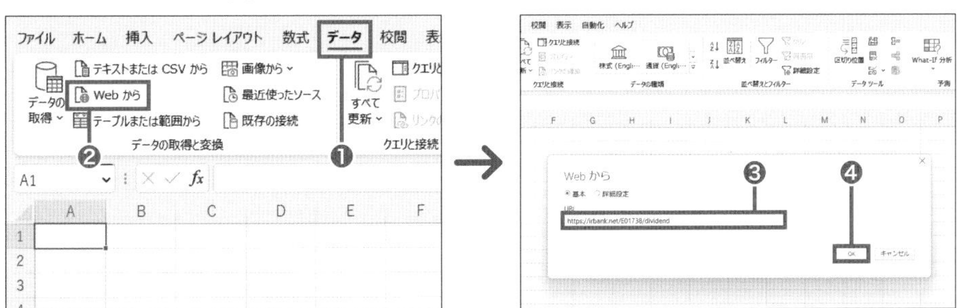

［ナビゲーター］画面が表示されるので、取り込みたいWebデータをクリックして［読み込み］をクリックすると、データが読み込まれます。

●Webのデータが読み込まれる

年度	区分	1Q	中間	3Q	期末	合計	分割 調整	配当 利回り	備考
2010/3/1	実績	-	0	-	-	0	0	0%	#1
2011/3/1	実績	-	2	-	-	5	50	1.23%	#1
2012/3/1	実績	-	4	-	-	8	80	2.2%	#1
2013/3/1	実績	-	4	-	4	8	80	1.69%	#1
2014/3/1	修正	-	4	-	4	8	80	1.83%	#1#2
2014/3/1	実績	-	4	-	4	8	80	1.83%	#1#3
2015/3/1	修正	-	4	-	-	-	-		#4
2015/3/1	実績	-	4	-	0	4	40	7.94%	#5
2016/3/1	予想	-	0	-	-	-	-		#1
2016/3/1	修正	-	0	-	0	0	0	0%	#1
2016/3/1	実績	-	0	-	0	0	0	0%	#1#6
2017/3/1	修正	-	-	-	0	0	0	0%	#1
2017/3/1	実績	-	0	-	0	0	0	0%	#1#7
2018/3/1	実績	-	0	-	0	0	0	0%	#1#8

Technique 083　365　2021　2019　2016

外部のデータを取り込む④ 画像

画像から取り込む

Excel for Microsoft 365では、画像ファイルに含まれているデータを取り込むことができます。ただし、日本語のサポートはまだ実装されていないため（2023年3月現在）、主に数値のようなデータを扱う際におすすめです。

画像からデータを取り込むには、［データ］タブ❶→［データの取得と変換］の［画像から］❷→［ファイルからの画像］❸を選択します。［図の挿入］ダイアログボックスが表示されるので、取り込みたい画像ファイル❹をクリックして選択し、［挿入］❺をクリックします（ここでは、Chapter5_import_data>Technique083_釧路-気象庁データ（平均気温）.png を取り込んでいます）。

●画像からデータを取得する

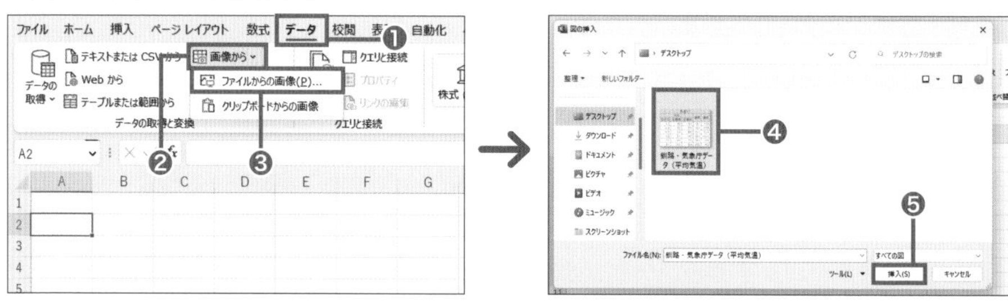

画像からデータが取り込まれたら［確認］をクリックし、必要に応じてデータを確認します❻。［データを挿入］❼をクリックすると、データが読み込まれます。

●画像のデータが読み込まれる

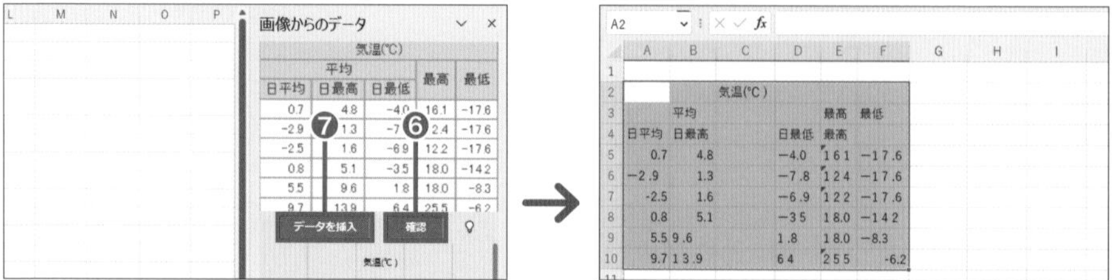

Technique 084　365　2021　2019　2016

Power Queryで取り込んだデータの書式を一括修正する

Power Queryを利用する

Excelには、データの取得や変換、結合、書式の統一などができる**Power Query（パワークエリ）**という機能があります。外部から取り込んだデータはテーブル形式で読み込まれます。データはExcelでの表示形式を元に、Power Queryへ読み込まれた時点で最適な**データ型**が自動的に設定されます。データ型は、Power Queryエディターから一括で変更することが可能です。

Power Queryエディターを表示するには、外部から読み込んだデータ（ここでは、Chapter5_import_data>Technique080_商品販売価格.xlsx）を選択した状態で、［クエリ］タブ❶→［編集］の［編集］❷をクリックします。

●Power Queryエディターを表示する

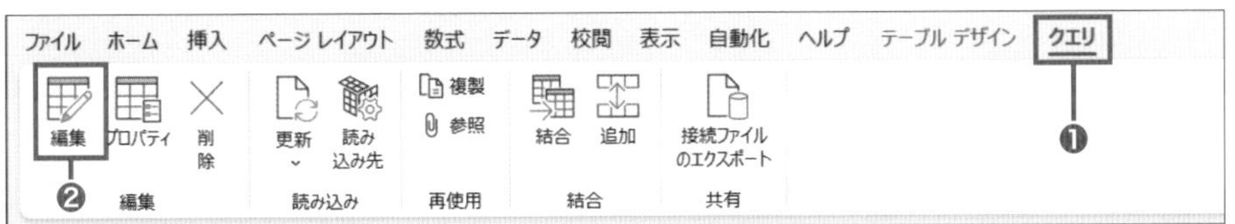

Power Queryエディター上で、データ型を変更したい列の左上に表示されているアイコン❸をクリックし、任意のデータ型❹をクリックして選択します。現在のものを置換❺をクリックすると、列のデータ型を一括で修正できます。なお、データ型を変更したい列を選択し、Power Queryエディターの［変換］タブ→［任意の列］の［データ型］から修正することも可能です。

●Power Queryエディターでデータ型を修正する

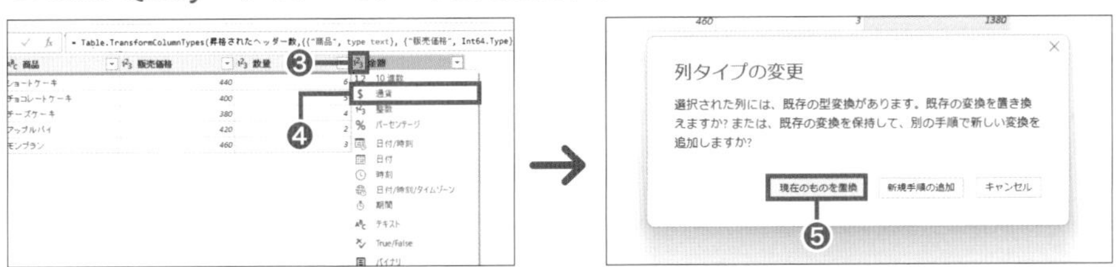

Technique 085　365　2021　2019　2016

テーブルに集計行を表示する

集計行を表示する

テーブルには**集計行**を追加でき、集計行のドロップダウンリストからは合計のほか、平均、個数、数値の個数最大値、最小値、標準偏差、標本分散などの関数を選択できます。

集計行を追加するには、テーブルを選択した状態で、[テーブルデザイン] タブ❶→[テーブルスタイルのオプション] の [集計行] のチェックボックス❷をクリックしてチェックを付けます。

●集計行を追加する

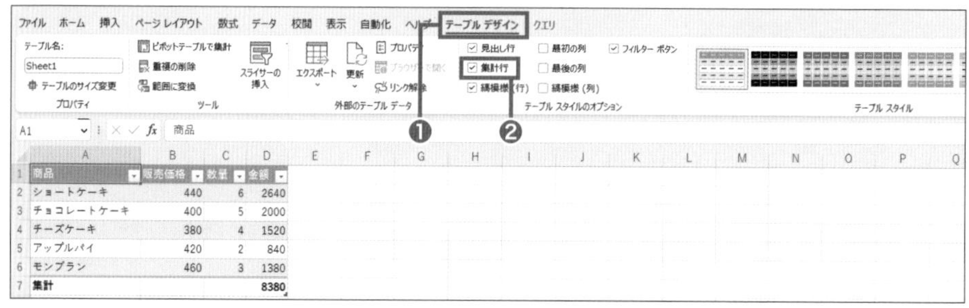

商品	販売価格	数量	金額
ショートケーキ	440	6	2640
チョコレートケーキ	400	5	2000
チーズケーキ	380	4	1520
アップルパイ	420	2	840
モンブラン	460	3	1380
集計			8380

集計行の右端にある [▾] ❸をクリックすると、設定できる関数の一覧がドロップダウンリストで表示されます。任意の関数（ここでは [平均]）❹をクリックすると、計算結果が反映されます。

●集計行の関数を変更する

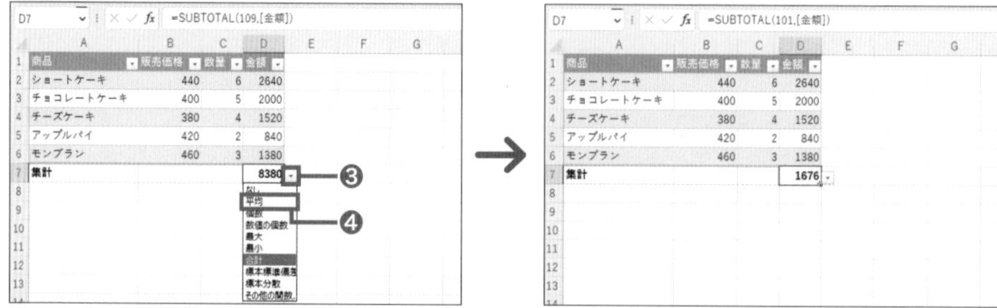

データを昇順/降順に並べ替える

データの昇順/降順を変更する

テーブルのデータは**昇順**（数値の小さい順、五十音順など）、**降順**（数値の大きい順、五十音の逆順など）でそれぞれ並べ替えることができます。

並べ替えたい列のセル❶を選択した状態で、［データ］タブ❷→［並べ替えとフィルター］（または［ホーム］タブ→［編集］の［並べ替えとフィルター］）の［昇順］❸または［降順］❹を選択します。

●データを昇順/降順に並べ替える（リボン）

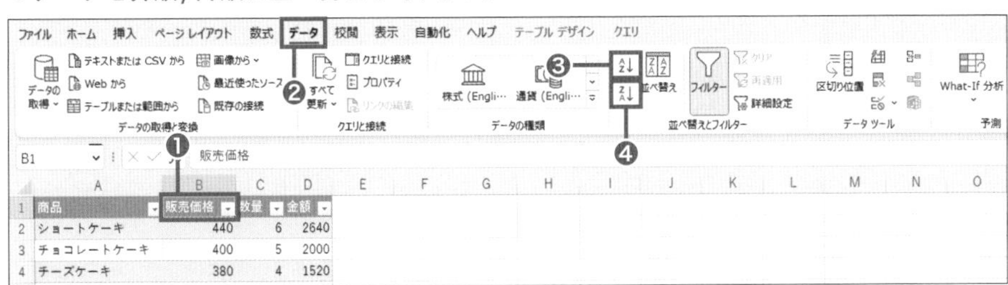

また、テーブルの［▾］をクリック❶し、［昇順］または［降順］❷をクリックすることでも並べ替えできます。

●データを昇順/降順に並べ替える（プルダウンメニュー）

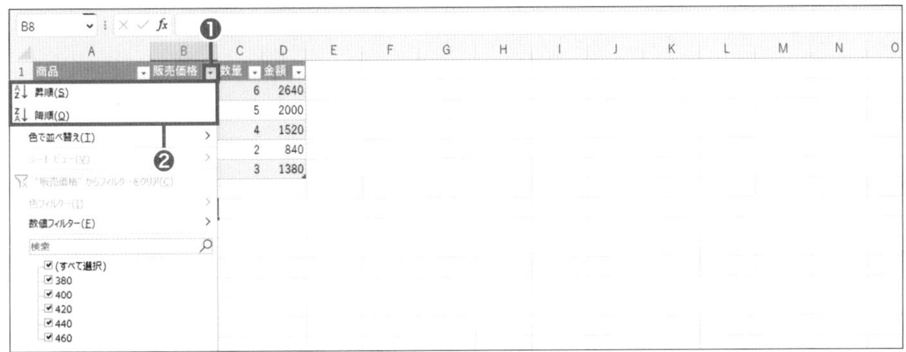

Technique 087 365 2021 2019 2016

正しくソートされるようにする

ふりがなの編集をする

データの並べ替えを実行した際、氏名や地名などが正しい順に並んでいないことはないでしょうか。これは主にふりがなが誤って認識されていることが原因です。正しい順に並べ替えるには、ふりがなの編集をしましょう。

ふりがなの編集をしたいセル❶を選択し、[ホーム] タブ❷→ [フォント] の [ふりがなの表示/非表示] の右側の [⌄] ❸→ [ふりがなの編集] ❹をクリックします。正しいふりがなを入力し、Enter を押して確定します。

●ふりがなの編集をする

05-19.xlsx

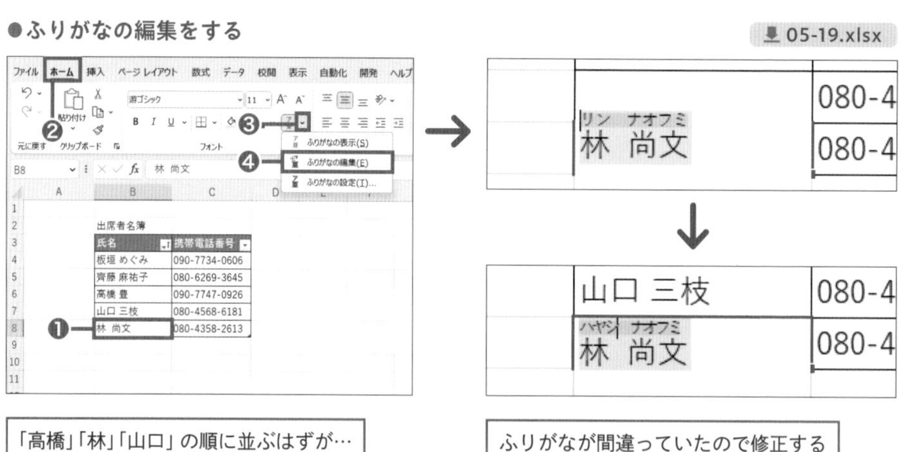

「高橋」「林」「山口」の順に並ぶはずが…

ふりがなが間違っていたので修正する

ふりがなを編集した上で、再度昇順に並べ替えると正しくソートされます。

●正しくソートされる

	出席者名簿	
3	氏名	携帯電話番号
4	板垣 めぐみ	090-7734-0606
5	齊藤 麻祐子	080-6269-3645
6	高橋 豊	090-7747-0926
7	林 尚文	080-4358-2613
8	山口 三枝	080-4568-6181

Technique 088　365　2021　2019　2016

長い表は見出しを固定してスクロールする

行列を固定する

縦や横に長い表を閲覧する際は、先頭の行や列を固定すると画面をスクロールしたときに見出しが画面から見えなくなってしまわないため、参照しやすくなります。

行を固定する場合は固定したい行の1行下の行、列を固定する場合は固定したい列の1列右の列❶を選択し、［表示］タブ❷→［ウィンドウ］の［ウィンドウ枠の固定］❸→［ウィンドウ枠の固定］❹をクリックします。

●ウィンドウ枠を固定する　05-20.xlsx

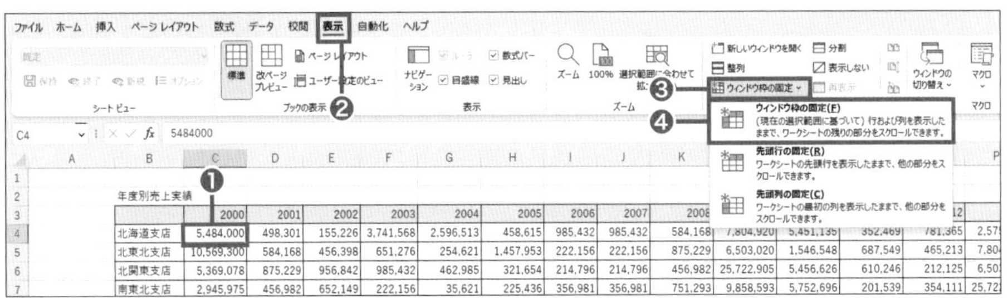

C4　5484000

	2006	2007	2008	2009	2010	2011	2012	2013	2014	2015	2016	2017	2018
関東支店	335,264	335,264	215,890	5,456,626	1,467,862	4,968,751	654,245	1,546,548	215,890	335,264	2,584,625	564,155	8,795,254
神奈川支店	781,365	781,365	1,478,964	5,752,696	2,698,648	20,031,659	3,258,794	5,456,626	1,478,964	781,365	1,467,862	596,231	75,791,356
西関東支店	465,213	465,213	129,765	8,224,693	8,795,254	221,303	5,459,635	5,752,696	129,765	465,213	2,698,648	554,127	5,882,669
信越支店	212,125	212,125	986,254	2,584,625	75,791,356	965,812	748,965	8,224,693	986,254	212,125	8,795,254	510,231	5,459,635
北陸支店	354,111	354,111	978,613	1,467,862	5,882,669	332,645	2,427,586	2,584,625	978,613	354,111	75,791,356	203,107	748,965
東海支店	213,554	213,554	620,143	2,698,648	5,459,635	323,652	145,267	1,467,862	620,143	213,554	5,882,669	3,698,750	2,427,586
中京支店	219,786	219,786	7,436,401	8,795,254	748,965	145,267	104,256	2,698,648	7,436,401	219,786	5,459,635	2,125,860	145,267
関西支店	654,245	654,245	987,621	75,791,356	2,427,586	104,256	7,804,920	8,795,254	987,621	654,245	748,965	222,168	104,256
京都支店	3,258,794	3,258,794	102,457	5,882,669	145,267	885,432	6,503,020	75,791,356	102,457	3,258,794	2,427,586	996,513	104,256

Memo

行と列の固定を解除するには、［表示］タブ→［ウィンドウ］の［ウィンドウ枠の固定］→［ウィンドウ枠固定の解除］をクリックします。

テーブルのデータを絞り込み表示する①キーワードで絞り込む

フィルターでキーワードを絞り込む

テーブルのデータをキーワードで絞り込んで表示する際は、フィルターボタンの**テキストフィルター**の下にある検索ボックスに絞り込みたいキーワードを入力すると、キーワードが含まれる項目の候補が表示されます。絞り込みたい項目❶をクリックしてキーワードを入力し❷、チェックボックスを選択して❸、[OK] ❹をクリックすると、データを絞り込むことができます。

●キーワードで絞り込む（フィルター）

05-21.xlsx

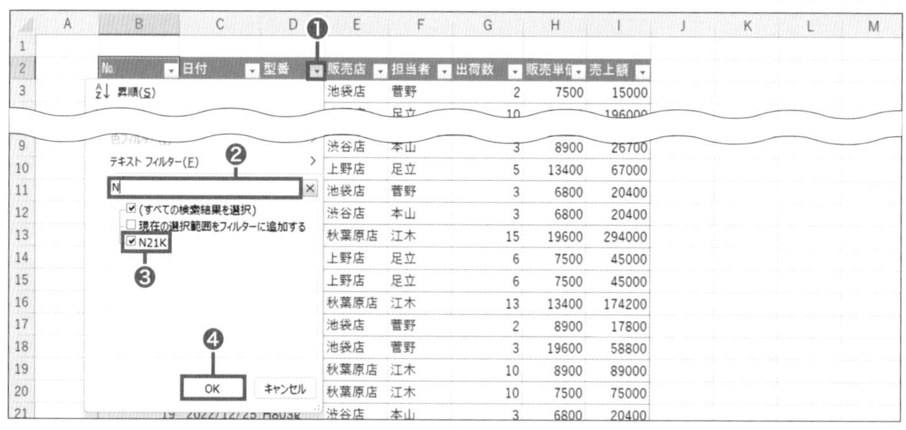

	No.	日付	型番	販売店	担当者	出荷数	販売単価	売上額
3	1	2022/12/1	N21K	池袋店	菅野	2	7500	15000
8	6	2022/12/6	N21K	秋葉原店	江木	8	7500	60000
14	12	2022/12/15	N21K	上野店	足立	6	7500	45000
15	13	2022/12/18	N21K	上野店	足立	6	7500	45000
20	18	2022/12/24	N21K	秋葉原店	江木	10	7500	75000
25	23	2023/1/8	N21K	秋葉原店	江木	8	7500	60000
30	28	2023/1/16	N21K	上野店	足立	5	7500	37500

選択した「N21K」が抽出された

スライサーでキーワードを絞り込む

スライサー機能を使うことでもキーワードで絞り込むことができます。

スライサーを表示するには、[テーブルデザイン] タブ❶→ [ツール] の [スライサーの挿入] ❷をクリックします。[スライサーの挿入] ダイアログボックスが表示されたら、スライサーを表示させたい項目❸をクリックしてチェックを付け、[OK] ❹をクリックします。

●スライサーを表示する

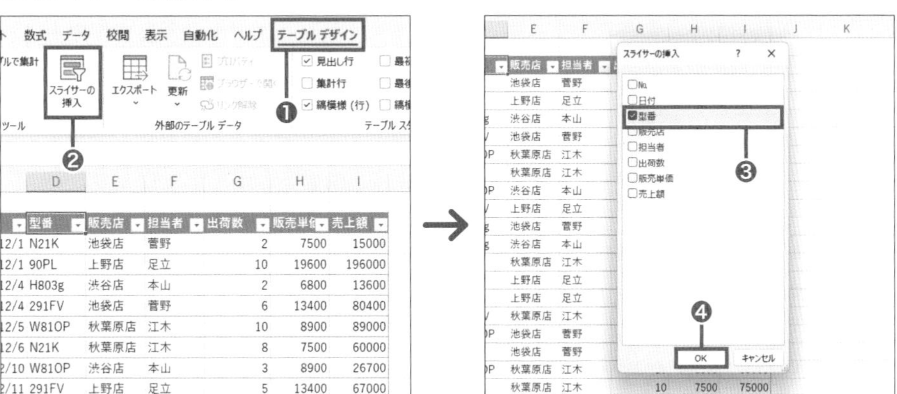

スライサー❺で、絞り込みたい項目❻をクリックすると、データを絞り込むことができます。

●キーワードで絞り込む（スライサー）

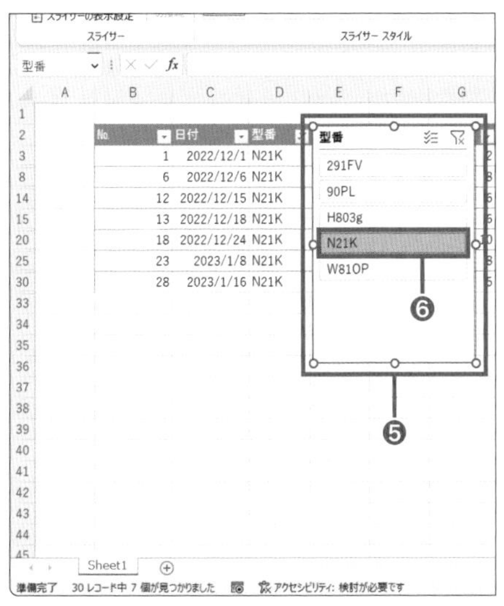

Memo

スライサーは複数追加することができ、図や画像などのオブジェクトのようにExcelのシート上で好きな場所へ移動させたり、配置したりすることができます。なお、スライサー右上にある [複数選択 (☰)] をクリックすると複数のキーワードで絞り込むことが可能です。また、いったん絞り込んだフィルターをクリアしたい場合は、スライサー右上にある [フィルターのクリア (⊠)] をクリックします。

Technique 090　365 2021 2019 2016

テーブルのデータを絞り込み表示する②範囲で絞り込む

範囲で絞り込む

フィルターの**詳細設定**機能を使うと、指定した検索範囲からデータを絞り込んでテーブルに表示させることができます。

範囲で絞り込むには、あらかじめ絞り込むデータを指定するための表❶を別途用意しておきます。[データ] タブ❷→[並べ替えとフィルター] の [詳細設定] ❸を選択します。[フィルターオプションの設定] ダイアログボックスで、[リスト範囲] ❹に元のデータとなる表範囲を指定し、[検索条件範囲] ❺に別途用意した表範囲をドラッグして指定します。最後に [OK] ❻をクリックすると、データを絞り込むことができます。

●フィルターオプションの設定を表示する

05-22.xlsx

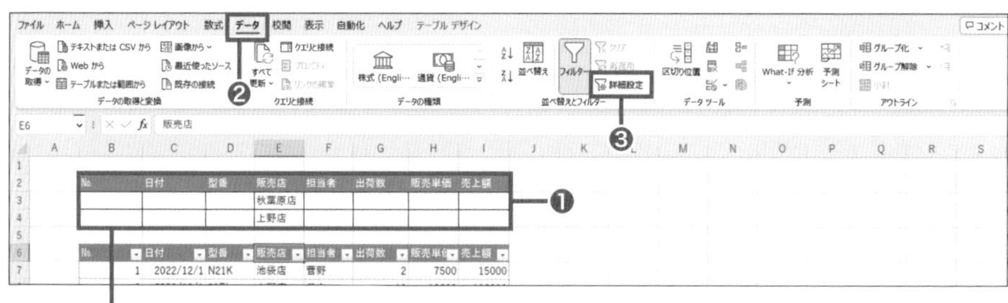

●範囲で絞り込む

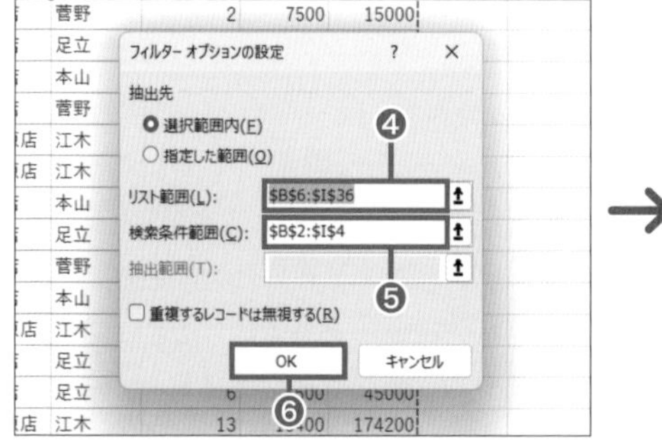

Technique 091　365　2021　2019　2016

条件に一致するデータを取り出す

VLOOKUP関数を使う

VLOOKUP関数は、表のデータを縦方向に検索し、検索値に一致したセルと同じ行にあるデータを返します。

例えば、顧客リストから住所を取り出したり、商品名から商品単価を取り出したりすることができます。

=VLOOKUP(検索値,範囲,列番号,[検索方法])
（ブイルックアップ）

指定された範囲の１列目で特定の値を検索し、指定した列と同じ行にある値を返します。テーブルは昇順に並べ替えておく必要があります。

●条件に一致するデータを取り出す（VLOOKUP関数）　05-23.xlsx

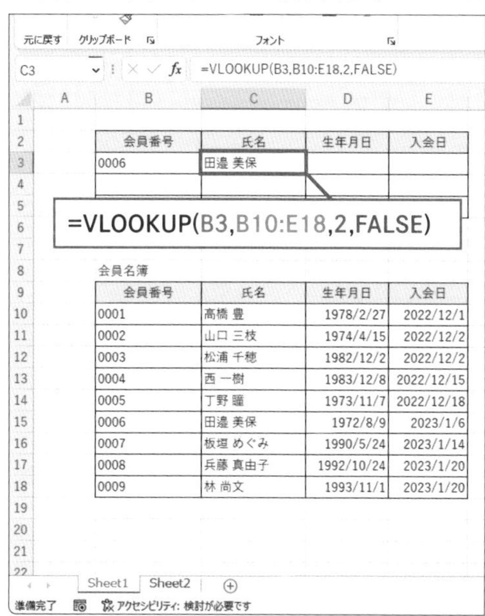

会員番号	氏名	生年月日	入会日
0001	高橋 豊	1978/2/27	2022/12/1
0002	山口 三枝	1974/4/15	2022/12/2
0003	松浦 千穂	1982/12/2	2022/12/2
0004	西 一樹	1983/12/8	2022/12/15
0005	丁野 瞳	1973/11/7	2022/12/18
0006	田邉 美保	1972/8/9	2023/1/6
0007	板垣 めぐみ	1990/5/24	2023/1/14
0008	兵藤 真由子	1992/10/24	2023/1/20
0009	林 尚文	1993/11/1	2023/1/20

Memo

4つ目に入力する「検索方法」の引数は以下のように指定できます。

完全一致：FALSEを入力するか、列番号の後に「,」を入力する
近似一致：TRUEを入力するか、列番号までの入力にする

ただし、近似一致は思わぬ結果を導いてしまうことがあるので、基本的には完全一致を使いましょう。

XLOOKUP関数を使う

Excel for Microsoft 365とExcel 2021では**XLOOKUP関数**を利用できます。XLOOKUP関数は、特定の値で表内を検索し、検索値に対応するデータを返します。元となるデータから値を取り出すため、文字や数字の誤りや表記のゆれを防ぐことができます。ほかにも、検索値が見つからない場合に表示する値も指定できるため、エラーが起きる心配もありません。

またXLOOKUP関数では、表の範囲指定によっては、複数のデータを抽出することも可能です。

エックスルックアップ

=XLOOKUP(検索値,検索範囲,戻り範囲,[見つからない場合],[一致モード],[検索モード])

範囲または配列で一致の検索を行い、2つ目の範囲または配列から対応する項目を返します。既定では、完全一致が使用されます。

なお、後半の引数である「見つからない場合」「一致モード」「検索モード」はそれぞれ省略しても問題ありません。

●条件に一致するデータを取り出す（XLOOKUP関数）

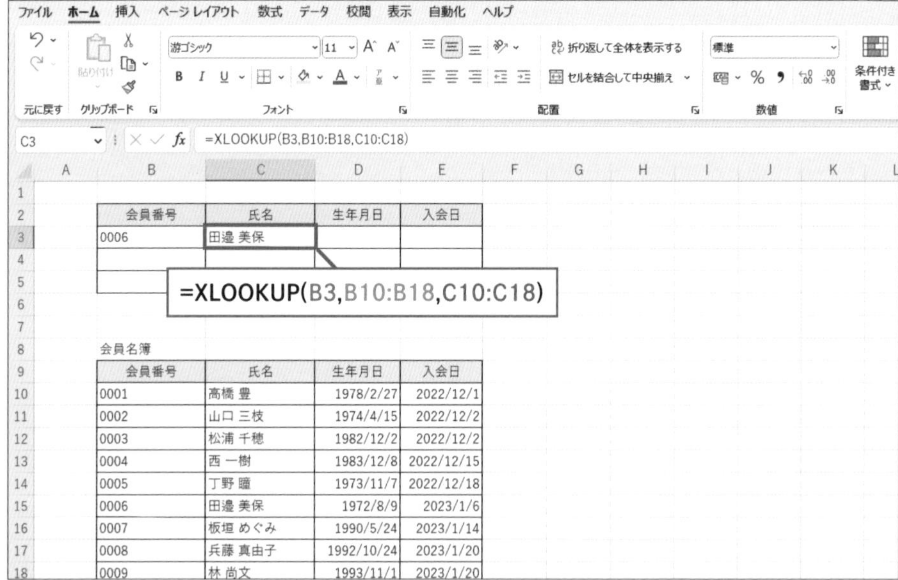

会員番号	氏名	生年月日	入会日
0006	田邉 美保		

会員番号	氏名	生年月日	入会日
0001	高橋 豊	1978/2/27	2022/12/1
0002	山口 三枝	1974/4/15	2022/12/2
0003	松浦 千穂	1982/12/2	2022/12/2
0004	西 一樹	1983/12/8	2022/12/15
0005	丁野 瞳	1973/11/7	2022/12/18
0006	田邉 美保	1972/8/9	2023/1/6
0007	板垣 めぐみ	1990/5/24	2023/1/14
0008	兵藤 真由子	1992/10/24	2023/1/20
0009	林 尚文	1993/11/1	2023/1/20

Technique 092　365　2021　2019　2016

データの整形①
重複を調べる

条件付き書式を使う

条件の合うセルを強調できる**条件付き書式**で値が重複するセルを調べることができます。ここでは「氏名」列の値に重複がないかを調べます。重複を調べたいセル範囲を選択した状態で、[ホーム] タブ→ [スタイル] の [条件付き書式] → [セルの強調表示ルール] → [重複する値] → [OK] を選択すると、重複している氏名が赤く表示されます。

●条件付き書式で重複を判定する　05-24.xlsx

	顧客番号	氏名	性別
3	10001	伊藤 秀樹	男
4	10002	酒井 哲也	男
5	10003	山田 佳代子	女
6	10004	前田 真美	女
7	10005	吉田 和夫	男
8	10006	佐々木 瑞樹	女
9	10007	工藤 健	男
10	10008	小野 勝利	男
11	10009	山田 佳代子	女

関数を使う

IF関数（P.120参照）とCOUNTIF関数（P.125参照）を組み合わせることで、重複があれば記号が入力されるようにすることができます。

●関数で重複を判定する

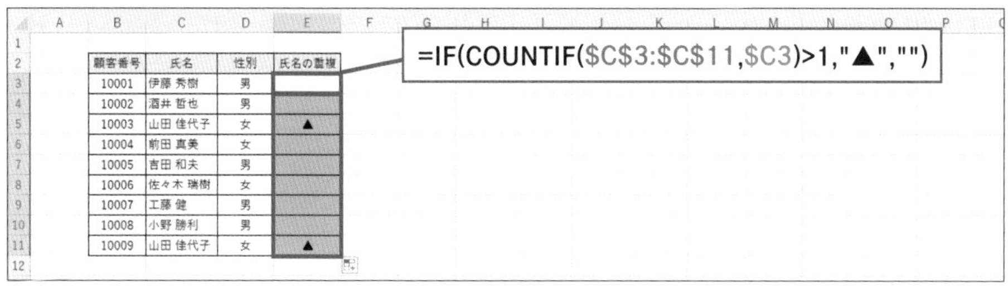

	顧客番号	氏名	性別	氏名の重複
3	10001	伊藤 秀樹	男	
4	10002	酒井 哲也	男	
5	10003	山田 佳代子	女	▲
6	10004	前田 真美	女	
7	10005	吉田 和夫	男	
8	10006	佐々木 瑞樹	女	
9	10007	工藤 健	男	
10	10008	小野 勝利	男	
11	10009	山田 佳代子	女	▲

C3からC11の間でC3の「伊藤秀樹」と重複する氏名がないかを調べる。検索条件はC列のみ固定し、行は数式をコピーしたときにC4、C5……と対応する行に合わせて変わる

Technique 093　365　2021　2019　2016

データの整形②
表記ゆれを修正する：全角と半角

文字統一の関数を使う

入力したデータ上に全角と半角が混在している場合、文字統一の関数を利用しましょう。**JIS関数**は半角を全角に、**ASC関数**は全角を半角に統一することができます。また**UPPER関数**は英字をすべて大文字に、**LOWER関数**は英字をすべて小文字に変換します。場合によって使い分けると良いでしょう。

関数を用いて全角・半角の統一を行った際、参照元のセルのデータを削除してしまうと結果も消えてしまいます。統一後のデータをコピーしたら、値として貼り付けましょう(P.97参照)。

05-25.xlsx

=JIS(文字列)（ジス）

半角の英数カナ文字を、全角の英数カナ文字に変換します。

=ASC(文字列)（アスキー）

全角の英数カナ文字を、半角の英数カナ文字に変換します。

=UPPER(文字列)（アッパー）

文字列に含まれる英字をすべて大文字に変換します。

=LOWER(文字列)（ロウアー）

文字列に含まれる英字をすべて小文字に変換します。

Technique 094　365　2021　2019　2016

データの整形③ 表記ゆれを修正する：名称変更

SUBSTITUTE関数を使う

SUBSTITUTE関数はセル内の文字を別の文字に置換することができます。
なお、４つ目の引数「置換対象」は省略することも可能です。
ここでは、D列の型番に「K」が含まれている場合、「KM」に置換して出力します。

サブスティチュート
=SUBSTITUTE(文字列,検索文字列,置換文字列,[置換対象])

文字列中の指定した文字を新しい文字で置き換えます。

●名称を変更する　05-26.xlsx

E3　=SUBSTITUTE(D3,"K","KM")

	A	B	C	D	E	F	G	H	I	J
1										
2		No.	日付	型番	型番2	販売店	担当者	出荷数	販売単価	売上額
3		1	2022/12/1	N21K	N21KM	池袋店	菅野	2	7500	15000
4		2	2022/12/1	90PL	90PL	上野店	足立	10	19600	196000
5		3	2022/12/4	H803g	H803g	渋谷店	本山	2	6800	13600
6		4	2022/12/4	291FV					13400	80400
7		5	2022/12/5	W81OP					8900	89000
8		6	2022/12/6	N21K	N21KM	秋葉原店	江木	8	7500	60000
9		7	2022/12/10	W81OP	W81OP	渋谷店	本山	3	8900	26700
10		8	2022/12/11	291FV	291FV	上野店	足立	5	13400	67000
11		9	2022/12/11	H803g	H803g	池袋店	菅野	3	6800	20400
12		10	2022/12/12	H803g	H803g	渋谷店	本山	3	6800	20400
13		11	2022/12/13	90PL	90PL	秋葉原店	江木	15	19600	294000
14		12	2022/12/15	N21K	N21KM	上野店	足立	6	7500	45000
15		13	2022/12/18	N21K	N21KM	上野店	足立	6	7500	45000
16		14	2022/12/19	291FV	291FV	秋葉原店	江木	13	13400	174200
17		15	2022/12/20	W81OP	W81OP	池袋店	菅野	2	8900	17800
18		16	2022/12/22	90PL	90PL	池袋店	菅野	3	19600	58800
19		17	2022/12/23	W81OP	W81OP	秋葉原店	江木	10	8900	89000
20		18	2022/12/24	N21K	N21KM	秋葉原店	江木	10	7500	75000
21		19	2022/12/25	H803g	H803g	渋谷店	本山	3	6800	20400
22		20	2022/12/26	291FV	291FV	上野店	足立	5	13400	67000

Sheet1

Technique 095　365　2021　2019　2016

データの整形④ 表記ゆれを修正する：余分なスペースの削除

文字列操作の関数を使う

TRIM関数は、文字列に含まれる余分なスペースを削除することができます。

> =TRIM(文字列)　（トリム）
>
> **単語間のスペースを1つずつ残して、不要なスペースをすべて削除します。**

●余分なスペースを削除する（TRIM関数）　05-27.xlsx

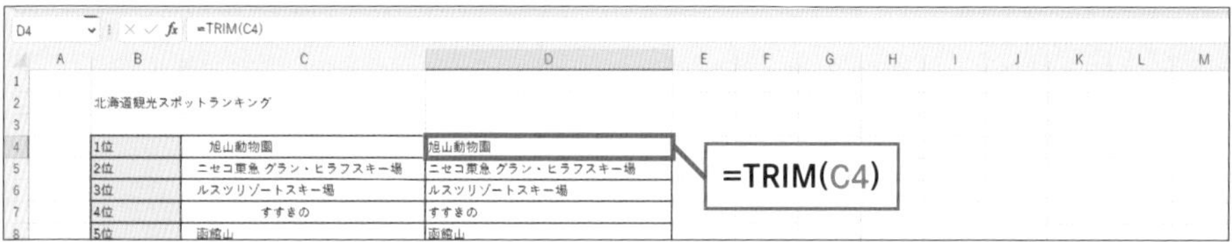

また、**CLEAN関数**を使うと改行などセル内に見えない余分な記号を削除できます。

> =CLEAN(文字列)　（クリーン）
>
> **印刷できない文字を文字列から削除します。**

●改行などを削除する（CLEAN関数）

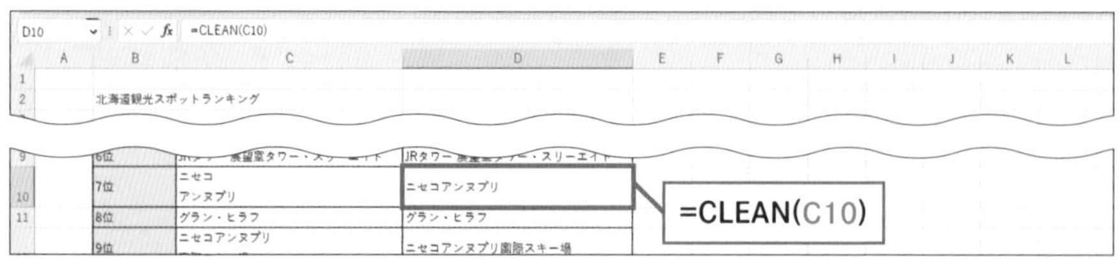

Technique 096　365 2021 2019 2016

顧客リストを姓名に分ける

フラッシュフィルで隣の列に姓、名をそれぞれ出力

フラッシュフィルは、Excelが検知した法則性に沿って、データを自動入力する機能です。ここでは「氏名」列から姓を抽出します。

顧客の姓を入れたい列にいちばん上の顧客の姓を入力して、そのセルを選択した状態で❶、[データ] タブ❷→ [データツール] の [フラッシュフィル] ❸を選択します。ここでは姓名の間にスペースがあるため、スペースより前の文字列を抽出しています。

●顧客の姓を抜き出す

05-28.xlsx

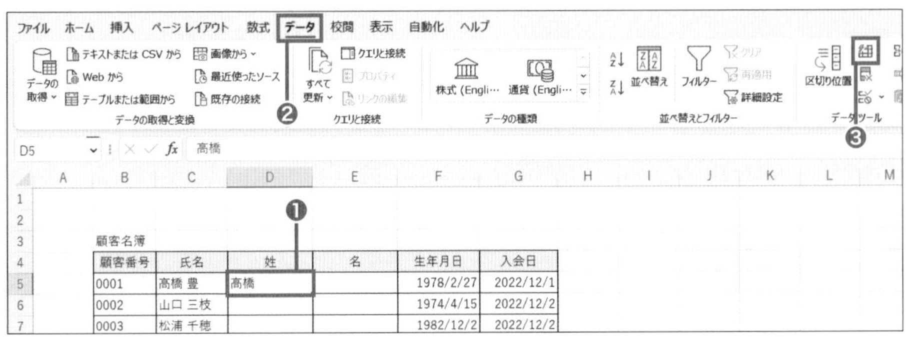

顧客番号	氏名	姓	名	生年月日	入会日
0001	高橋 豊	高橋		1978/2/27	2022/12/1
0002	山口 三枝			1974/4/15	2022/12/2
0003	松浦 千穂			1982/12/2	2022/12/2

●すべての顧客の姓が出力された

顧客名簿

顧客番号	氏名	姓	名	生年月日	入会日
0001	高橋 豊	高橋		1978/2/27	2022/12/1
0002	山口 三枝	山口		1974/4/15	2022/12/2
0003	松浦 千穂	松浦		1982/12/2	2022/12/2
0004	西 一樹	西		1983/12/8	2022/12/15
0005	丁野 瞳	丁野		1973/11/7	2022/12/18
0006	田邉 美保	田邉		1972/8/9	2023/1/6
0007	板垣 めぐみ	板垣		1990/5/24	2023/1/14
0008	兵頭 真由子	兵頭		1992/10/24	2023/1/20
0009	林 尚文	林		1993/11/1	2023/1/20

名も同様の手順で出力することができます。

文字を取り出す関数を使う

LEFT関数は、文字列の左側から指定した文字数を取り出す関数です。

> =LEFT(文字列,[文字数])（レフト）
>
> **文字列の先頭から指定された数の文字を返します。**

IFERROR関数や**VLOOKUP関数**と組み合わせることで、氏名の間にスペースがない場合でも姓と名に分けることができます。

●顧客の姓を取り出す

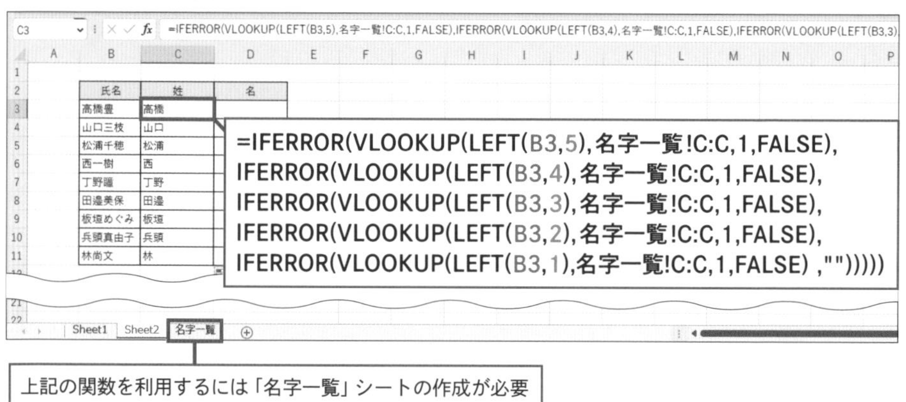

また、**RIGHT関数**（文字列の末尾から指定された数の文字を返す）と**LEN関数**（半角と全角の区別なく、1文字を1として文字数を返す）を組み合わせることで、氏名の文字列の数から姓の文字列の数を数えて削除し、名だけを取り出すことができます。

●顧客の名を取り出す

氏名	姓	名
高橋畳	高橋	畳
山口三枝	山口	三枝
松浦千穂	松浦	千穂
西一樹	西	一樹
丁野瞳	丁野	瞳
田邉美保	田邉	美保
板垣めぐみ	板垣	めぐみ
兵頭真由子	兵頭	真由子
林尚文	林	尚文

=(RIGHT(B3,LEN(B3)-LEN(C3))

Technique 097　365　2021　2019　2016

顧客リストの姓名を結合する

「&」を使う

Excelでは、さまざまな演算子を使うことができます。「&」を使うとセル同士のデータをかんたんに結合して表示させることが可能です。

●顧客リストの姓名を結合する（「&」を使う）　05-29.xlsx

DATE　=C5&D5

	A	B	C	D	E	F	G	H	I
1									
2									
3		顧客名簿							
4		会員番号	姓	名		生年月日	入会日		
5		0001	高橋	豊	=C5&D5	1978/2/27	2022/12/1		
6		0002	山口	三枝		1974/4/15	2022/12/2		
7		0003	松浦	千穂		1982/12/2	2022/12/2		
8		0004	西	一樹		1983/12/8	2022/12/15		
9		0005	工野	瞳		1973/11/7	2022/12/18		

E5　=C5&D5

	A	B	C	D	E	F	G	H	I
1									
2									
3		顧客名簿							
4		会員番号	姓	名		生年月日	入会日		
5		0001	高橋	豊	高橋豊	1978/2/27	2022/12/1		
6		0002	山口	三枝		1974/4/15	2022/12/2		
7		0003	松浦	千穂		1982/12/2	2022/12/2		
8		0004	西	一樹		1983/12/8	2022/12/15		
9		0005	工野	瞳		1973/11/7	2022/12/18		

Memo

3つ以上のセルを結合したい場合は、「=文字列1＆文字列2＆文字列3」のように入力するとすべて結合することができます。

CONCATENATE関数を使う

CONCATENATE関数は、セル内のデータを結合することができます。CONCATENATE関数では、最大30の文字列を指定できます。ここではC列とD列の文字列を結合し、E列にフルネームを表示しています。

=CONCATENATE(コンカットネイト)(文字列1,文字列2,…,文字列30)

複数の文字列を結合して1つの文字列にまとめます。

●顧客リストの姓名を結合する（CONCATENATE関数）

E5 =CONCATENATE(C5,D5)

顧客名簿

会員番号	姓	名		生年月日	入会日
0001	高橋	豊	高橋豊	1978/2/27	2022/12/1
0002	山口	三枝	山口三枝	1974/4/15	2022/12/2
0003	松浦	千穂	松浦千穂	1982/12/2	2022/12/2
0004	西	一樹	西一樹	1983/12/8	2022/12/15
0005	丁野	瞳	丁野瞳	1973/11/7	2022/12/18
0006	田邊	美保	田邊美保	1972/8/9	2023/1/6
0007	板垣	めぐみ	板垣めぐみ	1990/5/24	2023/1/14
0008	兵藤	真由子	兵藤真由子	1992/10/24	2023/1/20
0009	林	尚文	林尚文	1993/11/1	2023/1/20

=CONCATENATE(C5,D5)

Memo

CONCATENATE関数では、「""」で区切ることで任意の文字を含めて結合することができるほか、改行などの関数も入れることができます。

ピボットテーブルを作成する

ピボットテーブルを作成する

Excelには、データをもとに集計を行ったり、分析したりできる**ピボットテーブル**という機能があります。

ピボットテーブルを作成するには、データ内のセルを選択した状態で❶、[挿入] タブ❷→[テーブル] の [ピボットテーブル] ❸をクリックします。[テーブルまたは範囲からのピボットテーブル] ダイアログボックスが表示されたら、ピボットテーブルを配置するシート❹をクリックして選択し、[OK] ❺をクリックします。

●ピボットテーブルを作成する　　05-30.xlsx

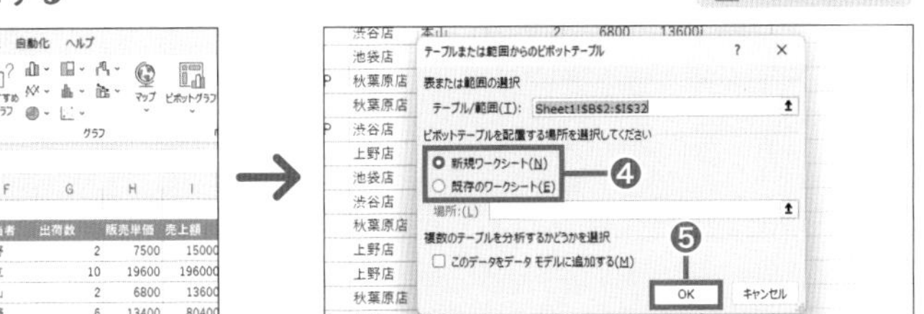

●ピボットテーブルが作成された

ピボットテーブルのフィールドリストに追加する

ピボットテーブルを作成すると、**ピボットテーブルのフィールド**ウィンドウが表示されます。ピボットテーブルは［レポートフィルター］［列ラベル］［行ラベル］［値］の4つのフィールドエリアからできていて、ピボットテーブルのフィールドリストで、さまざまなフィールドの配置を行うことで、配置した通りの集計結果が反映されます。

フィールドエリアにフィールドを追加するには、フィールドリストから項目をフィールドエリアまでドラッグ&ドロップします。ここでは販売店ごと、型番ごとの売上を求めています。

●エリアにフィールドを追加する

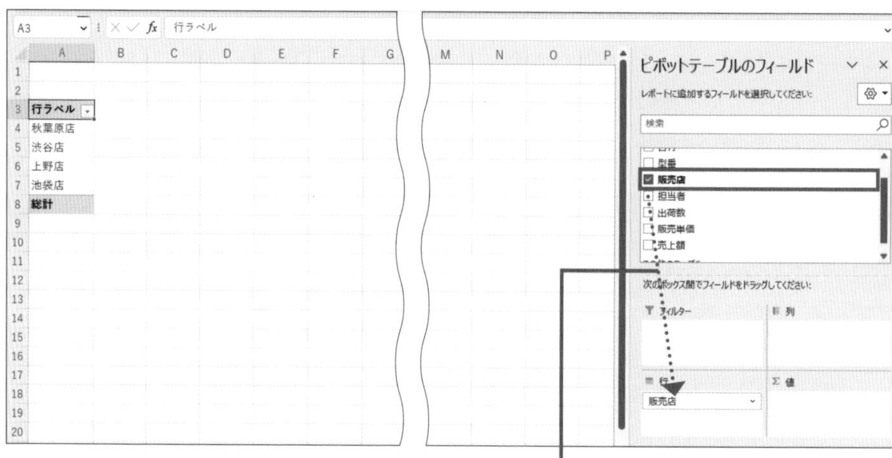

フィールドリストで項目をクリックして選択し、［行］エリアまでドラッグ&ドロップする。ほかの項目、フィールドエリアも同じ手順で追加する

●ピボットテーブルで集計された

合計 / 売上額	列ラベル					
行ラベル	291FV	90PL	H803g	N21K	W81OP	総計
秋葉原店	174200	490000	54400	195000	178000	1091600
渋谷店			54400		44500	98900
上野店	241200	196000	40800	127500	53400	658900
池袋店	80400	58800	34000	15000	35600	223800
総計	495800	744800	183600	337500	311500	2073200

Chapter 6

説得力のあるグラフと図表を作るコツ

Excel にはデータを視覚的にわかりやすいグラフに変換する機能が搭載されています。データを用いて資料を作成する際、グラフを挿入すると全体の傾向がひと目で理解でき、細かいデータをそのまま見せるよりも伝わりやすく洗練された説明が可能になります。

本章では、グラフの挿入方法やカスタマイズについて紹介します。目的に応じてグラフの種類やデザインを調整してみてください。

Technique 099　365 2021 2019 2016

グラフを作る意義

直感的にデータの特徴を伝える

PC上でデータを扱う場合はデータベースと呼ばれるシンプルな表形式が適しています。いっぽう、人が見る資料の場合は注目してほしい箇所に色を付けたり、表内の数字を折れ線で表すなど、視覚的にわかりやすい形に加工すると効果的です。はじめにグラフで大まかな傾向を見せ、特に重要なところは詳細な数値データを用いて説明するなど、目的に応じて柔軟に取り入れてみてください。

●店舗ごとの売上表。PC向け（上）と人向け（下）

	A	B	C	D	E	F	G	H	I
1									
2			1月	2月	3月	4月	5月	6月	
3		渋谷	957	4,895	9,631	2,337	2,743	990	
4		新宿	3,557	4,067	5,386	6,765	1,366	5,040	
5		オンライン	2,192	1,970	2,175	1,502	5,939	7,984	
6									

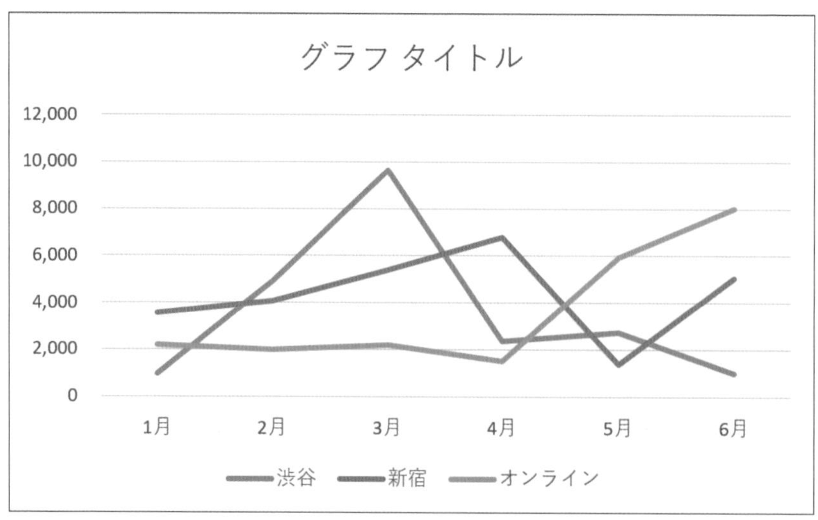

さまざまなグラフを使い分ける

Excelでは、データをもとにさまざまな形式のグラフを作成できます。今回はビジネスの現場で使われる機会の多いものをピックアップして紹介します。グラフ化したいデータ範囲を選択した状態で［挿入］タブ❶→［グラフ］から種類を指定できます❷。

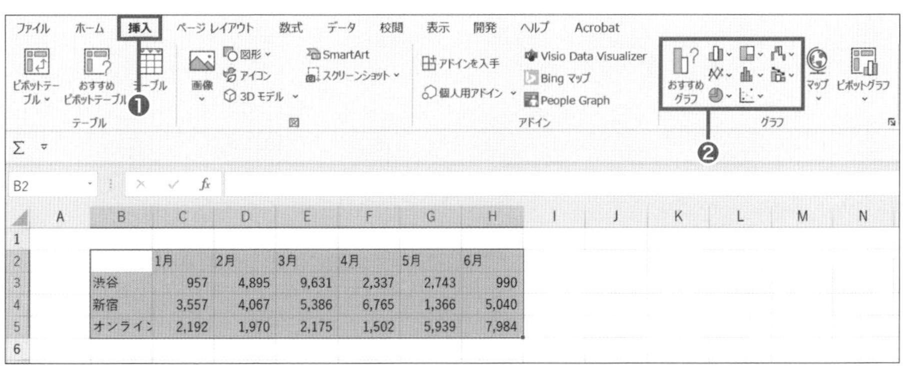

	1月	2月	3月	4月	5月	6月
渋谷	957	4,895	9,631	2,337	2,743	990
新宿	3,557	4,067	5,386	6,765	1,366	5,040
オンライン	2,192	1,970	2,175	1,502	5,939	7,984

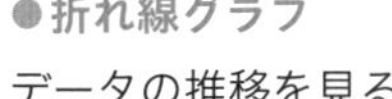

●折れ線グラフ

データの推移を見る

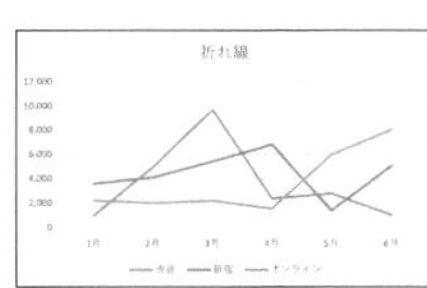

●縦棒グラフ

店舗別など、独立したデータを比較する

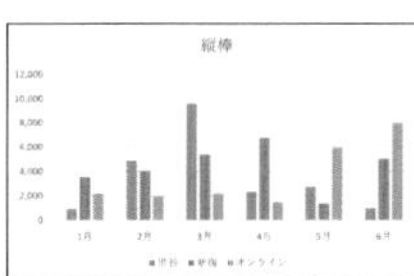

●積み上げ縦棒

全体の推移と内訳を見る

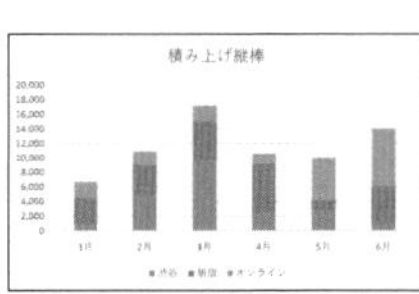

●円グラフ

項目ごとの割合を見る

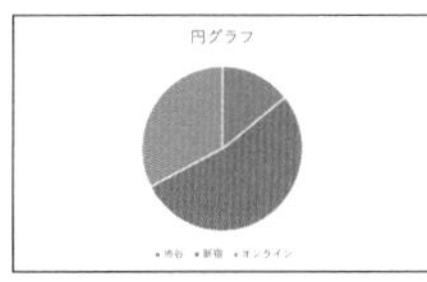

●複合グラフ

異なる指標のデータの相関関係を見る

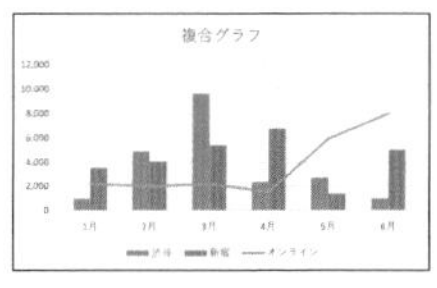

●散布図

項目間の相関関係を見る

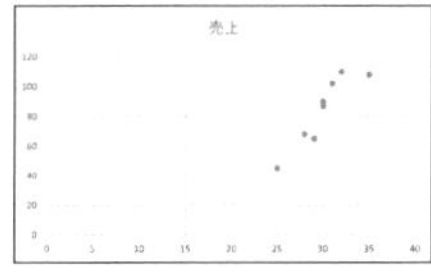

Technique 100　365　2021　2019　2016

表からグラフを作成する

グラフを作成する

グラフにしたい表の範囲を選択した状態で❶、［挿入］タブ❷→［グラフ］から任意のグラフを選択すると❸、グラフが作成されます❹。

●グラフを挿入する　06-01.xlsx

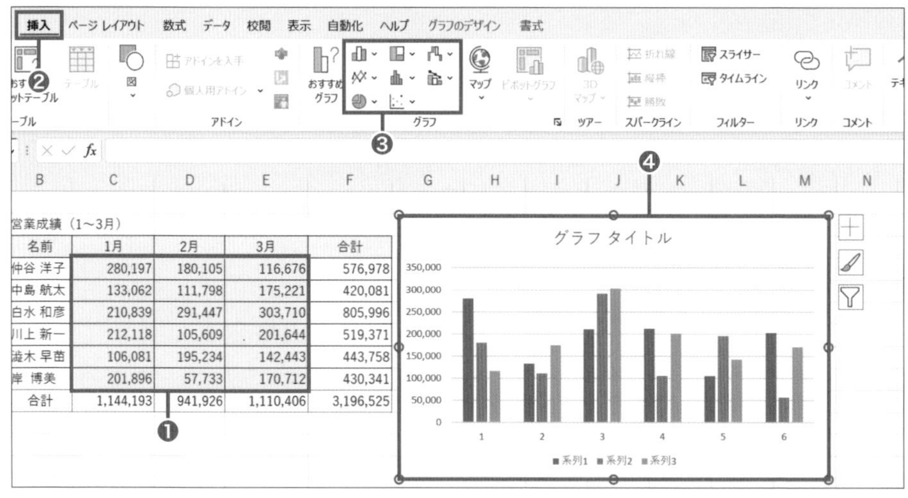

営業成績（1～3月）

名前	1月	2月	3月	合計
仲谷 洋子	280,197	180,105	116,676	576,978
中島 航太	133,062	111,798	175,221	420,081
白水 和彦	210,839	291,447	303,710	805,996
川上 新一	212,118	105,609	201,644	519,371
滝木 早苗	106,081	195,234	142,443	443,758
岸 博美	201,896	57,733	170,712	430,341
合計	1,144,193	941,926	1,110,406	3,196,525

上のような縦棒グラフは、［縦棒/横棒グラフの挿入］❶→［2-D縦棒］の［集合縦棒］❷を選択します。

●棒グラフの挿入

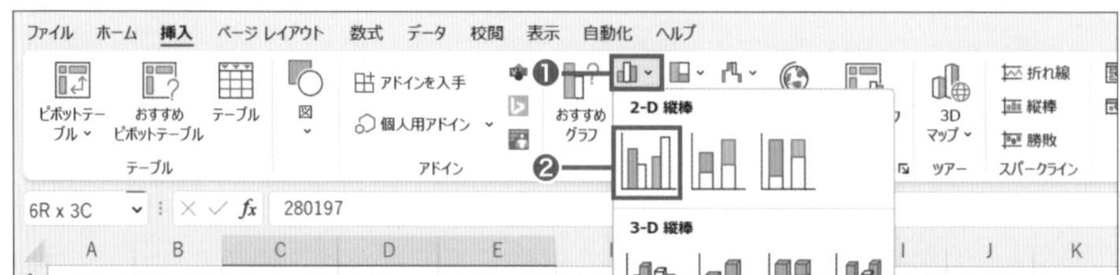

Technique 101　365　2021　2019　2016

グラフの種類やデザインを変更する

グラフの種類を変更する

グラフを選択した状態で、[グラフのデザイン] タブ❶→ [種類] の [グラフの種類の変更] ❷を選択し、[グラフの種類の変更] ダイアログボックスで任意のグラフを選択します❸。

● グラフの種類を変える

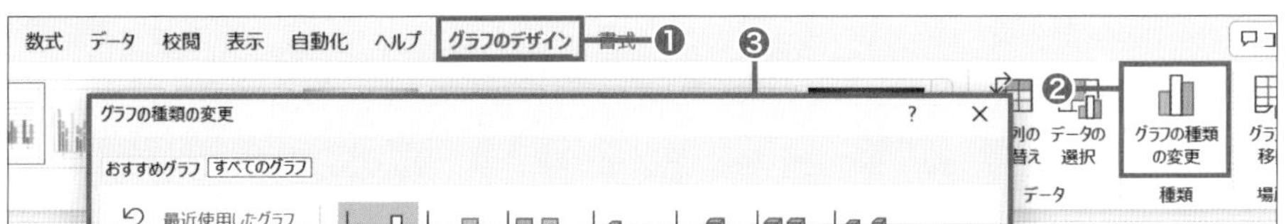

グラフのデザインを変更する

[グラフのデザイン] タブでは、グラフのレイアウトや色などを変更できます。

● レイアウトの変更

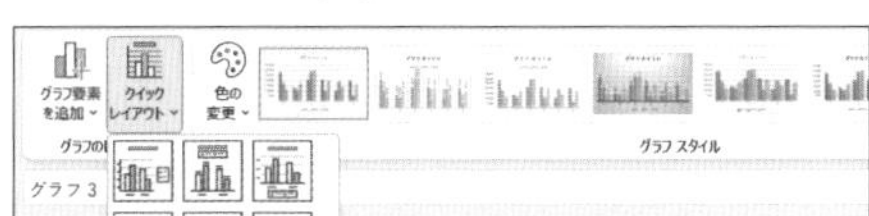

[グラフのレイアウト] の [クイックレイアウト] からレイアウトを変更できる

● 色の変更

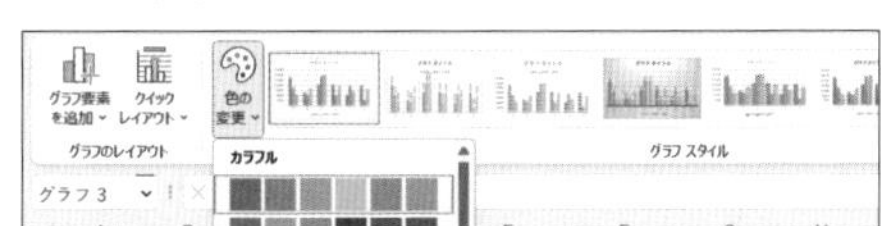

[グラフスタイル] の [色の変更] からレイアウトを変更できる

● グラフのデザインを一括で変更

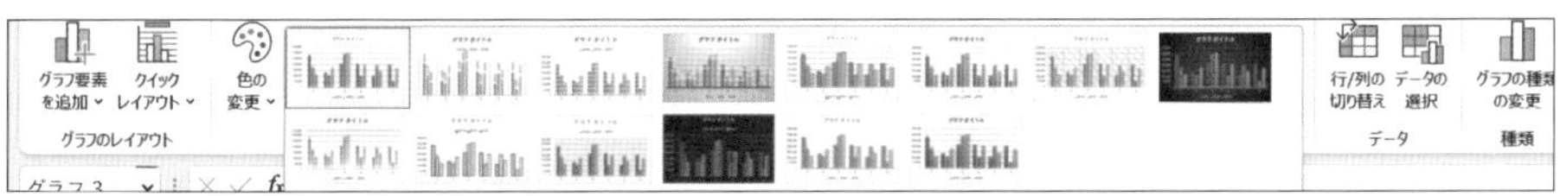

[グラフスタイル] から背景やグラフ要素のスタイルなどを一括で変更できる

Technique 102　365　2021　2019　2016

軸の目盛りの間隔を変更する

縦軸の単位を変更する

グラフの縦（値）軸を選択した状態で❶、［書式］タブ❷→［現在の選択範囲］の［選択対象の書式設定］❸を選択します。［軸の書式設定］ウィンドウで、［軸のオプション］→［単位］の［主］の数値を変更します❹。

●縦軸の単位を変更する

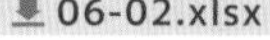
06-02.xlsx

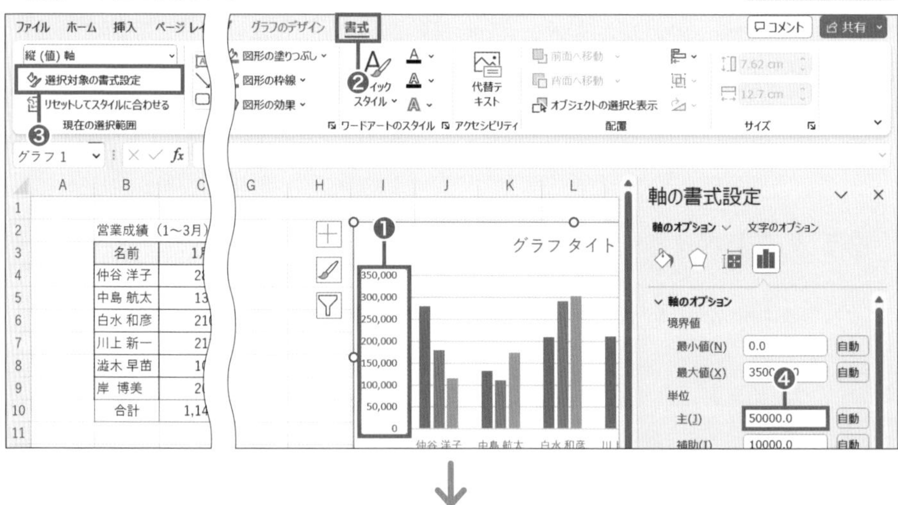

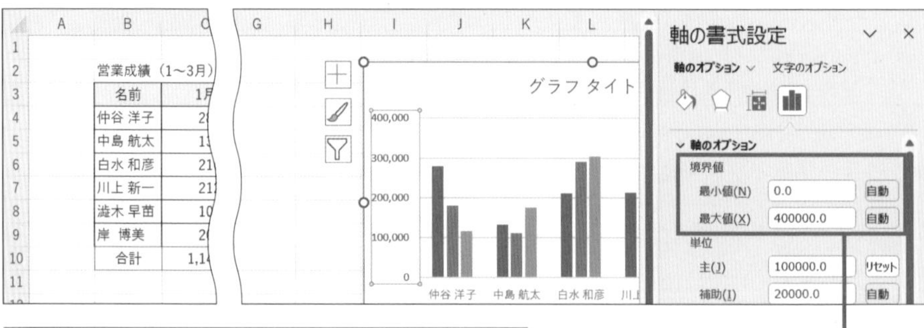

最小値、最大値を設定して間隔を調整することもできる

Technique 103　365 2021 2019 2016

軸の目盛りの表示単位を変更する

千単位、万単位に表示単位を変える

縦軸で大きな数値を扱う場合は、一の位まで表示させずに**千単位や万単位**などにするとグラフの見た目がすっきりします。

グラフの縦（値）軸を選択した状態で、[書式] タブ→ [現在の選択範囲] の [選択対象の書式設定] を選択します。[軸の書式設定] ウィンドウで、[軸のオプション] → [表示単位] の [⌄] から任意の単位を選択します。

●縦軸の表示単位を変更する　06-02.xlsx

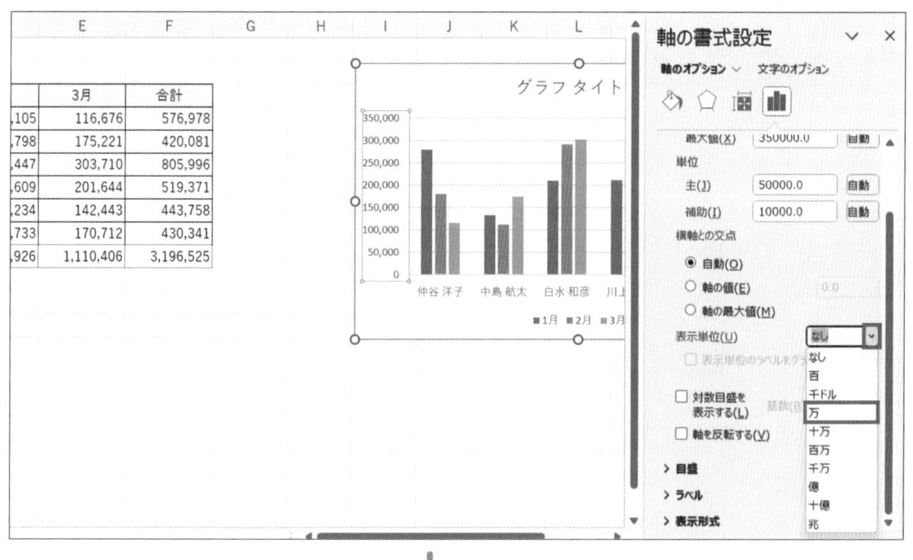

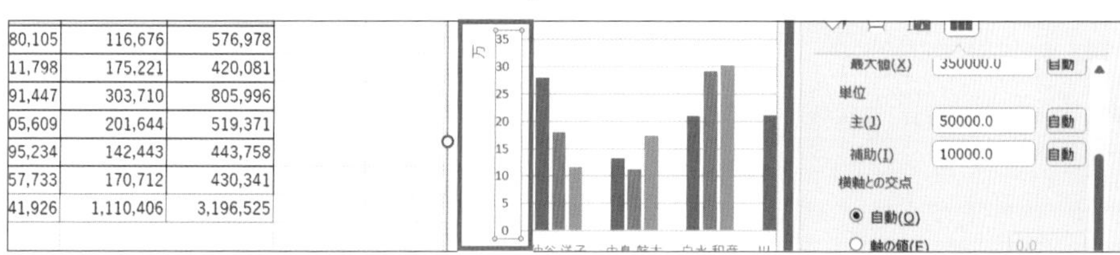

グラフタイトルを設定する

グラフタイトルを変更する

グラフタイトルを選択した状態で、再度グラフタイトルをクリックするとカーソルが表示され、グラフタイトルを自由に変更できます。

●グラフタイトルを入力する　06-02.xlsx

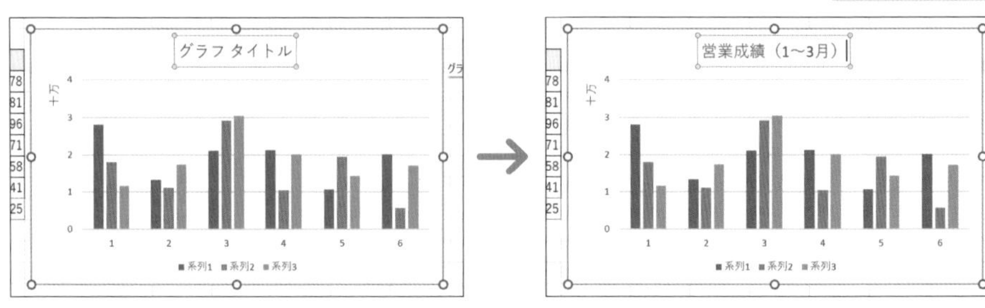

表にタイトルがあり、それをグラフタイトルにしたい場合は、グラフタイトルを選択した状態で❶、数式バーに「=」を入力し❷、表タイトルのセルをクリック❸すると、「=」に続いて数式が入力されます。

●グラフタイトルを参照する

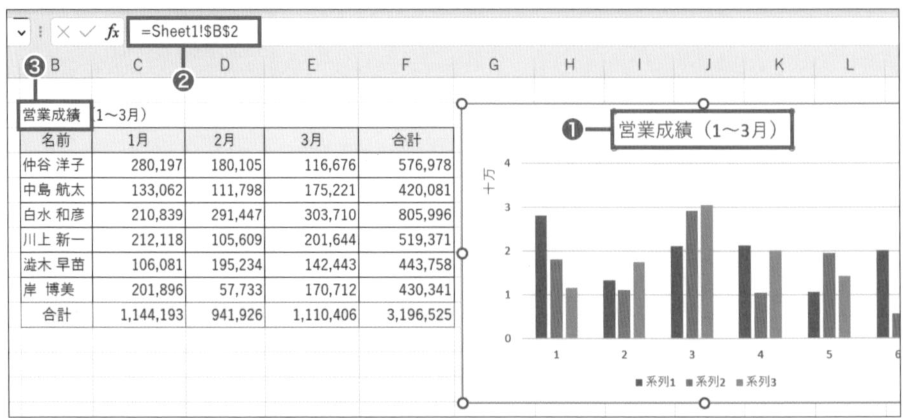

営業成績（1～3月）

名前	1月	2月	3月	合計
仲谷 洋子	280,197	180,105	116,676	576,978
中島 航太	133,062	111,798	175,221	420,081
白水 和彦	210,839	291,447	303,710	805,996
川上 新一	212,118	105,609	201,644	519,371
澁木 早苗	106,081	195,234	142,443	443,758
岸 博美	201,896	57,733	170,712	430,341
合計	1,144,193	941,926	1,110,406	3,196,525

Technique 105　365　2021　2019　2016

縦（値）軸ラベルの文字列を縦書きにする

文字列の方向を縦書きにする

縦（値）軸ラベルは、文字列の方向がデフォルトで［左へ90度回転］になっています。縦書きにしたい場合は、P.72で紹介した方法で文字列の方向を［縦書き］にできます。

縦（値）軸ラベルを選択した状態で❶、［ホーム］タブ❷→［配置］の［方向］❸→［縦書き］❹を選択します。

●軸ラベルを縦書きにする　06-03.xlsx

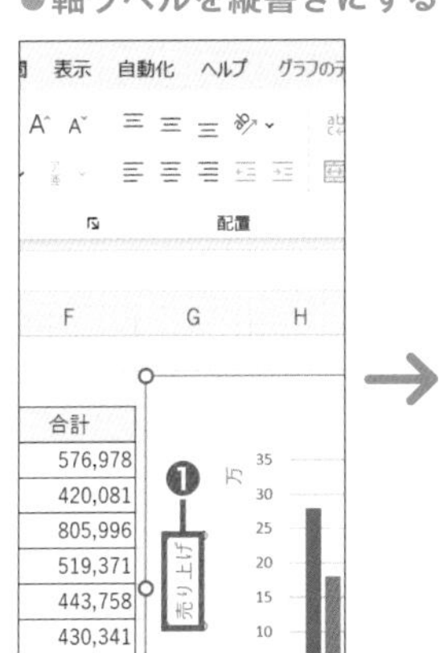

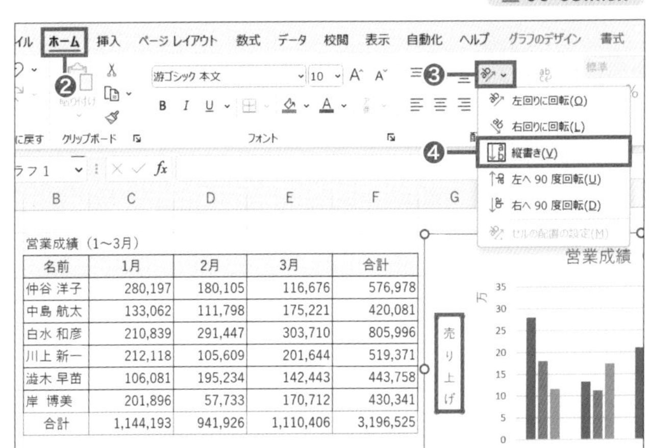

営業成績（1～3月）

名前	1月	2月	3月	合計
仲谷 洋子	280,197	180,105	116,676	576,978
中島 航太	133,062	111,798	175,221	420,081
白水 和彦	210,839	291,447	303,710	805,996
川上 新一	212,118	105,609	201,644	519,371
滋木 早苗	106,081	195,234	142,443	443,758
岸 博美	201,896	57,733	170,712	430,341
合計	1,144,193	941,926	1,110,406	3,196,525

Memo

［書式］タブ→［現在の選択範囲］の［選択対象の書式設定］で、［軸ラベルの書式設定］ウィンドウの［文字のオプション］→［テキストボックス］→［テキストボックス］→［文字列の方向］からでも縦書きに設定できます。

軸ラベルの書式設定
タイトルのオプション　文字のオプション
テキスト ボックス
垂直方向の配置(V)　中心
文字列の方向(X)　縦書き

グラフ内に目標値を追加する

グラフに目標値の基準線を表示する

数値が目標を達成しているかをひと目で把握できる、**基準線（目標線）**をグラフに作成してみましょう。

表に目標値の欄を作り、表を選択した状態で❶、［挿入］タブ❷→［グラフ］の［おすすめグラフ］❸を選択し、［グラフの挿入］ダイアログボックスで、［すべてのグラフ］タブ❹→［組み合わせ］❺を選択して、目標値の［グラフの種類］を［折れ線］❻、2月と3月は［集合縦棒］のままで［OK］❼をクリックすると、グラフに基準線が追加されます。

●もとになるグラフを作成する　06-04.xlsx

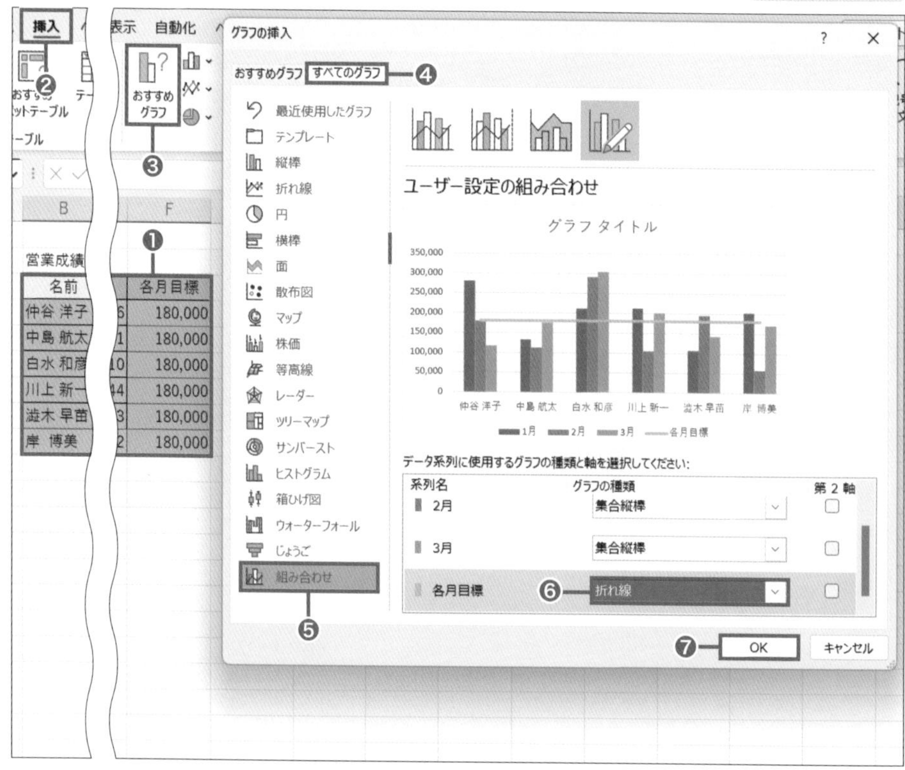

追加された基準線は、両端がグラフの中央で止まっているため、中途半端に見えてしまいます。基準線をグラフの端まで伸ばすには、目標値の折れ線を選択した状態で、右クリック→［近似曲線の追加］❽を選択し、［近似曲線の書式設定］ウィンドウで、［予測］の［前方補外］と［後方補外］をどちらも［0.5］区間❾にします。

●基準線をグラフの端まで伸ばす

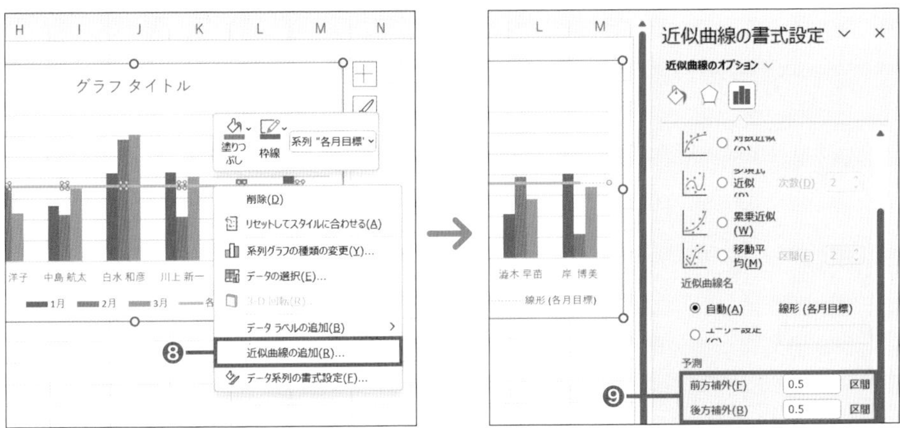

続けて、基準線の太さや形を変えてみましょう。［近似曲線の書式設定］ウィンドウで、［塗りつぶしと線］❿を選択し、［幅］を［2.25］pt⓫、［実線/点線］を［実線］⓬に設定します。最後にグラフの［凡例］→近似曲線の凡例⓭を選択し、Delete で削除して完成です。

●グラフの見た目を整える

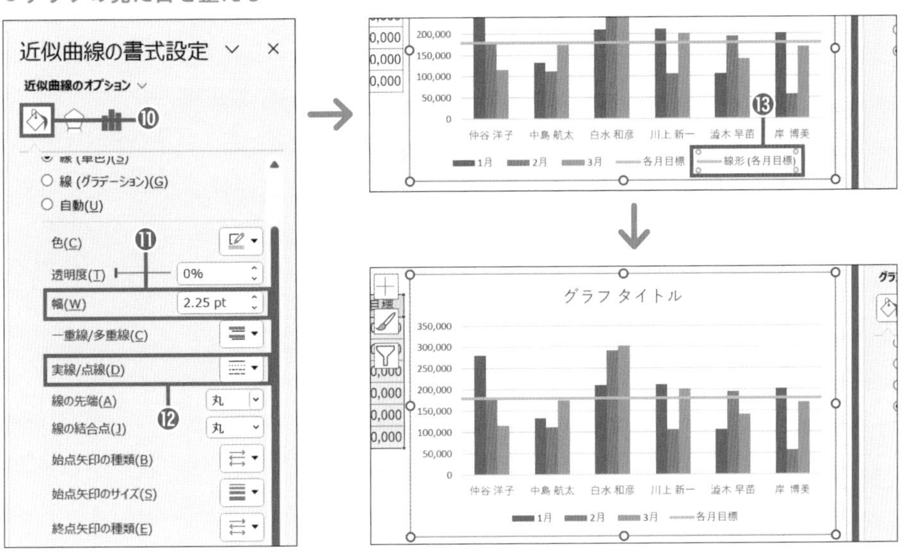

Technique 107 365 2021 2019 2016

セル内にグラフを作成する

スパークラインを設定する

数値の推移を簡単に見たいときに便利な機能が**スパークライン**です。セルの中に簡易的なグラフを作ることができます。

スパークラインでグラフを表示させたいセルを選択した状態で❶、［挿入］タブ❷→［スパークライン］の［折れ線］❸を選択します。［スパークラインの作成］ダイアログボックスで、［データ範囲］を入力し❹、［OK］❺をクリックします。

●スパークラインを作成する　06-05.xlsx

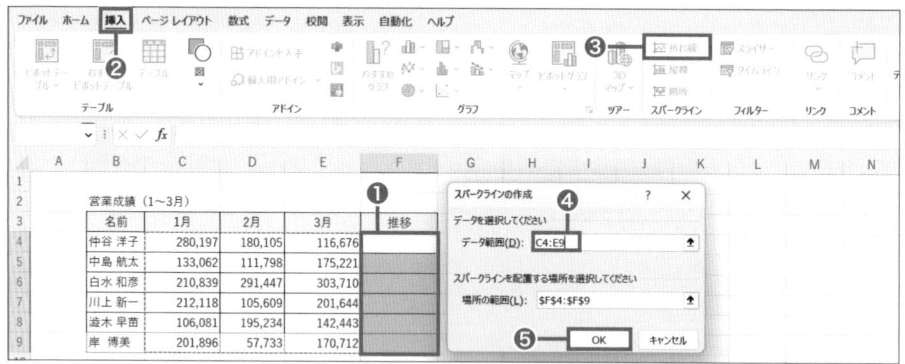

●セルにグラフが作成された

名前	1月	2月	3月	推移
仲谷 洋子	280,197	180,105	116,676	
中島 航太	133,062	111,798	175,221	
白水 和彦	210,839	291,447	303,710	
川上 新一	212,118	105,609	201,644	
澁木 早苗	106,081	195,234	142,443	
岸 博美	201,896	57,733	170,712	

Memo

［縦棒］はデータの比較、［勝敗］は損益など正負の数値を比較する際に便利なスパークラインです。

また、スパークラインの最大値・最小値はセルごとに設定されています。スパークラインのグラフ同士を比較したいときは、［スパークライン］タブ→［グループ］の［軸］で［縦軸の最大値のオプション］と［縦軸の最小値のオプション］を［すべてのスパークラインで同じ値］にするのがおすすめです。

Chapter

7

意図した通りに印刷するテクニック

［印刷］画面や［ページレイアウト］タブから、印刷時の倍率や用紙のサイズ、ヘッダーやフッターなどを細かくカスタマイズできます。設定方法を知っていると、印刷を失敗してやり直すことが格段に減ります。「表が途中で途切れないようにしたい」「今日の日付を入れて印刷したい」など、目的に応じて試してみてください。

Technique 108 365 2021 2019 2016

印刷の無駄から解放されよう

印刷の設定を使いこなす

Excelで作成した表やグラフを会議の資料や配布用として印刷することがあると思います。しかし、いざ印刷してみると、用紙内の思っていたところに表が印刷されていなかったり、表がページで見切れて印刷されてしまったりしたことはないでしょうか。

印刷する前には、**印刷プレビュー**や**ページレイアウトビュー**で印刷後の全体イメージを確認するようにすると、印刷の失敗を防ぐことができます。また、印刷前に**ページ設定**で簡単な設定を行うことで、1ページ内に収まるよう印刷したり、白黒印刷や両面印刷をしたりすることも可能です。

●印刷プレビュー

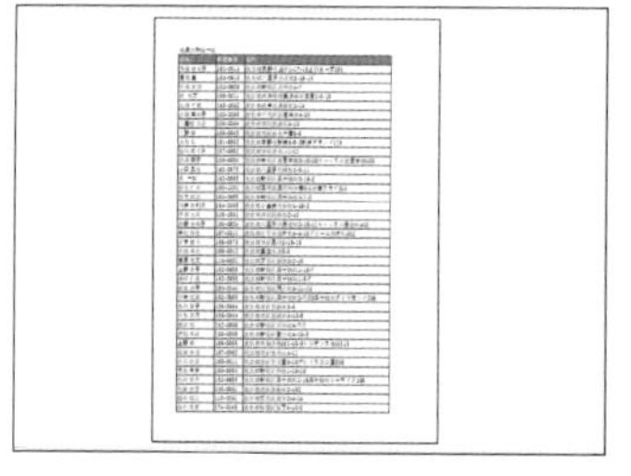

●ページレイアウトビュー

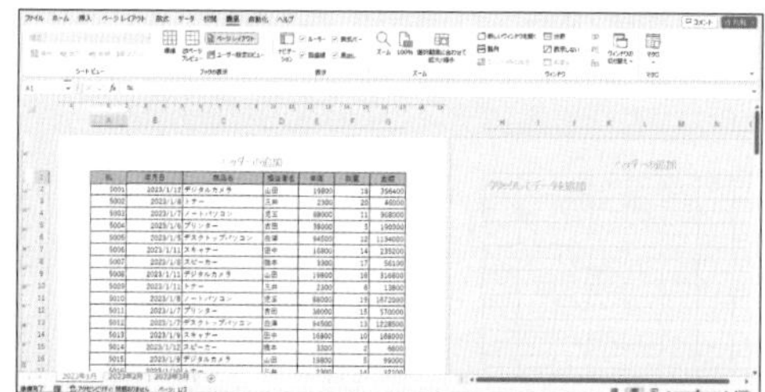

●印刷のページ設定を利用する

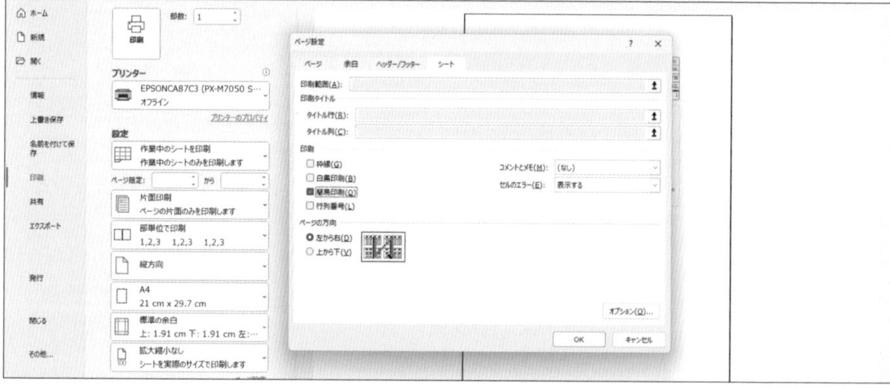

印刷プレビューを表示する

印刷プレビューを表示する

Excelで作成したファイルを印刷する際は、**印刷プレビュー**を表示して、印刷後の仕上がりを事前に確認するようにしましょう。印刷プレビューでは、余白の空き具合や使用する用紙の枚数など、実際に印刷されたときのイメージを見ることができます。必要に応じて調整を加え、印刷すると良いでしょう。

印刷プレビューを表示するには、［ファイル］タブ❶→［印刷］❷をクリックします。なお、Ctrl+Pを押すことでも印刷プレビューを表示できます。

●印刷プレビューを表示する　07-01.xlsx

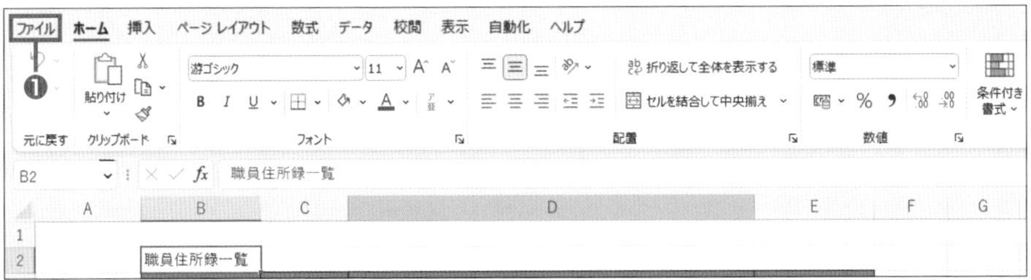

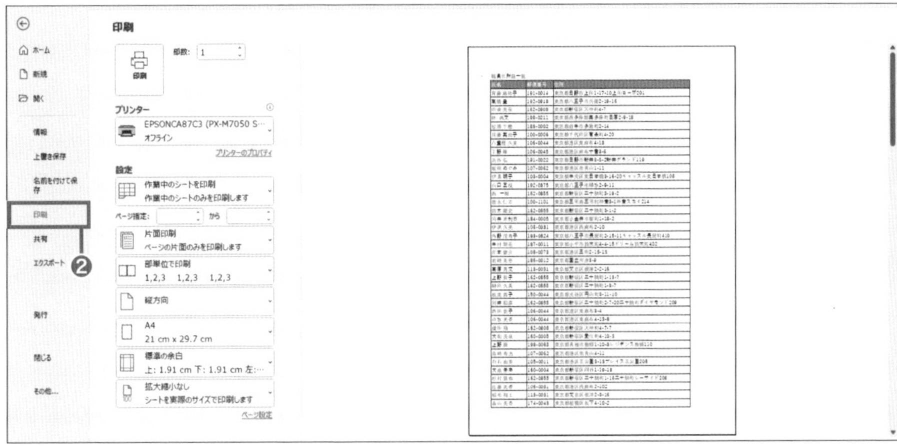

Technique 110　365　2021　2019　2016

文字の欠けがないか確認する

簡易印刷を適用する

Excelには、グラフや図形、画像を除外し、セルや表のデータのみを印刷できる**簡易印刷**という機能があります。印刷前、セルや表のデータ上に文字の欠けがないか確認したいときは、簡易印刷の設定を適用して印刷すると良いでしょう。

［ファイル］タブ→［印刷］をクリックし、［ページ設定］❶をクリックします。［ページ設定］ダイアログボックスが表示されたら、［シート］タブ❷→［簡易印刷］❸をクリックしてチェックを付け、［OK］❹をクリックします。

●ページ設定を表示する　07-02.xlsx

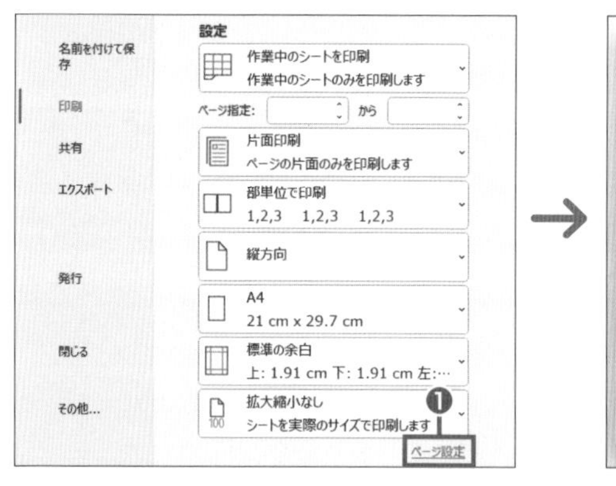

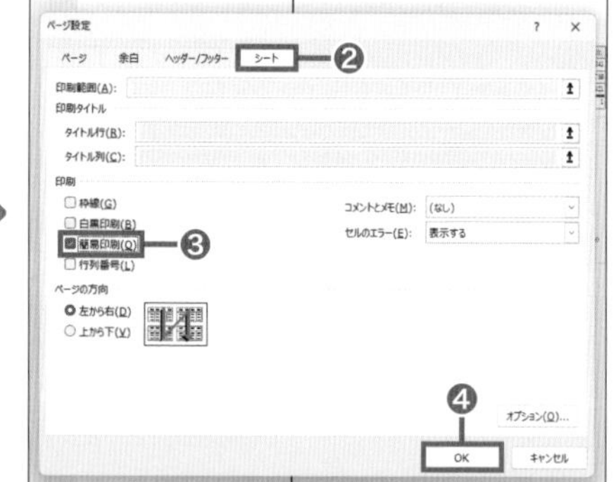

●簡易印刷が適用される

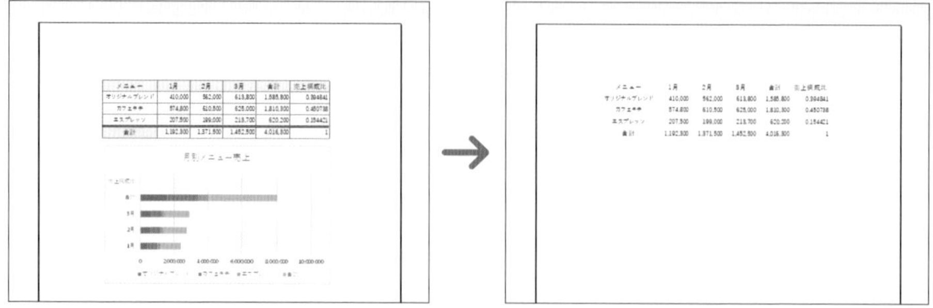

Technique 111　365 2021 2019 2016

表をページの中央に配置する

水平と垂直を有効にする

作成した表をページの中央に配置して印刷するには、[ページレイアウト] タブ❶→[ページ設定] の [余白] ❷→ [ユーザー設定の余白] ❸をクリックします。[ページ設定] ダイアログボックスの [余白] タブ❹が表示されるので、[ページ中央] の [水平] と [垂直] ❺をそれぞれクリックしてチェックを付け、[OK] ❻をクリックします。

●表をページの中央に配置する

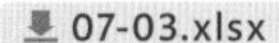
07-03.xlsx

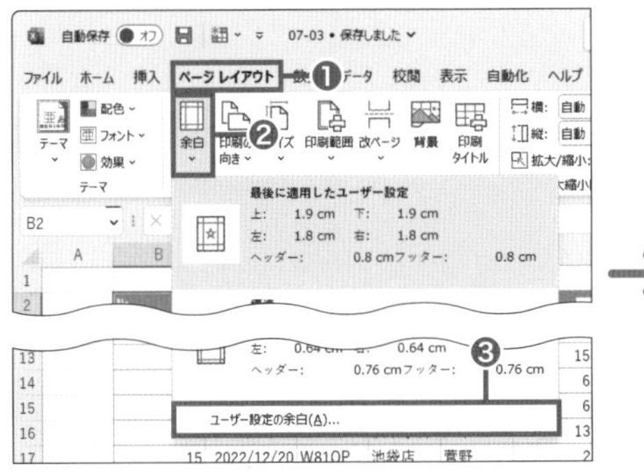

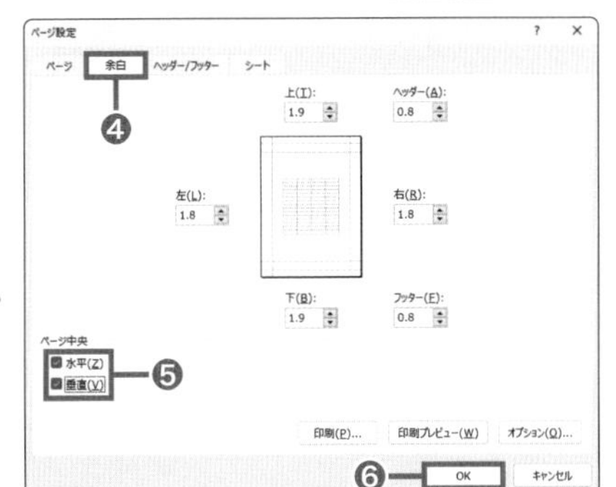

●表がページの中央に配置される

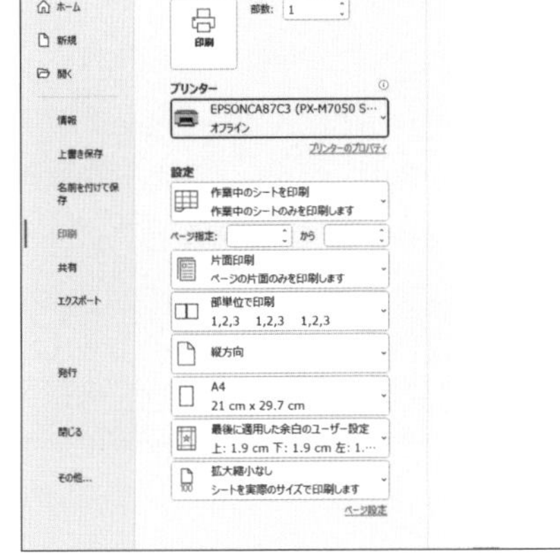

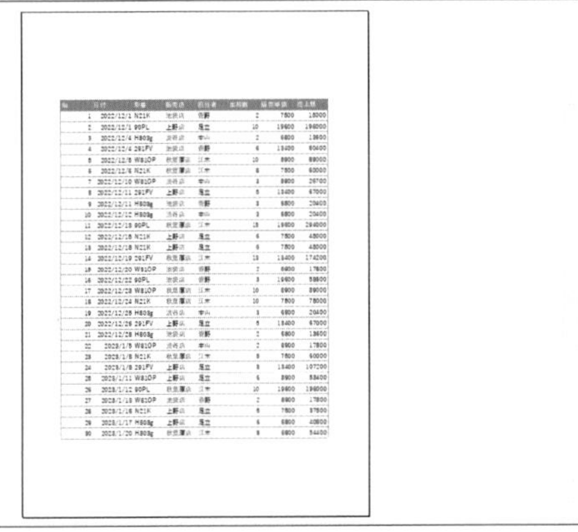

改ページプレビューを表示する

改ページプレビューを表示する

Excelには、ファイルを印刷した際に、どの位置で改ページされるか確認できる**改ページプレビュー**機能があります。

改ページプレビューを表示するには、[表示] タブ❶→ [ブックの表示] の [改ページプレビュー] ❷をクリックします。

●改ページプレビューを表示する

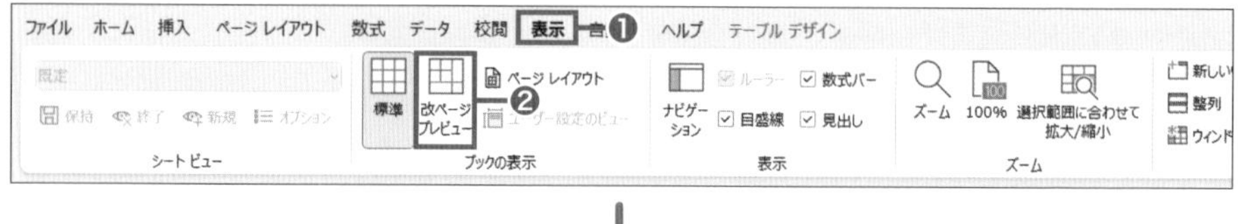

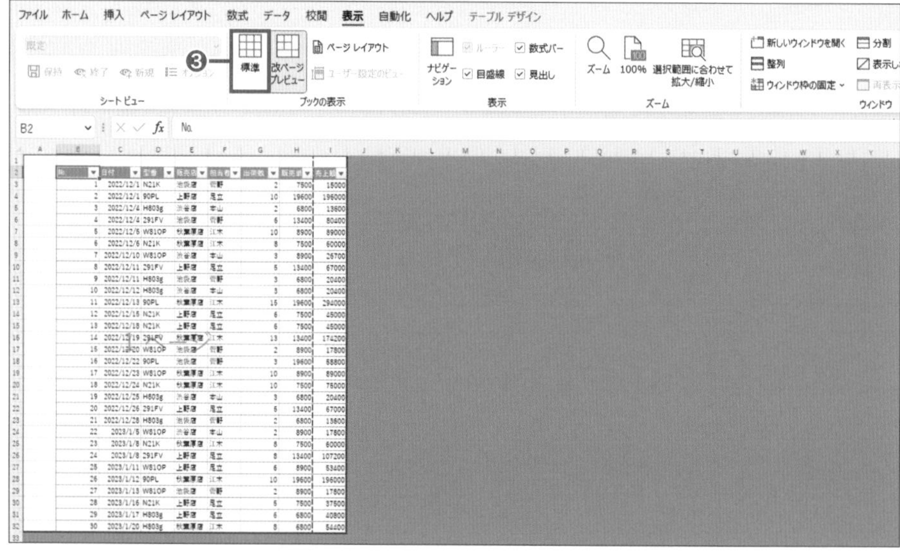

なお、[標準] ❸をクリックすると、元の表示に戻ります。

Technique 113　365　2021　2019　2016

改ページ位置を変更する

改ページ位置を変更する

改ページプレビューでは、印刷時の改ページの位置を確認できるほか、改ページの位置を変更することもできます。

改ページ位置を変更するには、ページ範囲を示す青枠の線にマウスポインターを合わせて、[↔] に変わったらドラッグして位置を変更します。

●改ページ位置を変更する　07-04.xlsx

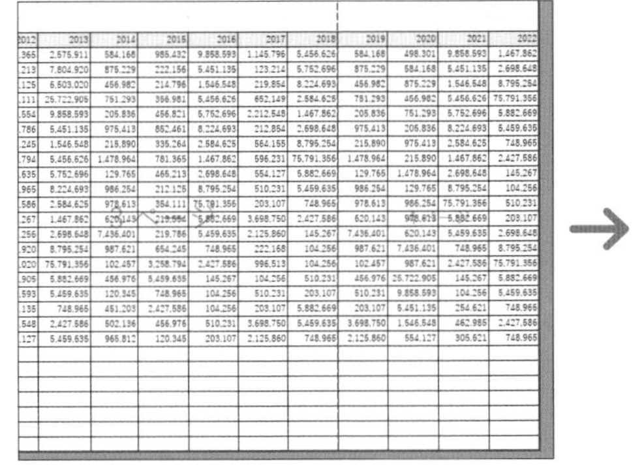

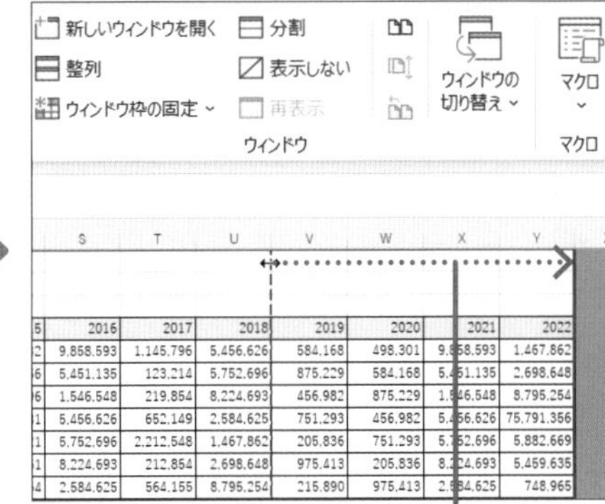

青枠の線にマウスポインター（↔）を合わせてドラッグする

●改ページ位置が変更される

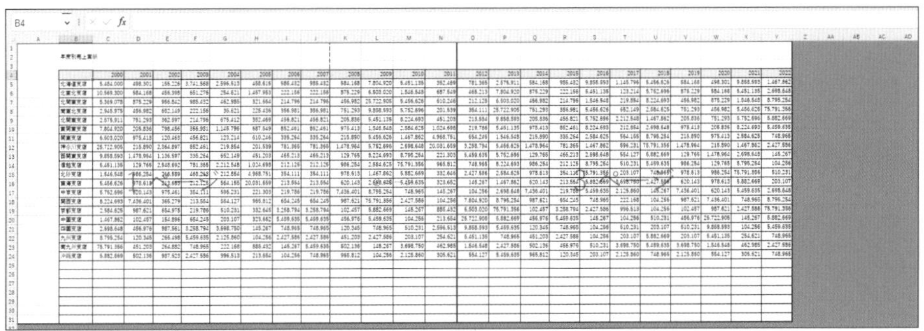

Technique 114　365　2021　2019　2016

すべての行列を1枚の紙に印刷する

シートを1ページに印刷する

Excelで作成した表を印刷しようとした際、1行分だけ、あるいは1列分だけ次のページに溢れてしまったという経験はないでしょうか。[印刷] 画面の設定では、すべての行や列を1枚の紙に収めて印刷するように設定を変更できます。

[ファイル] タブ→ [印刷] をクリックし、[設定] の [拡大縮小なし] ❶をクリックしたら、[シートを1ページに印刷] ❷をクリックします。

●シートを1ページに印刷する　07-05.xlsx

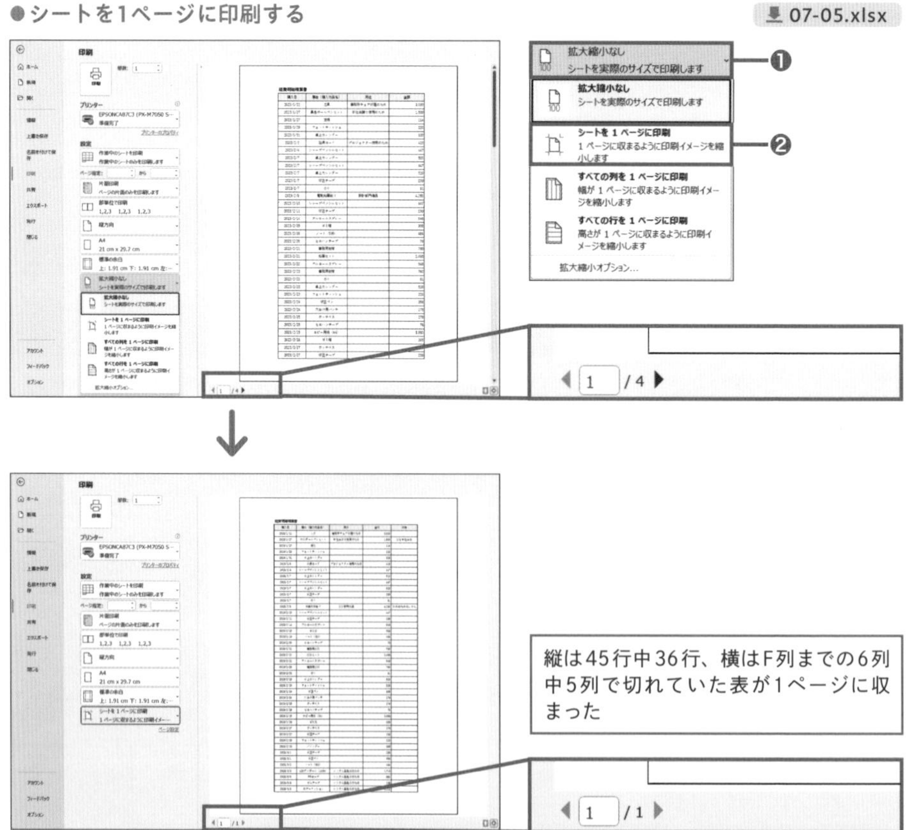

出力する用紙のサイズを変更する

サイズを変更する

印刷で出力する用紙サイズを変更したいときは、**ページ設定**から行います。

［ページレイアウト］タブ❶→［ページ設定］の［サイズ］❷をクリックし、出力したい用紙サイズ❸を選んでクリックします。

●用紙サイズを変更する

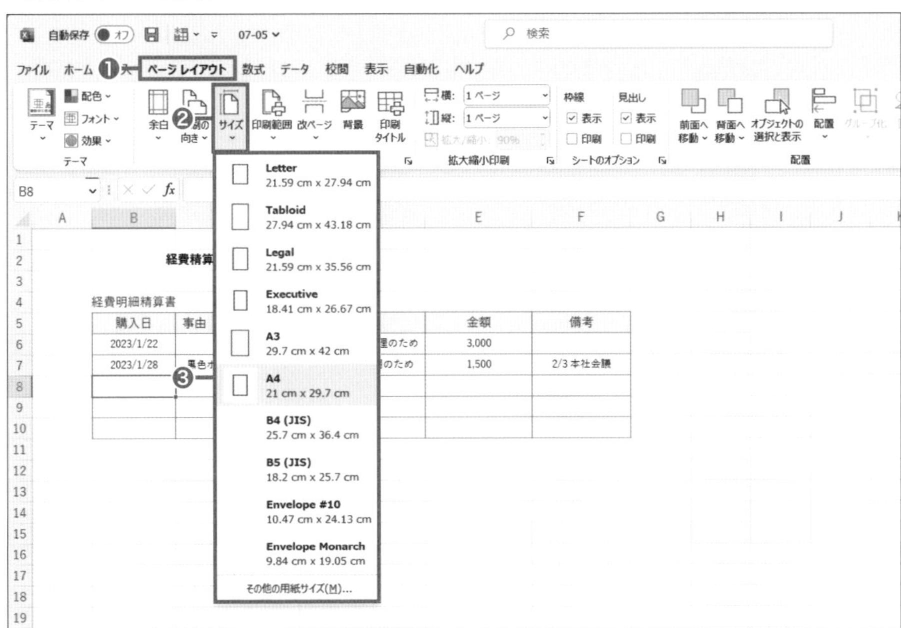

Memo

A4サイズで作成した表を、B5サイズの用紙で出力したい場合は、［拡大縮小印刷］グループにある［横］と［縦］をそれぞれ［1ページ］にすると、1ページに縮小して印刷できます。

Technique 116　365　2021　2019　2016

各ページに行見出しを付けて印刷する

タイトル行を設定する

各ページに行見出しを付けておくと、作成した表などが数枚に渡ってしまった場合に参照しやすくなります。

2ページ以降にも行見出しを付けて印刷するには、[ページレイアウト] タブ❶→ [ページ設定] の [印刷タイトル] ❷をクリックします。[ページ設定] ダイアログボックスの [シート] タブ❸が表示されるので、[タイトル行] ❹に表内の見出し行❺を指定して、[OK] ❻をクリックします。

●行見出しを設定する　07-06.xlsx

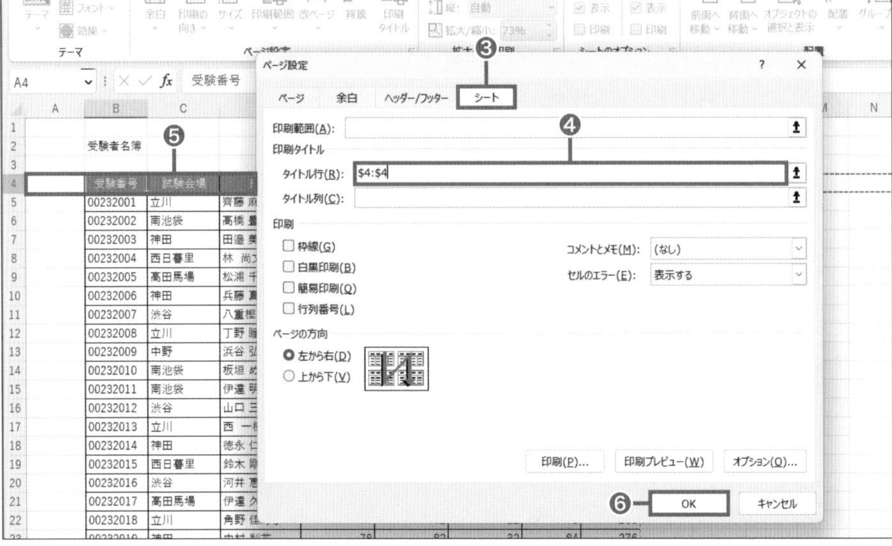

Technique 117 365 2021 2019 2016

各ページにページ番号を追加する

ページ番号を追加する

Excelシートを印刷するタイミングで、各ページにページ番号を設定できます。今回の例では、フッターの中央にページ番号を追加します。Ctrl+Pで［印刷］画面を表示し、［ページ設定］❶の［ヘッダー/フッター］タブ❷を選択して［フッターの編集］❸をクリックしましょう。

●ページ番号を追加する

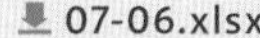

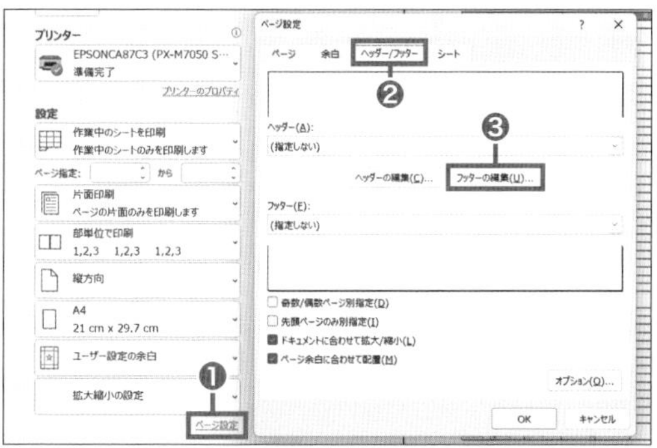

［フッター］ダイアログボックスが表示されたら、［中央部］❹を選択して［ページ番号の挿入］❺をクリックします。［OK］→［OK］をクリックして確定すると、印刷プレビューにページ番号が追加されます。

●追加位置を指定する

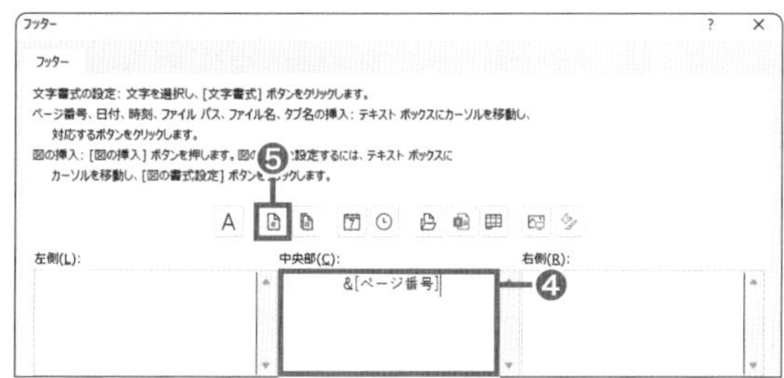

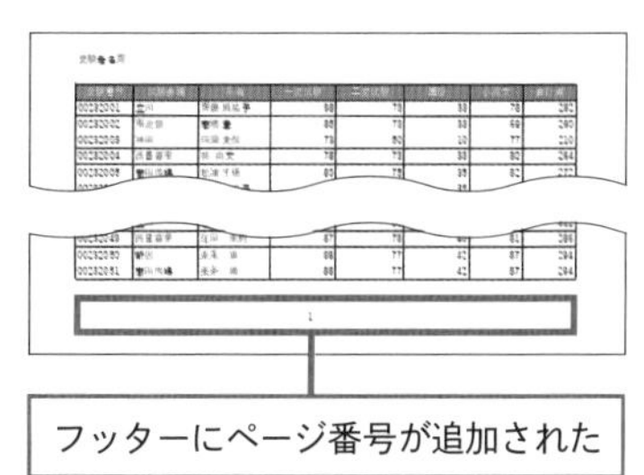

Technique 118 365 2021 2019 2016

各ページに今日の日付を追加する

今日の日付を追加する

「会議用の資料に日付を追加して印刷したい」という場合は、[ページ設定] から今日の日付を追加できます。

ここでは、ヘッダーの右上に今日の日付を追加します。P.179と同様にCtrl+Pで [印刷] 画面を表示して [ページ設定] ❶を開き、[ヘッダー/フッター] タブ❷を選択して [ヘッダーの編集] ❸をクリックしましょう。

●今日の日付を追加する　07-06.xlsx

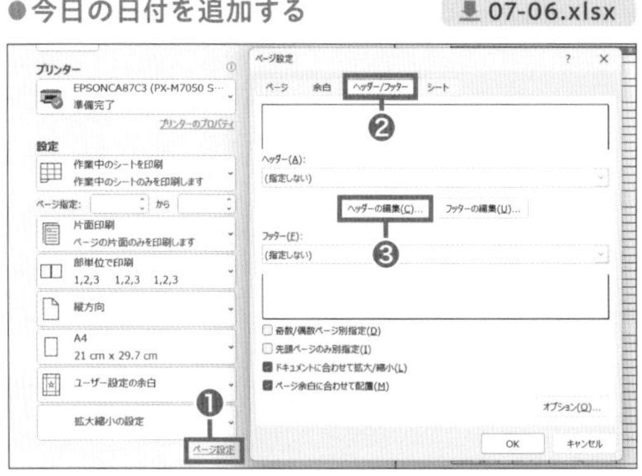

[ヘッダー] ダイアログボックスが表示されたら、[右側] ❹を選択して [日付の挿入] ❺をクリックします。[OK] → [OK] をクリックして確定すると、印刷プレビューに今日の日付が追加されます。

●追加位置を指定する

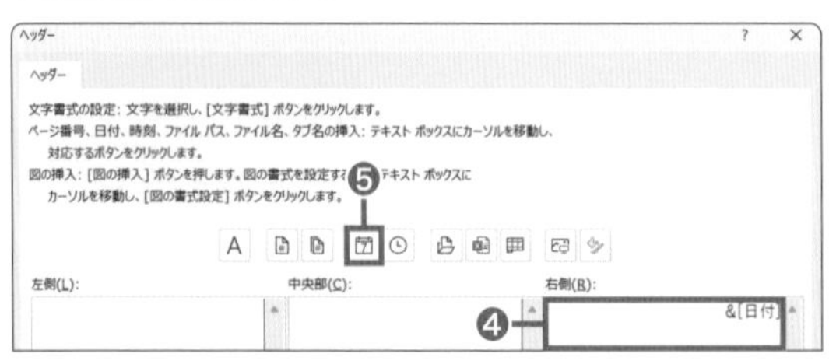

Technique 119　365　2021　2019　2016

各ページにファイル名を追加する

ファイル名を追加する

支店別の売上表など、似た形式のシートを複数印刷する場合は、ファイル名を一緒に印刷すると便利です。

ここでは、印刷対象のファイル名をヘッダーの中央に追加します。P.179と同様に Ctrl + P で［印刷］画面を表示し、［ページ設定］❶の［ヘッダー/フッター］タブ❷を選択して［ヘッダーの編集］❸をクリックしましょう。

●ファイル名を追加する　07-07.xlsx

［ヘッダー］ダイアログボックスが表示されたら、［中央部］❹を選択して［ファイル名の挿入］❺をクリックします。［OK］→［OK］をクリックして確定すると、印刷プレビューにファイル名が追加されます。

●追加位置を指定する

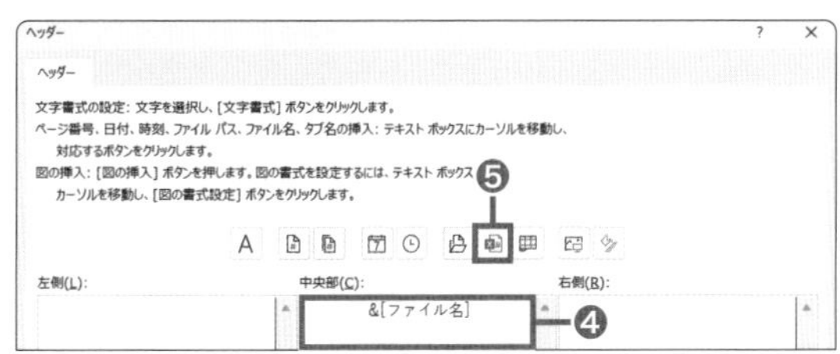

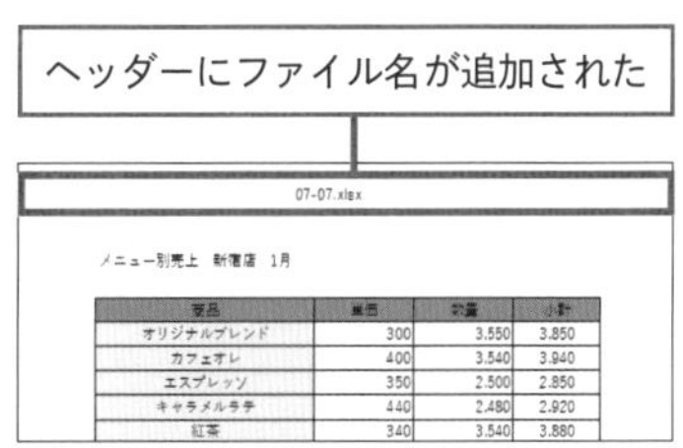

Technique 120　365　2021　2019　2016

各ページにシート名を追加する

シート名を追加する

Excelブック内のシートをまとめて印刷する場合は、シート名を入れるとわかりやすくなります。

ここでは、印刷対象のシート名をヘッダーの中央に追加します。P.179と同様にCtrl+Pで［印刷］画面を表示して［ページ設定］❶を開き、［ヘッダー/フッター］タブ❷を選択して［ヘッダーの編集］❸をクリックしましょう。

●シート名を追加する　07-07.xlsx

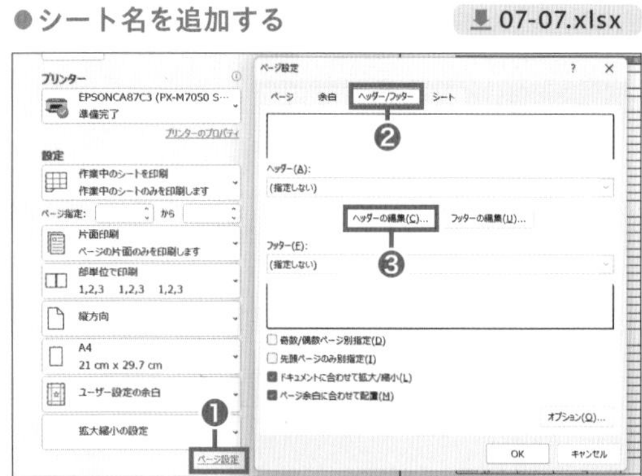

［ヘッダー］ダイアログボックスが表示されたら、［中央部］❹を選択して［シート名の挿入］❺をクリックします。［OK］→［OK］をクリックして確定すると、印刷プレビューにシート名が追加されます。

●追加位置を指定する

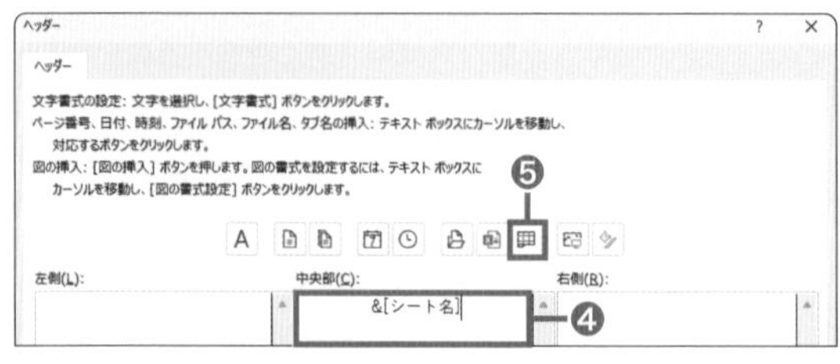

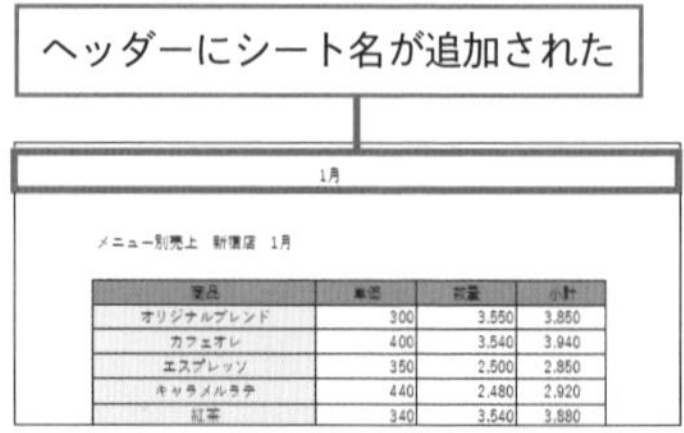

Technique 121 365 2021 2019 2016

必要な箇所だけ印刷する

印刷範囲を設定する

作成したデータの中から、部分的な範囲だけを印刷したい際は**印刷範囲**の設定を利用しましょう。

印刷したい箇所❶を選択し、[ページレイアウト] タブ❷→ [ページ設定] の [印刷範囲] ❸→ [印刷範囲の設定] ❹をクリックします。印刷プレビューで確認すると設定した範囲のみ表示されます。なお、一度設定した印刷範囲は [印刷範囲] → [印刷範囲のクリア] をクリックすることで元に戻すことができます。

●必要な箇所だけ印刷する　07-07.xlsx

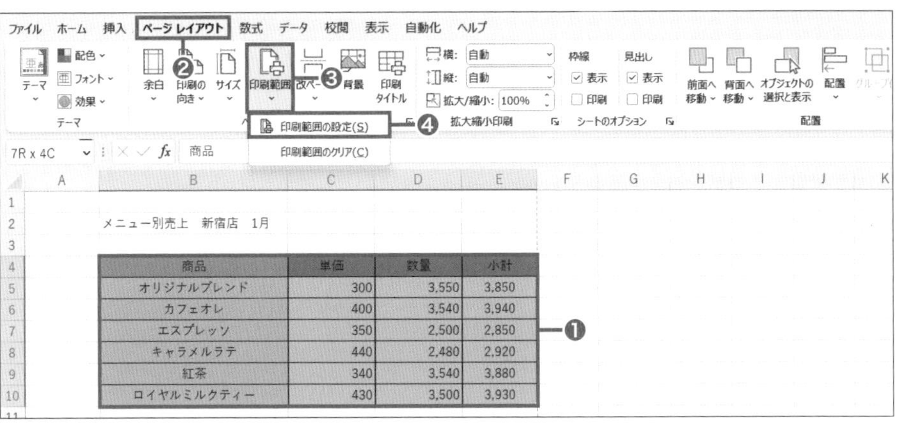

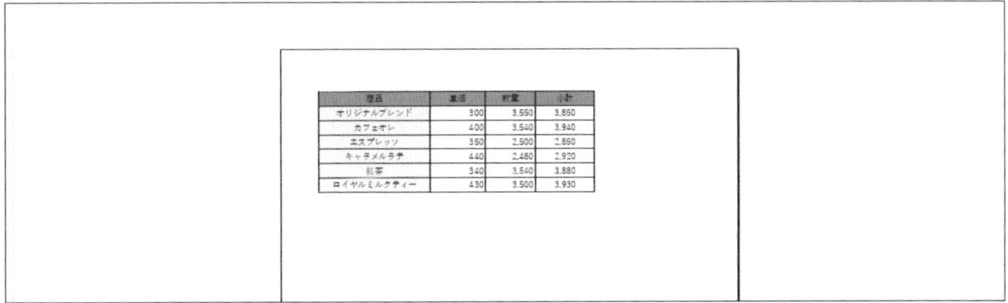

Technique 122 365 2021 2019 2016

白黒印刷する

白黒で印刷する

「自分の確認用に印刷したい」「色が多すぎて見づらくなっている」といった場合は、印刷時の設定で白黒印刷にすることができます。

P.179と同様に Ctrl + P で［印刷］画面を表示して［ページ設定］❶を開き、［シート］タブ❷を選択して［白黒印刷］❸をクリックしたら、［OK］❹で確定します。

●白黒印刷の設定をする　07-07.xlsx

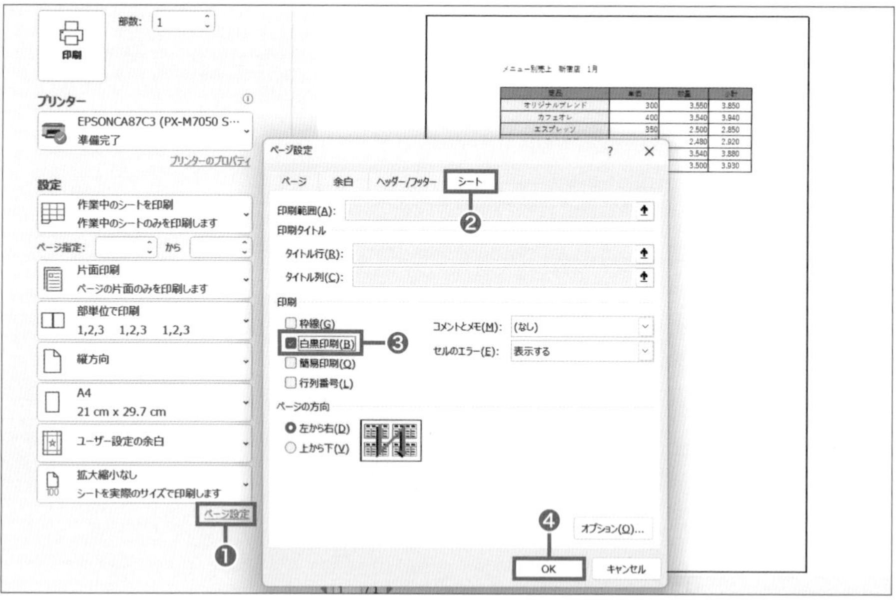

メニュー別売上　新宿店　1月

商品	単価	数量	小計
オリジナルブレンド	300	3,550	3,850
カフェオレ	400	3,540	3,940
エスプレッソ	350	2,500	2,850
キャラメルラテ	440	2,480	2,920
紅茶	340	3,540	3,880

Memo

［プリンターのプロパティ］からも白黒印刷の設定ができます。

Technique 123　365　2021　2019　2016

両面印刷する

両面に印刷する

両面印刷に対応しているプリンターで印刷する場合、両面印刷の設定をして印刷することができます。2ページに渡るデータを1ページの表裏に印刷できるほか、2ページ以上の資料を印刷する際に用紙を節約できます。

[ファイル] タブ→ [印刷] ❶をクリックして、[設定] の [片面印刷] ❷をクリックしたら [両面印刷] ❸をクリックします。なお、長辺で綴じるか短辺で綴じるかを選択できます。

●両面印刷の設定をする　07-08.xlsx

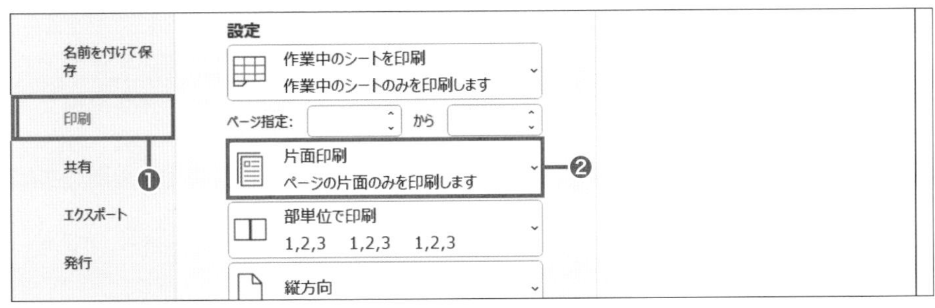

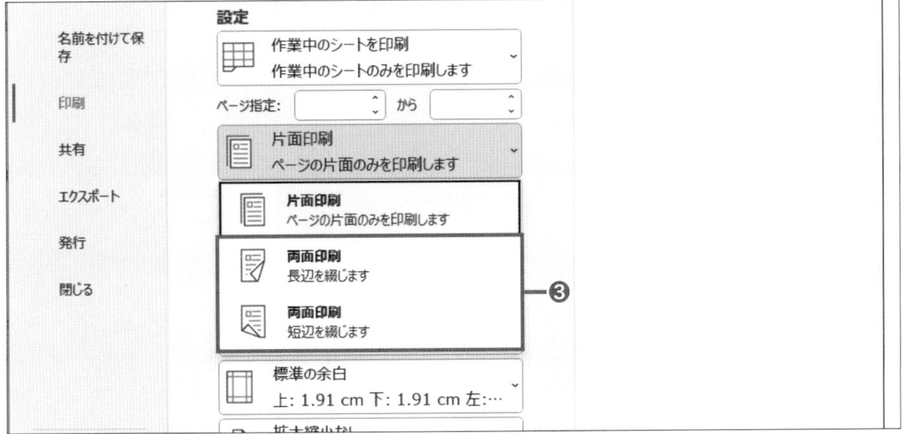

Technique 124　365　2021　2019　2016

複数のシートをまとめて印刷する

シートをグループ化して印刷する

複数のシートを印刷したい際は、Shiftを押しながらシートをクリックしてグループ化しておくことで印刷時にまとめて印刷することができます。シートのグループ化を解除するには、シート上で右クリックし、[シートのグループ解除] をクリックします。

●複数のシートを印刷する　07-08.xlsx

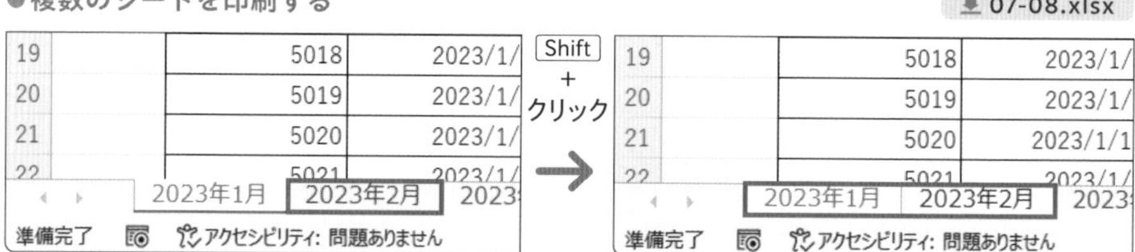

すべてのシートを印刷したい場合は、[ファイル] タブ→ [印刷] をクリックして [印刷] 画面を表示し、[設定] の [作業中のシートを印刷] ❶→ [ブック全体を印刷] ❷をクリックして印刷を実行します。

●すべてのシートを印刷する

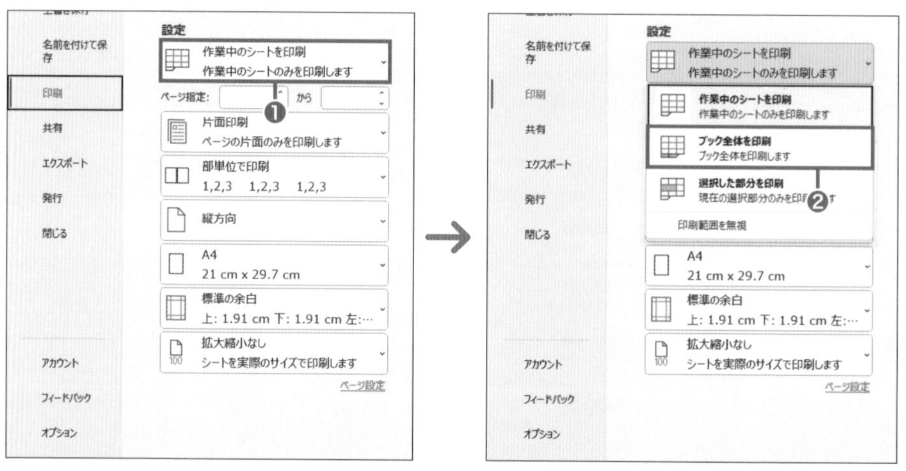

Chapter

8

よくあるエラーと対処法

本章では、よくあるエラーとその解決法を紹介します。Excelを使っていると「#DIV/0!」「#NAME?」などのエラーに遭遇することがしばしばあります。

直感的にわかりにくいメッセージや、長い数式を読み解くのは面倒なものですが、原因がわかると解決のためにどこを調べれば良いか、といった勘所を掴みやすくなります。

Technique 125 　365 2021 2019 2016

Excelのエラーはどんなもの？エラー値と対処法一覧

Excelのエラー

Excelで資料を作成していると、さまざまなエラーが表示されることがあります。P.56で対処法を紹介した「####エラー」もその1つです。

Excelのセルに表示されるエラーは、主に数式に関わっており、数式内の何かが正しく動作していないときに**ポンド（#）エラー**というエラー値が表示されます。ポンドエラーには下記のようなものがあります。

●Excelのポンドエラーとその意味

エラー値	意味
#DIV/0!	数値が0で除算（割り算）されている。または、0や空白のセルを除算（割り算）の数式で参照している
#REF!	指定されたセルを参照できない
#N/A	数式で参照の対象が見つからない
#VALUE!	数式の引数が間違っているか、参照先のセルに問題がある
#NAME?	関数のスペルが間違っている、引数に形式が違うものを指定しているなど
#NULL!	複数のセル範囲が半角スペースでつながれており、なおかつセル範囲同士に共通部分がない
#NUM!	Excelで使用可能な数値やデータの範囲を超えていたり、数値の指定に誤りがあったりする
#スピル!	スピルで入力された範囲（ゴーストセルの範囲）にすでにデータがある（環境によっては「#SPILL!」と表示される）
#CALC!	Excelの計算エンジンが計算エラーを起こしている
#FIELD!	リンクされたデータ型に参照したフィールドが存在しない
#GETTING_DATA	関数の処理に時間がかかっている。データの取得に時間がかかっているだけのため、処理が終わるまで待てば自動的にエラーは解決する

#DIV/0!

#DIV/0!は、英語の「divided by zero」を略したエラーで、日本語の意味は「ゼロ除算」になります。つまり、数値が0で除算（割り算）されているとき、または、0や空白のセルを除算（割り算）の数式で参照しているときに表示されるエラー値です。

●エラー値「#DIV/0!」の例

	A	B	C	D	E
1					
2		数値	1	0	
3					
4		数式		結果	
5		=1/0		#DIV/0!	
6		=C2/D2		#DIV/0!	
7		=C2/E2		#DIV/0!	
8		=QUOTIENT(C2,D2)		#DIV/0!	
9		=QUOTIENT(C2,E2)		#DIV/0!	
10					

Memo

QUOTIENT関数は、除算の商（割り算の答え）の整数部を返す関数です。「=QUOTIENT(分子,分母)」と記述します。

エラーを解決するには、

- 関数または数式の除数（割り算の割る方の数）が0または空白のセルでないことを確認する。
- 数式のセル参照を、ゼロまたは空白値でない別のセルに変更する。

このどちらかの操作を行います。しかし、参照セルが入力待ちの状態である場合など、上記の操作が行えない事例もよくあります。そういったときには、P.205を参考にIF関数（P.120参照）やIFERROR関数を使って入力待ちであることがわかるように対処すると良いでしょう。

●エラー値「#DIV/0!」の対処例

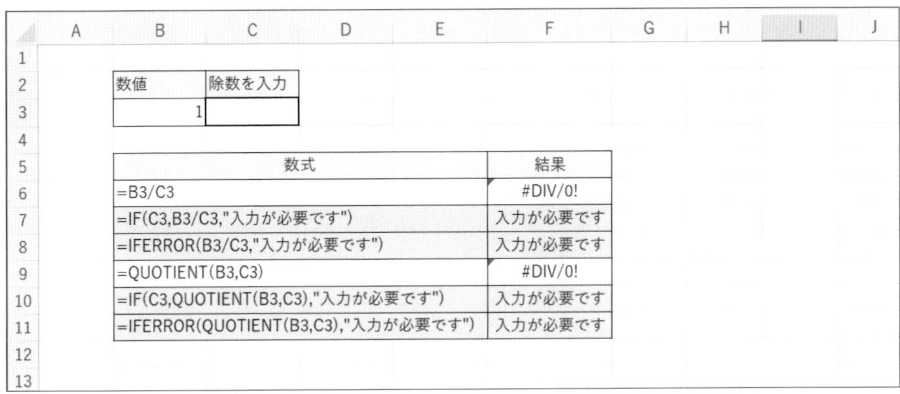

	A	B	C	D	E	F
1						
2		数値	除数を入力			
3		1				
4						
5		数式				結果
6		=B3/C3				#DIV/0!
7		=IF(C3,B3/C3,"入力が必要です")				入力が必要です
8		=IFERROR(B3/C3,"入力が必要です")				入力が必要です
9		=QUOTIENT(B3,C3)				#DIV/0!
10		=IF(C3,QUOTIENT(B3,C3),"入力が必要です")				入力が必要です
11		=IFERROR(QUOTIENT(B3,C3),"入力が必要です")				入力が必要です
12						
13						

#REF!

#REF!は、英語の「Reference（リファレンス）」を略したエラーで、日本語の意味は「参照」になります。つまり、数式が無効なセルを参照しているときに表示されるエラーです。数式で参照しているセルを何らかの理由で削除してしまったときによく表示されます。

●エラー値「#REF!」の例

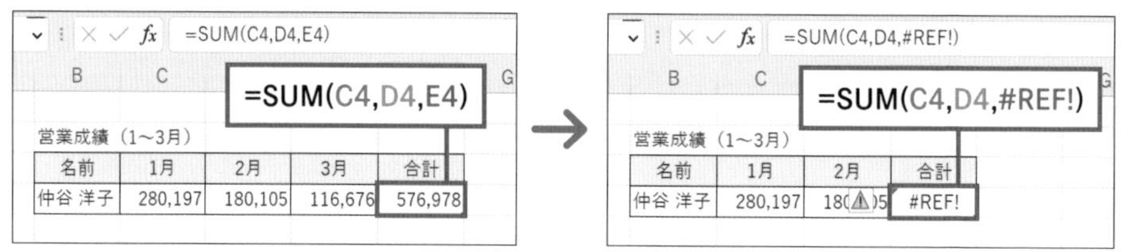

E列（3月の列）を削除したことで、E4セルの参照がなくなった

誤ってセルを削除してすぐのタイミングであれば、Ctrl＋Zを押して元に戻すとすぐに解決できます。

「#REF!」はセルの参照を正しくすることで解決できます。［数式］タブ→［ワークシート分析］の［数式の表示］を選択して、セルの表示を計算結果から数式に変更すると、セルを参照できなかった箇所が「#REF!」に置換されていることがわかります。「#REF!」に置換されてしまった部分の数式を修正しましょう。また、「#REF!」のセルの数式が正しく表示される場合、その数式が参照している元のセルで参照エラーが起こっている可能性もあります。

なお、例では、SUM関数の参照に個々のセルを指定していますが、「=SUM(C4:E4)」と範囲参照を使用すると、範囲内のセルが削除されても数式が自動的に調整されるため、エラーになりません。

そのほかにも、例えば、VLOOKUP関数の範囲と列番号が正しくないとき（例：=VLOOKUP(G2,A2:E10,5,FALSE)　※A列からE列までは4列なのに、5列目が指定されている）や、リンクされたブックを参照したときなどに「#REF!」が表示されます。

#N/A

#N/Aは、英語の「Not Applicable」を略したエラーで、日本語の意味は「該当なし」になります。数式で参照の対象が見つからないときに表示されます。そのため、解決の方針は、数式内に指定した値が正しいか検証することです。

●エラー値「#N/A」の例 ①

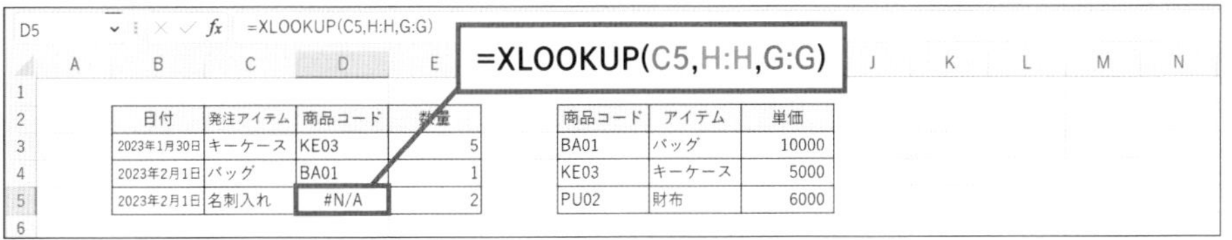

XLOOKUP関数の検索範囲（H3～H5セル：アイテム）に検索値（C5セル：名刺入れ）がない

上の例の場合は、参照元の右の表に商品の情報を追加するとエラーが解決します。

このように、「#N/A」エラーはXLOOKUP関数（P.146参照）やVLOOKUP関数（P.145参照）などの検索関数で見かけることが多いようです。

●エラー値「#N/A」の例 ②

原因	例	解決策
参照値と参照元のセルの表示形式が異なっている	参照値「数値」、参照元「文字列」	第3章やP.126を参考にあらかじめ表示形式や入力値の種類を固定しておくと良いでしょう。
参照元のセルに余計なスペースが入っている	正「バッグ」、誤「　りんご　」	前後のスペースを削除します。表記ゆれを防ぎたいときはP.60やP.150を参考にあらかじめ設定しておくと良いでしょう。
配列数式の範囲と、参照されている範囲が異なっている	配列数式の範囲「C3:C5」、参照されている範囲「D3:D4」	両方の範囲で参照する行を統一させましょう。
VLOOKUP関数で検索値が検索範囲の左端の列（1列目）にない	検索値を参照する列が検索範囲の2列目にある	検索範囲を正しく設定し直しましょう。XLOOKUP関数に変えるという方法もあります。
検索関数の数式をコピーした際に検索範囲や戻り範囲がずれてしまった	「=XLOOKUP(C3,G3:G5,I3:I5)」を下のセルにコピーしたら「=XLOOKUP(C4,G4:G6,I4:I6)」となった。参照したいセルは3行目にあった	検索範囲や戻り範囲を絶対参照（P.114参照）に設定しておきましょう。
検索値を参照する列が昇順でない	参照元の列で商品コードの順番が上から「B」→「A」→「C」	検索範囲が含まれる表を選択した状態で、P.139、P.140を参考にして昇順に並べ替えます。

#VALUE!

#VALUE!は、Excelが「入力した数式に問題があるか、参照先のセルに問題があります。」と伝えているときに表示されるエラーです。また、さまざまな要因が考えられるため、エラーの正確な原因を見つけるのが難しいことがあります。

例えば、数値に文字列が紛れ込んでいることが問題と考えられる場合は、ISTEXT関数やISNONTEXT関数、ISNUMBER関数でセルを検査し、問題のあるセルを修正します。

●エラー値「#VALUE!」の例 ①

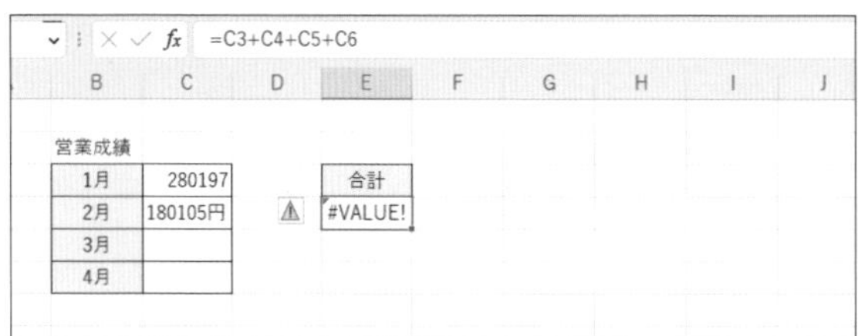

四則演算の数式で、参照セルの数値に文字列やスペースが含まれている

●セルを検査する

営業成績		ISTEXT関数	ISNONTEXT関数	ISNUMBER関数
1月	280197	FALSE	TRUE	TRUE
2月	180105円	TRUE	FALSE	FALSE
3月		FALSE	TRUE	FALSE
4月		TRUE	FALSE	FALSE

C5セルは「空白セル」、C6セルは「スペースを含むセル」

イズテキスト
=ISTEXT(テストの対象)

セルの内容が文字列である場合に「TRUE」を返します。

イズノンテキスト
=ISNONTEXT(テストの対象)

セルの内容が文字列以外の値（空白セルも対象）である場合に「TRUE」を返します。

イズナンバー
=ISNUMBER(テストの対象)

セルの内容が数値の場合に「TRUE」を返します。

また、算術演算子（+や*など）を使用している数式は、文字列やスペースを含むセルを計算することができないため、関数を利用するという手もあります。ただし、文字列やスペースを含むセルを無視した計算結果になる点には、注意が必要です。

●算術演算子の代わりに関数で計算する

	A	B	C	D	E	F
1						
2		営業成績				
3		1月	280197		合計	
4		2月	180105円		280197	
5		3月				
6		4月				
7						

Excelの関数の多くは、文字列の値を無視して、数値を計算する

Memo

足し算にはSUM関数「=SUM(数値1[,数値2,…])」、掛け算にはPRODUCT関数「=PRODUCT(数値1[,数値2,…])」、割り算にはQUOTIENT関数「=QUOTIENT(分子,分母)」を利用します。

このほかに「#VALUE!」エラーが発生する原因は、以下のような例があります。

●エラー値「#VALUE!」の例②

原因	解決策
数値が全角で入力されていた	置換機能などを利用して半角数字に変換します。
AVERAGE関数またはSUM関数で、「#VALUE!」エラーを含むセルを参照している 例：=AVERAGE(C2:C5)、C4セルが「#VALUE!」エラー	IFERROR関数を組み合わせます。 例：=AVERAGE(IFERROR(C2:C5,""))
IF関数で、「#VALUE!」エラーを含むセルを参照している 例：=IF(H2>1,“○”,“×”)、H2セルが「#VALUE!」エラー	IFERROR関数を組み合わせます。 例：=IFERROR(IF(H4>1,"○","×"),"エラー")
VLOOKUP関数で、検索値が255文字より長い	検索値の値を短くします。もしくはXLOOKUP関数での代用やINDEX関数とMATCH関数の組み合わせでの代用に数式を変更します。
VLOOKUP関数で、列番号が文字列や1未満の数になっている	範囲の列数に対応した列番号を入力します。
関数の構文が間違っている	参照範囲の指定方法が間違っている可能性が考えられます。[数式バー]の左隣の[関数の挿入]から[関数の引数]ダイアログボックスを表示して、数式の結果を確認しながら引数を指定しましょう。

#NAME?

#NAME?は、関数名や名前を定義したセルの名前をスペルミスしてしまったときに表示されるエラーです。関数名やセル名に誤入力がないか確認しましょう。

スペルミスした関数は、数式バーで各関数の始めかっこの右側にカーソルを表示させたときに、関数の構文が表示されるかどうかで簡単に判定できます。

●エラー値「#NAME?」の例 ①

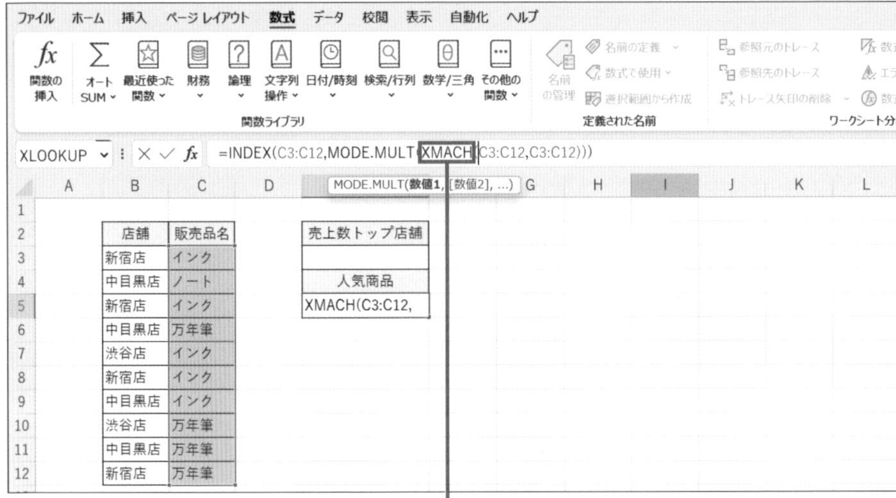

このほかに「#NAME?」エラーが発生する原因は、以下のような例があります。

●エラー値「#NAME?」の例 ②

原因	解決策
ブックで定義していない名前でセルや表を参照している	列行の番地で参照範囲を修正するか、[数式]タブ→[定義された名前]の[名前の定義]で参照範囲に名前を付けます。
定義した名前をスペルミスしている	定義した名前を正しく入力し直します。
テキスト値を「""」(二重引用符)で囲んでいない	数式にテキストが含まれているときは、そのテキストを「""」で囲みます。また、空白のセルにしたいときに「""」を指定していない、スペースを入れたいときに「""」で囲み忘れているということもあります。
セルの範囲参照の「:」(コロン)が抜けている	セルの範囲参照をしている箇所を確認し、「:」の抜けを確認します。

#NULL!

Excelの**#NULL!**エラーは、「複数のセル範囲が半角スペースでつながれており、なおかつセル範囲同士に共通部分がない」ということを示しています。「どういうことだろう？」とはじめは疑問に思うかもしれませんね。

そもそも、Excelには複数のセル範囲を半角スペースでつなげて、範囲の重なった部分（セル範囲同士の共通部分）を指定する、論理積演算子という機能があります。

●論理積演算子の例

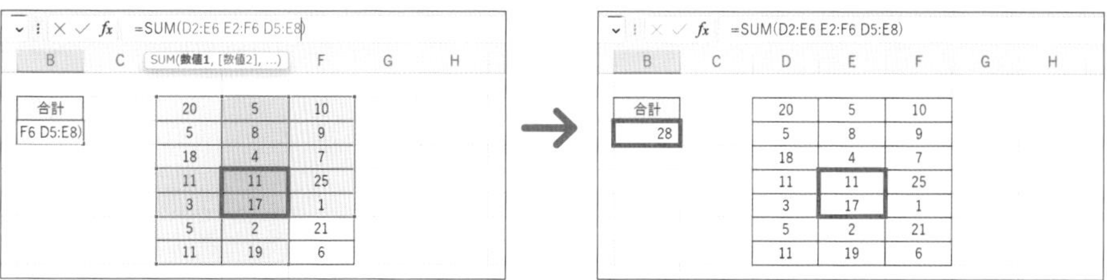

それぞれのセル範囲が重なった部分の数値の合計が表示される。ちなみに、セル範囲同士を「,」でつなげた場合は合計が「278」になる

論理積演算子はセル範囲同士が重なっている必要があるため、重なった共通部分がないとエラーになります。

「#NULL!」エラーが発生する多くの場合は、範囲演算子（範囲を表す演算子の「:」や複数の範囲を表す演算子の「,」）の代わりに半角スペースを入力してしまい、意図せず論理積演算子にしてしまったことが原因と考えられます。そのため、「#NULL!」エラーを解消するには、数式で「:」や「,」を正しく入力できているか調べましょう。

●エラー値「#NULL!」の例

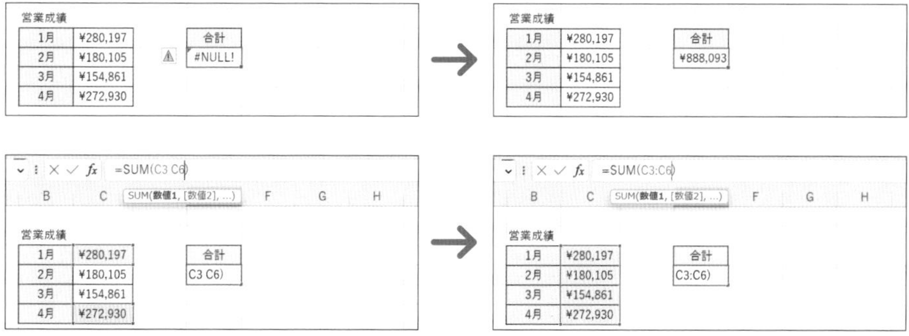

セルの範囲参照の「:」の代わりに半角スペースが入っている

#NUM!

#NUM!は、英語の「Number」を略したエラーで、その名の通り数値に問題があるときに表示されます。関数の引数として不適切な数値を指定していないか、また、計算結果がExcelで扱える範囲内の数を超えていないか確認しましょう。

●エラー値「#NUM!」の例

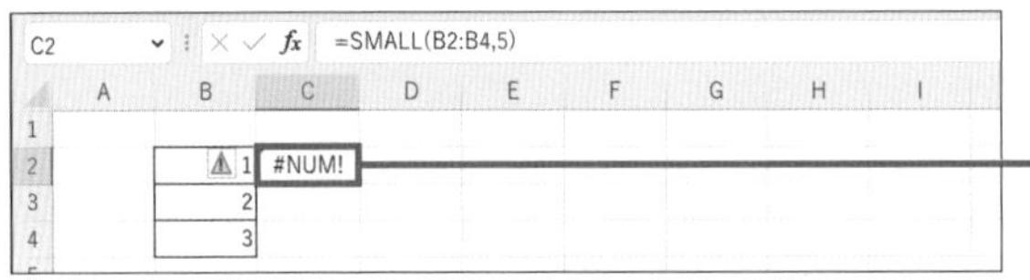

データの中から指定した順位番目に小さい数を返すSMALL関数で「3つの数字の中で5番目に小さい数」を返すように指定している

●Excelで扱える数の範囲（指数表記）

	正の数	負の数
最大値	9.99999999999999E+307	-9.99999999999999E+307
最小値	2.2251E-308	-2.2251E-308

#スピル!

スピル機能で補完入力されるはずのセルに、すでに何かしらのデータが入力されている場合に、**#スピル!**（環境によっては「#SPILL!」）エラーが表示されます。

●エラー値「#スピル!」の例

B3からB13の範囲で一番数の多い店舗名が2つあるため、スピル入力できない

「#スピル!」エラーのとき、補完入力されるはずだったセル範囲は青の点線で囲まれます。補完入力される部分のセル範囲を空白にすると、「#スピル!」エラーは解消されます。

#CALC!

#CALC! エラーは、Excelの計算エンジンが計算エラーを起こしたときに表示されるエラーです。エラー名の「CALC」は、英語の「Calculation」つまり「計算」を略した言葉です。

よくあるパターンとしては、配列数式で空の配列が返されたときに表示されます。P.116で解説したように、配列数式とは、複数のセルの値を対象として、1つの数式でまとめて計算を行う数式のことです。つまり、「配列数式で空の配列が返された」とは、「セルの範囲を指定した数式（配列数式）を計算した結果、該当する値を返すことができなかった（空の配列しか返せなかった）」ということです。

●エラー値「#CALC!」の例 ①

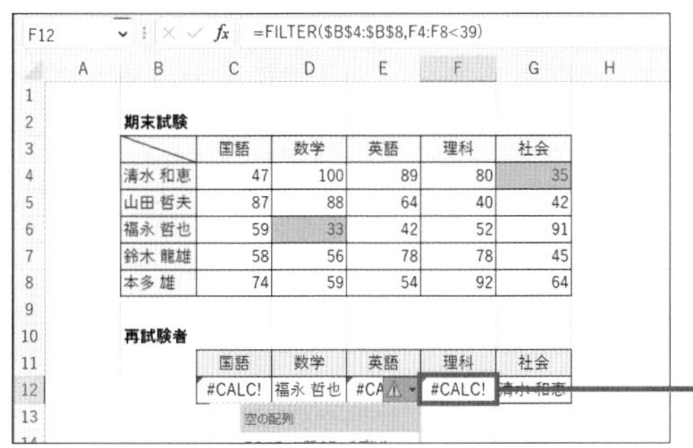

	国語	数学	英語	理科	社会
清水 和恵	47	100	89	80	35
山田 哲夫	87	88	64	40	42
福永 哲也	59	33	42	52	91
鈴木 龍雄	58	56	78	78	45
本多 雄	74	59	54	92	64

国語	数学	英語	理科	社会
#CALC!	福永 哲也	#CA	#CALC!	清水 和恵

再試験の対象点数が第2引数「含む」の範囲にないため、空の配列が返された

上のFILTER関数の場合は、第3引数の「空の場合」を省略せずに記入しておけばエラーが解消されます。

このほかに、Excel for Microsoft 365で利用できるLAMBDA関数で、変数（パラメーター）に数値を与えていないときにも「#CALC!」エラーが表示されます。

●エラー値「#CALC!」の例 ②

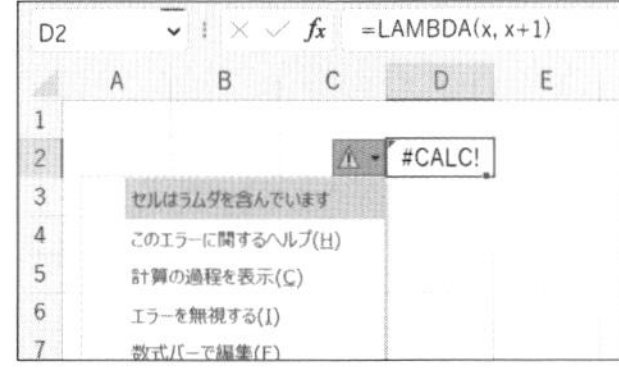

LAMBDA関数の変数「x」に代入する数値が未設定。数式を「=LAMBDA(x, x+1)(1)」にすると「x」に「1」が代入されて解が「2」になる

Memo

LAMBDA関数は、「数式内で呼び出すことができる関数値を作成」します。「=LAMBDA([変数1,変数2,…,]計算)」という構文で定義し、セル内で直接代入値を指定する場合は構文に続けて「(代入値)」を入力します。また、［名前の定義］機能の［参照先］にLAMBDA関数を利用し、オリジナル関数を作るという使い方をされることもあります。

#FIELD!

#FIELD!エラーは、Excel for Microsoft 365で利用できるリンクされたデータ型を使用した際に、データ型レコードからフィールドが参照できないときに表示されます。

リンクされたデータ型とは、Excelとリンクしたオンラインデータソースから株式や地理の情報をセルに自動的に反映する機能のことです。例えば、地理情報を取得したい場合は、国名や都市名を入力したセルを選択した状態で、[データ] タブ→ [データの種類] の [地理(English)] を選択すると、国名や都市名を入力したセルがデータ型レコードに変換されます。データ型レコードには、さまざまな情報が内包されており、それを抽出してフィールドとして参照できます。

●エラー値「#FIELD!」の例

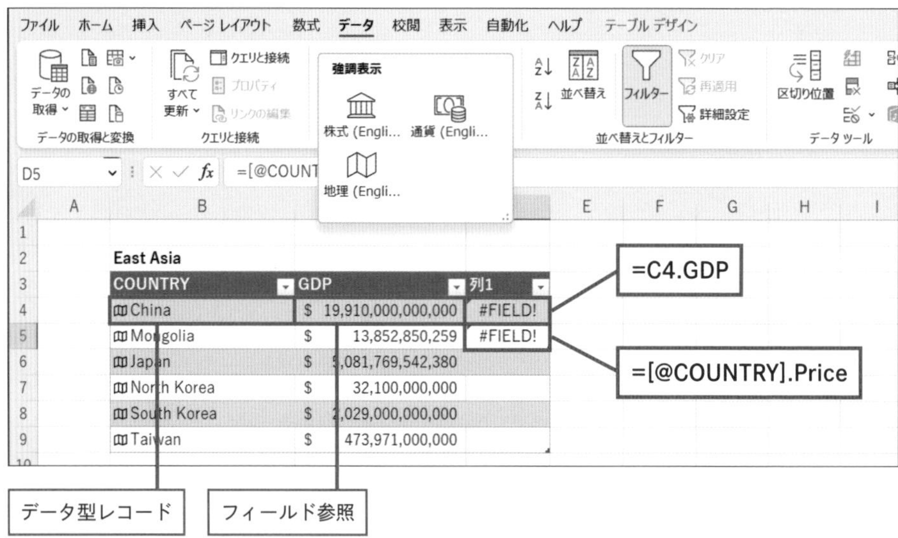

上の例では、東アジア諸国のGDPをB列のデータ型レコードからそれぞれC列に抽出しており、例えば、C4セルは「=B4.GDP」(行が同じであるため「=[@COUNTRY].GDP」でも可)という数式が入力されています。

「#FIELD!」エラーを起こしている2つのセルのうち、上のセルはデータ型レコードのセルを参照していないため、エラーになっています。

そして、下のセルは地理のデータ型を参照しているにもかかわらず、「Price」という株式のデータ型のフィールドをしているため、エラーになっています。

「#FIELD!」エラーを解消するには、使用しているデータ型レコードとフィールドの組み合わせが正しくなるように数式を書き換えるか、1度列ごと削除して改めてフィールドを列に追加しましょう。

Technique 126　365　2021　2019　2016

エラーのセルを検索する

シート内のエラーを順番に確認する

Excelにはさまざまなエラーがあり、その原因もいろいろです。中には原因が究明できず、そのままの状態のファイルもあるのではないでしょうか。

「前任者から引き継いだファイルがエラーだらけ……」「データ数が多すぎてどこにエラーがあるかわからない……」そのようなときは、エラーチェックを行ってまずはエラーが発生しているセルと、エラーの内容を確認しましょう。

[数式] タブ❶→ [ワークシート分析] の [エラーチェック] ❷を選択します。シートにエラーのセルがあると [エラーチェック] ダイアログボックス❸が表示されます。

●エラーのセルとエラーの内容を確認する　08-01.xlsx

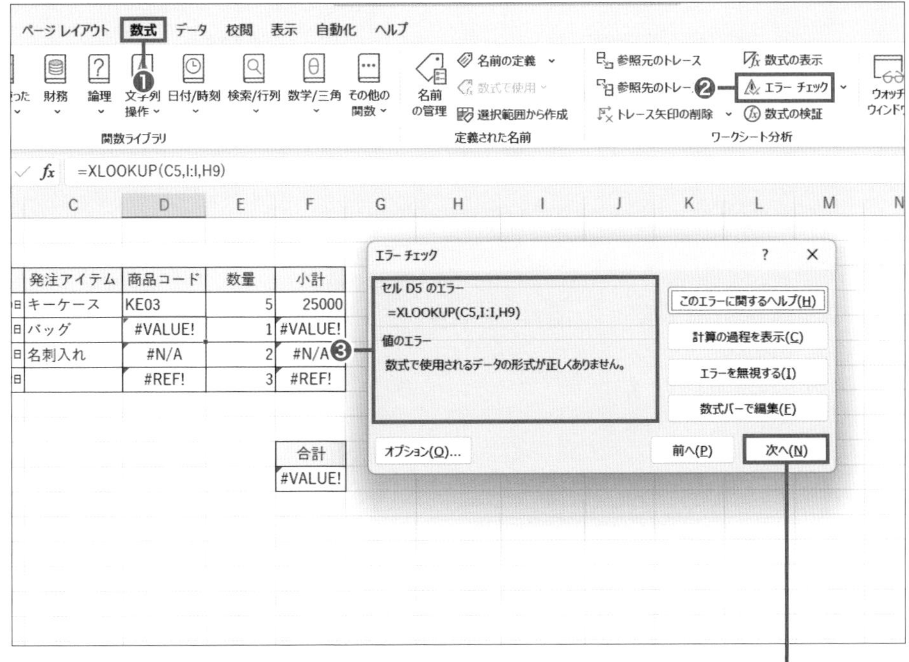

[次へ] をクリックすると次のエラーセルの内容に切り替わる

Technique 127　365　2021　2019　2016

数式を検証する

簡単に数式が正しいか調べる

数式がエラーとなる場合、計算のどの過程で問題が起こっているのか検証する必要があります。

短めの数式でエラーになっている場合であれば、数式バーで数式をドラッグして、F9を押します。

●数式をドラッグして検証する　08-01.xlsx

1段階ずつ数式を検証する

数式が長く、問題が起こっている箇所がわからない状態のときは、数式の検証で1つずつ数式を検証していきましょう。数式を調べたいセルを選択した状態で、[数式] タブ→ [ワークシート分析] の [数式の検証] を選択し、[数式の計算] ダイアログボックスで [検証] をクリックすると、下線の引かれた数式から順番に検証が行われていくので、どこでエラーになったか確認できます。

●数式の検証を行う

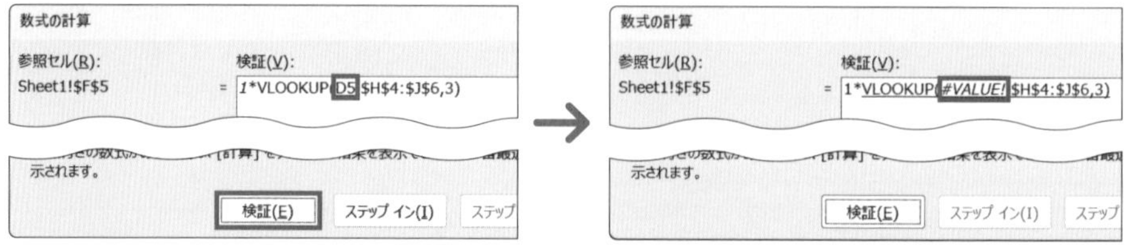

Technique **128** 365 2021 2019 2016

数式に関わっているセルを調べる

参照しているセルを確認する

数式で参照しているセルを見える化したいときは、数式が入力されたセルを選択した状態で❶、[数式] タブ❷→ [ワークシート分析] の [参照元のトレース] ❸を選択します。すると、数式に向かって参照セルから矢印が表示されます。もう1度 [参照元のトレース] をクリックすると間接的に参照しているセルからの矢印も表示され、[トレース矢印の削除] で矢印が非表示になります。

●参照元のセルから選択中のセルに向かって矢印を引く　08-01.xlsx

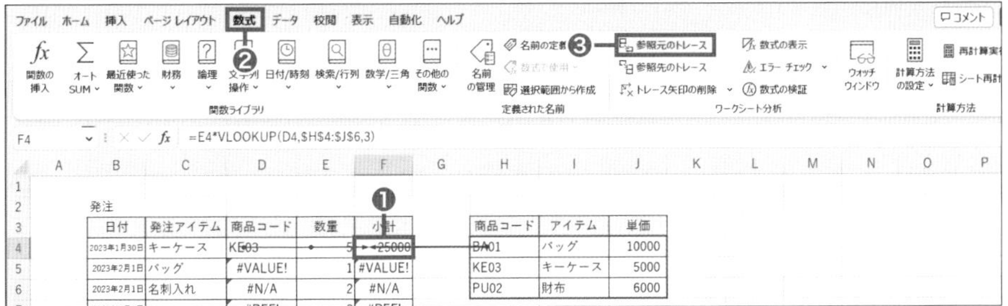

参照されている数式を確認する

セルを選択した状態で、[数式] タブ→ [ワークシート分析] の [参照先のトレース] を選択すると、そのセルから参照されている数式のあるセルに向かって矢印が引かれます。列や行を削除する前に、どこかの数式で参照されていないか調べるときに便利です。

●選択中のセルが参照されている数式に向かって矢印を引く

日付	発注アイテム	商品コード	数量	小計
2023年1月30日	キーケース	KE03	5	25000
2023年2月1日	バッグ	#VALUE!	1	#VALUE!
2023年2月1日	名刺入れ	#N/A	2	#N/A
2023年2月2日		#REF!	3	#REF!
				合計
				#VALUE!

商品コード	アイテム	単価
BA01	バッグ	10000
KE03	キーケース	5000
PU02	財布	6000

Technique 129 365 2021 2019 2016

循環参照に対処する

循環参照の対処方法

循環参照とは、セルに入力された数式が、そのセル自体を直接的または間接的に参照していることを指します。循環参照は、厳密にはエラーではありませんが、意図せず循環参照を起こしてしまった場合は数式の修正が必要です。

●循環参照の警告メッセージ

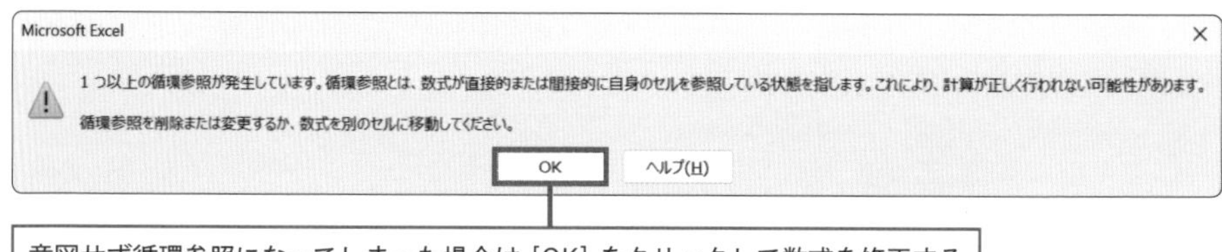

意図せず循環参照になってしまった場合は［OK］をクリックして数式を修正する

循環参照を起こしているセルは、［数式］タブ❶→［ワークシート分析］の［エラーチェック］右側の［⌄］❷→［循環参照］❸から確認できます❹。

●循環参照の確認

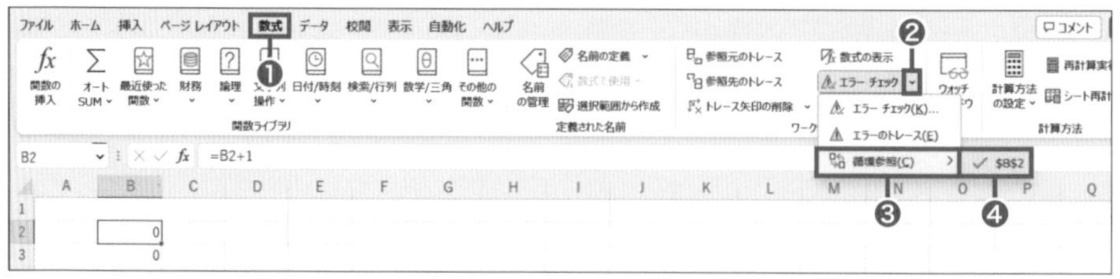

Memo

循環参照は、反復計算に利用されます。反復計算では、B2「=B2+1」とB3「=B2+B3」を100回繰り返して、B3セルに1から100までの数字をすべて足した結果を表示するという計算が可能になります。なお、反復計算はデフォルトでは無効となっています。

正しいのにエラーになる場合は無視する

エラーを無視する

資料作成中にセルの左上に緑色の三角形**エラーインジケーター**が表示されると、数式の設定をミスしてしまったのかと不安になる方もいるのではないでしょうか。実は、エラーインジケーターは、数式の間違いが疑われる場合にも表示されるため、必ずしも数式にエラーが起こっているわけではありません。

エラーインジケーターが表示されたときは、まずセルの左側に表示される［エラーチェック］❶（または［数式］タブ→［ワークシート分析］の［エラーチェック］）から、エラーインジケーターが表示された理由を確認しましょう❷。

●エラーインジケーターが表示された理由を確認する　08-02.xlsx

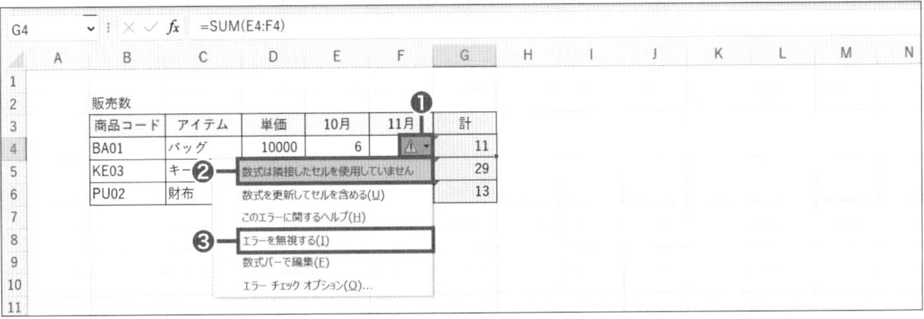

そのうえで、「計算結果は合っているから、エラーインジケーターは不要」「エラー値が表示されるのは意図した通りだから、エラーインジケーターを消しておきたい」といったときは、［エラーを無視する］❸をクリックしてエラーインジケーターを非表示にしましょう。

●エラーインジケーターが非表示になった

販売数

商品コード	アイテム	単価	10月	11月	計
BA01	バッグ	10000	6	5	11
KE03	キーケース	5000	13	16	29
PU02	財布	6000	4	9	13

Technique 131　365 2021 2019 2016

セル内のポンドエラーを非表示にする

エラー値のあるセルの書式を変更する

「エラーになっているときは合計値を非表示にしたい」といったように、エラーセルに表示されるポンドエラーを非表示にして空白セルのような見た目にしたいときは、条件付き書式の利用がおすすめです。

P.92で紹介した条件付き書式では、エラーセルの書式を変更する設定ができるので、この機能を利用してテキストの色を白にすると、数式を入力し直すことなく、エラーセルを空白セルのような見た目にできます。

設定を反映したいセルをすべて選択した状態で、[ホーム] タブ→ [スタイル] の [条件付き書式] ❶→ [新しいルール] ❷を選択します。[新しい書式ルール] ダイアログボックスで、[ルールの種類を選択してください] を [指定の値を含むセルだけを書式設定] ❸に変更し、[次のセルのみを書式設定] を [エラー] ❹、[書式] ❺の [色] を [白] にそれぞれ設定したら、[OK] ❻をクリックします。

●エラーセルのテキストの色を白にする　08-03.xlsx

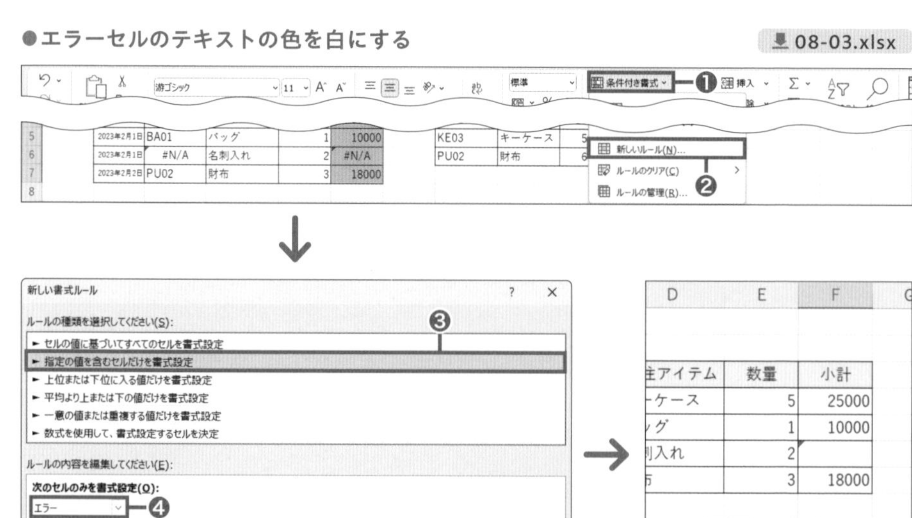

エラー値の代わりにテキストを表示させる

数式がエラーの場合に専用の値を表示させたいときは、**IFERROR関数**を使いましょう。

=IFERROR(値,エラーの場合の値)

「値」の式がエラーの場合は、「エラーの場合の値」を返し、エラーでない場合は、「値」を返します。

●エラー判定用の関数を設定する

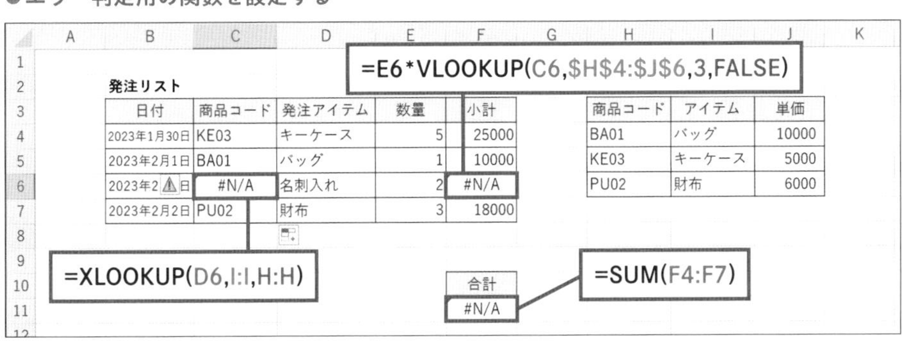

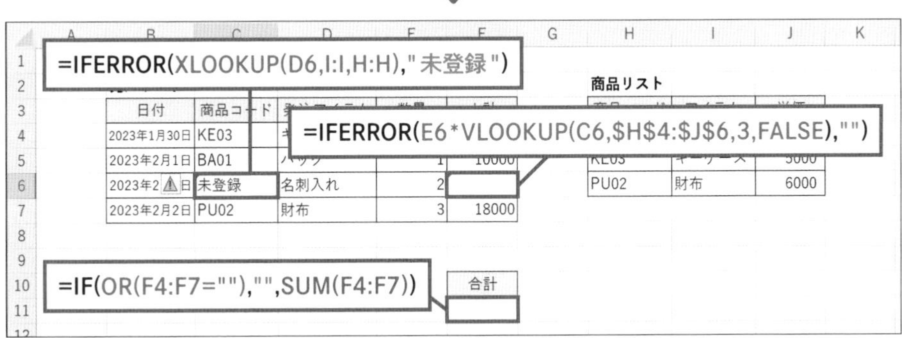

上の例では、C4～C7セルとF4～F7セルの数式にIFERROR関数を設定したところ、エラーになっていたC6セルとF6セルに「エラーの場合の値」が表示されました。しかし、F6セルの「エラーの場合の値」が空白に設定されていたため、F11セルのSUM関数が働き、空白を無視した合計値が表示されてしまいました。そのため、F11セルの数式にIF関数（P.120参照）とOR関数（P.123参照）を組み合わせて、「F4～F7セルに空白セルがある場合は空白、それ以外の場合はF4～F7セルの合計を返す」よう記述しています。

Technique 132　365　2021　2019　2016

エラーメッセージに対処する

メッセージをそのまま検索する

「エラーメッセージを見ても、馴染みのない単語が使われていたり、警告内容が漠然としていたりして、すぐに対処法が思いつかない……」といった場合は、メッセージの内容をまるごと検索してみるのがおすすめです。公式のサポートページや、同じエラーに遭遇した人のブログ記事など、解決の手がかりが見つかるかもしれません。

●どこを直せば良いか迷ったらエラーメッセージで検索する

Memo

エラーメッセージが表示されたときは、「かっこの位置は正しいか」「かっこのペアが揃っているか」「コンマが余分に入っていないか（引数が多くないか）」まずはこの3つのポイントを確かめてみましょう。

自分のエラーと近い状況の事例が見つかれば、数式のどこに注目すれば良いか、どの関数が正常に動いていないかを絞り込みやすくなります。5分悩んでも解決しないエラーは、エラーメッセージをそのまま調べてみると良いでしょう。

Chapter 9

Excelの連携ワザ

Excelは、さまざまな外部ツールと連携させて使うこともできます。Accessを使ったデータベースの活用、Pythonを使った処理の自動化など、それぞれの得意分野を組み合わせることで、作業内容によってはExcelだけを使うよりも素早く、簡単に実行できる場合もあります。

本章ではExcelと連携できる主なツールを紹介していますので、興味のある方は試してみてください。

Technique 133 365 2021 2019 2016

連携①
チームメンバーとリアルタイムに編集する

共同編集を行う

Excelには、Microsoft 365ユーザーとブックを共有して、同時に編集が行える**共同編集**機能があります。共同編集するには、共同編集に参加するすべてのユーザーがExcel for Microsoft 365を使っている必要がありますが、編集した内容がリアルタイムで更新され、また誰が編集中であるかも確認できるため、同僚やプロジェクトメンバーとのやり取りが非常にスムーズになります。

共同編集したいブックは、OneDriveまたはSharePointのドキュメントライブラリに保存して、自動保存をオンにしておきます。[共有] → [共有] を選択し、共同編集したいユーザーのメールアドレスを入力して、任意でメッセージを入力したら [送信] からリンクを送信します。相手がリンクをクリックしてブックを開くと、共同編集ができます。

●共同編集

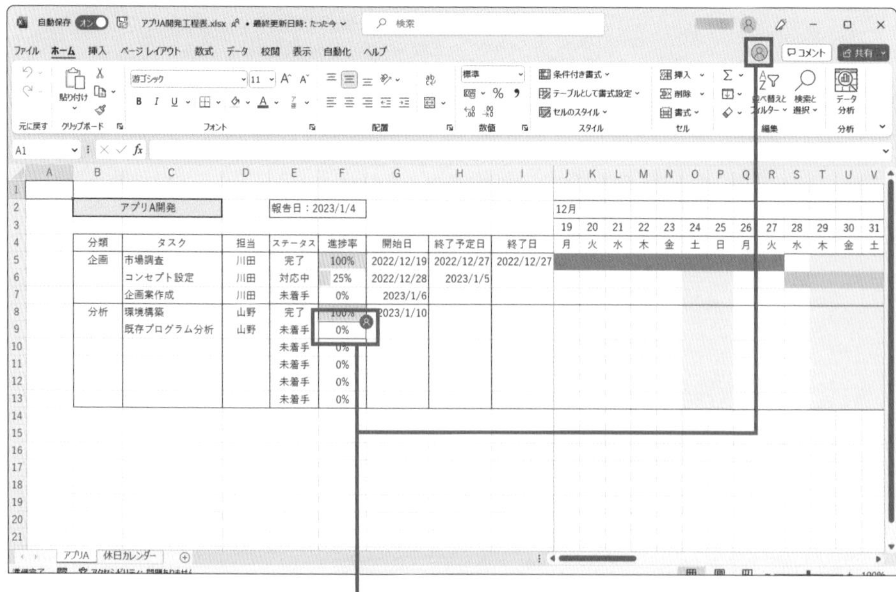

Technique 134 365 2021 2019 2016

連携② Microsoft Access

Microsoft Accessのデータベースとリンクする

Microsoft Accessはデータベース管理ソフトです。Accessはデータベースの構築にとても便利ですが、「クライアントとデータの一部を共有したい」といったときには、より利用方法が一般的なExcelが重宝されます。AccessとExcelはデータを連携させて双方にインポートが可能です。

ExcelにAccessのデータを連携させるには、Excelの［データ］タブ→［データの取得と変換］の［データの取得］→［データベースから］→［Microsoft Accessデータベースから］を選択し、Accessファイルを選択して［インポート］をクリックします。［ナビゲーター］ダイアログボックスで取り込みたいデータテーブルを選択し、［データの変換］をクリックしたら、［Power Queryエディター］を必要に応じて編集して、［閉じて読み込む］を選択します。

●Accessのデータを読み込む

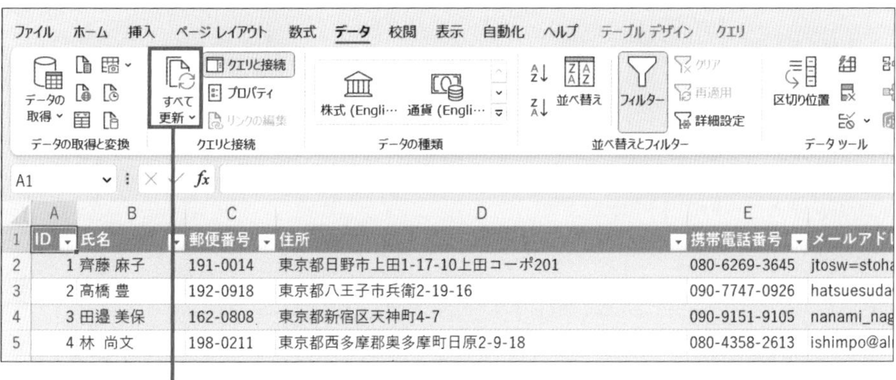

Accessでデータに修正が入っても、［データ］タブ→［クエリと接続］の［すべて更新］を選択すると、最新の内容が反映されます。

また設定次第では、「Accessの操作方法がわからない……Excelならわかるのに」というユーザーのために、ExcelシートでAccessに登録するデータの登録フォームを作って、Excelから直接Accessにデータを保存することもできます。

Technique 135　365　2021　2019　2016

連携③ Microsoft Power Automate

Excel作業を自動化する

Microsoft Power Automateは、さまざまな作業を自動化することができるサービスです。繰り返しの作業や単純作業を効率化することが可能となり、ほかの仕事に時間を割くことができます。

Power Automateに連携できるサービス・ソフトはたくさんありますが、Excelもその1つです。新規で追加されたデータをマスターデータのシートにコピー＆ペーストしたり、Web上のデータを自動的に取得して表を作ったりすることができます。

●Power Automate

●別のシートへの転記を自動化

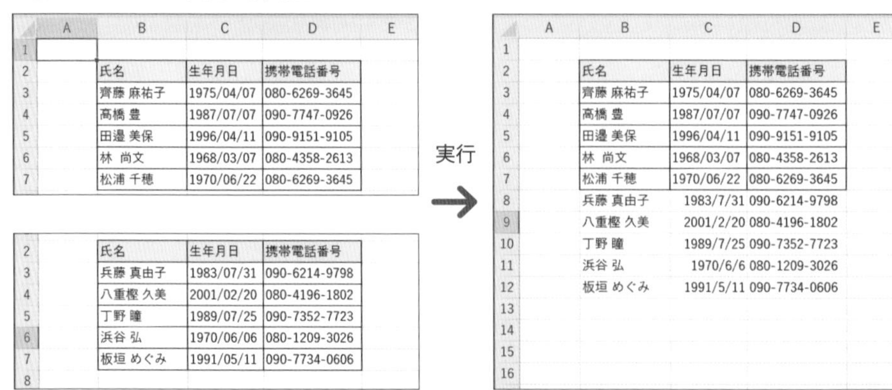

氏名	生年月日	携帯電話番号
齊藤 麻祐子	1975/04/07	080-6269-3645
髙橋 豊	1987/07/07	090-7747-0926
田邉 美保	1996/04/11	090-9151-9105
林 尚文	1968/03/07	080-4358-2613
松浦 千穂	1970/06/22	080-6269-3645

氏名	生年月日	携帯電話番号
兵藤 真由子	1983/07/31	090-6214-9798
八重樫 久美	2001/02/20	080-4196-1802
丁野 瞳	1989/07/25	090-7352-7723
浜谷 弘	1970/06/06	080-1209-3026
板垣 めぐみ	1991/05/11	090-7734-0606

実行 →

氏名	生年月日	携帯電話番号
齊藤 麻祐子	1975/04/07	080-6269-3645
髙橋 豊	1987/07/07	090-7747-0926
田邉 美保	1996/04/11	090-9151-9105
林 尚文	1968/03/07	080-4358-2613
松浦 千穂	1970/06/22	080-6269-3645
兵藤 真由子	1983/7/31	090-6214-9798
八重樫 久美	2001/2/20	080-4196-1802
丁野 瞳	1989/7/25	090-7352-7723
浜谷 弘	1970/6/6	080-1209-3026
板垣 めぐみ	1991/5/11	090-7734-0606

Technique 136 365 2021 2019 2016

連携④ Python

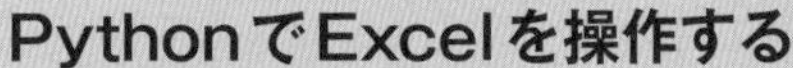

PythonでExcelを操作する

Excelを操作するプログラミング言語と言えば、VBAが有名ですが、最近では**Python**というプログラミング言語でExcelを操作する手法が注目を集めています。

Pythonはアプリケーションの開発や機械学習、AIなどの領域でも使用されているプログラミング言語です。コードがシンプルであることが特長で、子ども向けのプログラミング教室で採用されることもあります。Pythonが使われているWebアプリケーションとしては、Google、YouTube、Instagram、Dropboxなどが有名です。

VBAとの違いはExcel以外の操作も実行できるという点です。Excel以外のソフトの操作も自動化させられます。また、VBAの場合、WindowsとMacでマクロを実行すると挙動が異なることがありますが、それを防止することもできます。

PythonとExcelを組み合わせると、Excelシートへの入力だけにとどまらず、グラフの作成やマクロの実行も可能です。

●Pythonのコード

```
import openpyxl
wb = openpyxl.load_workbook("09-04.xlsx")

ws = wb["Sheet1"]

chart = openpyxl.chart.BarChart()
chart.y_axis.scaling.min = 0
chart.y_axis.scaling.max = 500
chart.y_axis.majorUnit = 50
chart.y_axis.title = "値段"
chart.x_axis.title = "果物"
data = openpyxl.chart.Reference(ws, min_col=3, min_row=3, max_col=5, max_row=6)
chart.add_data(data, titles_from_data=True)
categories = openpyxl.chart.Reference(ws, min_col=2, min_row=4, max_col=2, max_row=6)
chart.set_categories(categories)
ws.add_chart(chart, "G3")

wb.save("09-04.xlsx")
```

●Pythonを実行してグラフを作成

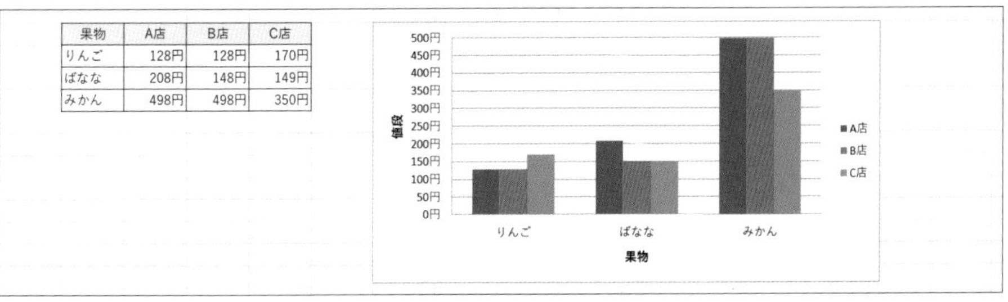

果物	A店	B店	C店
りんご	128円	128円	170円
ばなな	208円	148円	149円
みかん	498円	498円	350円

Technique 137　365　2021　2019　2016

連携⑤ DeepL

DeepLで外国語の資料を翻訳する

DeepLは高精度な翻訳を無料で利用できるサービスです。ディープラーニングを利用して翻訳を行っているため、とても自然な翻訳をしてくれます。そして、DeepLには、Webブラウザ上で利用できるブラウザ版やGoogle Chromeの拡張機能、スマホアプリ版などがありますが、デスクトップアプリをインストールして利用することもできます。デスクトップアプリをインストールしておけば、翻訳したい単語や文章を選択した状態で、Ctrl + C + Cを押すだけでウィンドウが表示され、即座に翻訳されます。また、[訳文] の […に訳文を挿入] をクリックすると、選択した単語や文章を訳文に置き換えることができます。

●翻訳後の訳文に置き換えることができる

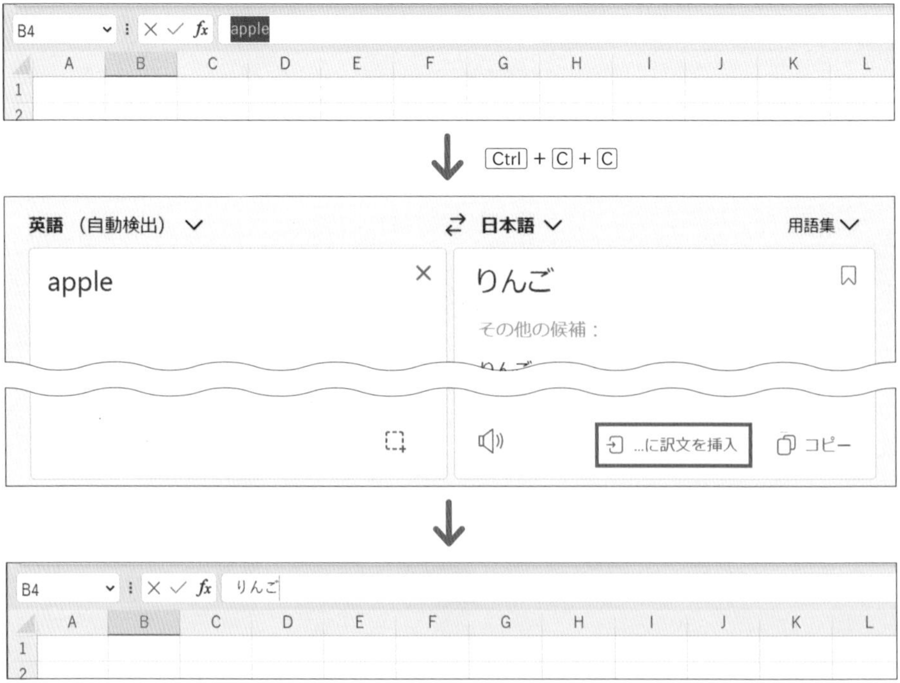

Technique 138 365 2021 2019 2016

連携⑥ Webサイト

Excel 専用のデータ提供サイト「ExcelAPI」

Excel関数の1つに「WEBSERVICE関数」(Webサービスからデータを返す関数。構文は「=WEBSERVICE(url)」)があります。一見簡単に使えそうな関数ではありますが、希望するデータを取得するためには専門知識が必要です。しかし、**ExcelAPI** (https://excelapi.org/) を利用すると、誰でも簡単にWEBSERVICE関数を使うことができます。Webサイト内の使い方ページや機能一覧ページを参考に利用してみましょう。

●「ExcelAPI」のデータを使ってWEBSERVICE関数で法人番号を読み込んだ

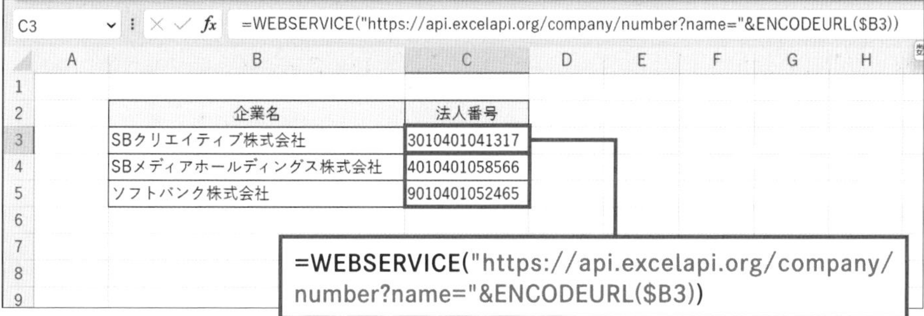

関数やマクロの作成もできる「ChatGPT」

AIツールである**ChatGPT** (https://openai.com/blog/chatgpt/) で関数やマクロの作り方を質問すると、関数やマクロを自動的に作成してくれます。

●「ChatGPT」で関数の作り方を質問

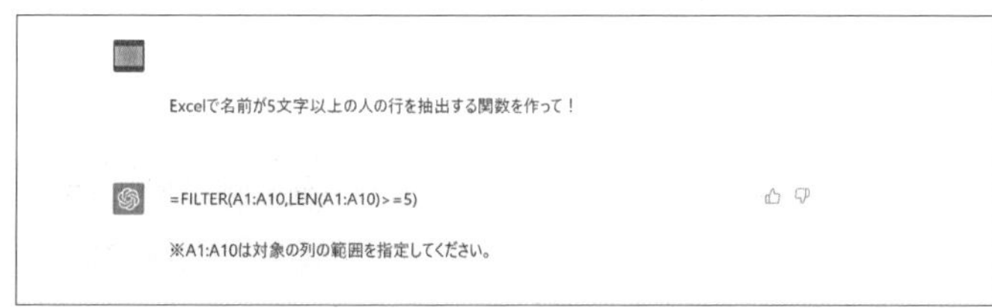

Excelのサポートやコミュニティを活用する

Microsoft公式が提供するサポートページには、関数の使い方や新機能に関する情報など、Excelについてのあらゆる情報が掲載されています。使い方に慣れてしまえばとても重宝するので、よく使うところから紹介します。

●Excelのサポートページ「Excelのヘルプとラーニング」

【URL】https://support.microsoft.com/ja-JP/excel

ページ内で直接検索する

やりたいことが明確な場合は、検索ボックスにキーワードを入れて調べてみてください。サポートページ内の関連するページが表示されます。

関数一覧をアルファベット順で表示する

［数式と関数］❶から［関数］❷を選択すると、［すべての関数 (アルファベット順)］❸というトピックが表示されます。

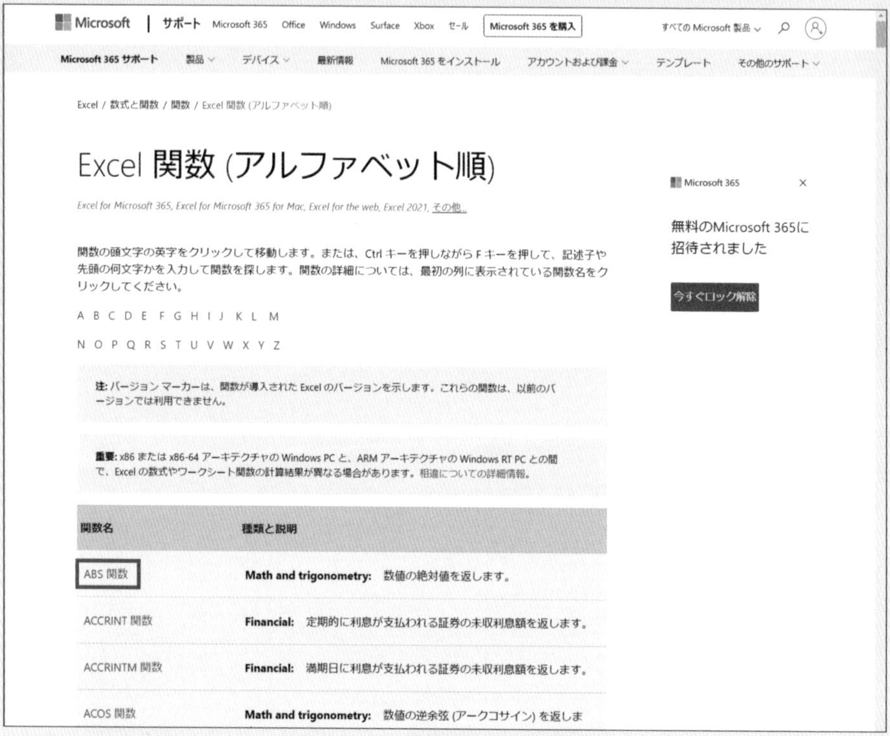

Microsoft | サポート Microsoft 365 Office Windows Surface Xbox セール Microsoft 365 を購入 すべての Microsoft 製品

Microsoft 365 サポート 製品 デバイス 最新情報 Microsoft 365 をインストール アカウントおよび課金 テンプレート その他のサポート

Excel / 数式と関数 / 関数 / Excel 関数 (アルファベット順)

Excel 関数 (アルファベット順)

Excel for Microsoft 365, Excel for Microsoft 365 for Mac, Excel for the web, Excel 2021, その他...

関数の頭文字の英字をクリックして移動します。または、Ctrl キーを押しながら F キーを押して、記述子や先頭の何文字かを入力して関数を探します。関数の詳細については、最初の列に表示されている関数名をクリックしてください。

A B C D E F G H I J K L M

N O P Q R S T U V W X Y Z

注: バージョン マーカーは、関数が導入された Excel のバージョンを示します。これらの関数は、以前のバージョンでは利用できません。

重要: x86 または x86-64 アーキテクチャの Windows PC と、ARM アーキテクチャの Windows RT PC との間で、Excel の数式やワークシート関数の計算結果が異なる場合があります。相違についての詳細情報。

関数名	種類と説明
ABS 関数	**Math and trigonometry:** 数値の絶対値を返します。
ACCRINT 関数	**Financial:** 定期的に利息が支払われる証券の未収利息額を返します。
ACCRINTM 関数	**Financial:** 満期日に利息が支払われる証券の未収利息額を返します。
ACOS 関数	**Math and trigonometry:** 数値の逆余弦 (アークコサイン) を返しま

Microsoft 365

無料のMicrosoft 365に招待されました

今すぐロック解除

↓

Microsoft | サポート Microsoft 365 Office Windows Surface Xbox セール Microsoft 365 を購入 すべての Microsoft 製品

Microsoft 365 サポート 製品 デバイス 最新情報 Microsoft 365 をインストール アカウントおよび課金 テンプレート その他のサポート

ABS 関数

Excel for Microsoft 365, Excel for Microsoft 365 for Mac, Excel for the web, Excel 2021, その他...

この記事では、Microsoft Excel の **ABS** 関数の書式および使用法について説明します。

説明

数値の絶対値を返します。絶対値とは、数値から符号 (+、-) を除いた数の大きさのことです。

書式

ABS(数値)

ABS 関数の書式には、次の引数があります。

- **数値** 必ず指定します。絶対値が必要な実数。

Microsoft 365

無料のMicrosoft 365に招待されました

今すぐロック解除

書式や用例、対応しているバージョンなど、関数を使う上で役立つ情報がまとまっています。関数の使用に悩んだら開いてみてください。

コミュニティで質問する

複雑な処理を行いたい場合など、サポートページだけでは解決が難しいときはMicrosoftのコミュニティで質問してみるのも1つの手段です。[Microsoft 365および Office] ❶をクリックして、[アプリ] を [Excel] ❷で絞り込むと、Excelに関する質問と回答が表示されます。[新しく質問する] ❸から質問を送ると、解決方法を知っている人が答えてくれるかもしれません。

●Microsoftのサポートコミュニティページ「Microsoft コミュニティ」

【URL】https://answers.microsoft.com/ja-jp/

↓

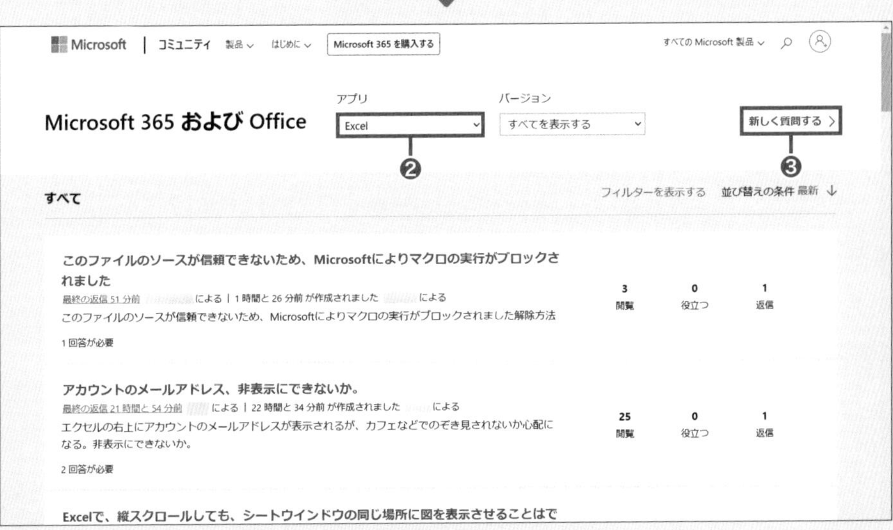

おわりに

最後までお読みいただきありがとうございます。本書で紹介したテクニックが、皆様のお役に立つことができれば幸いです。

「調べ上手」になろう

本書の効能は、解説を参考に問題を解決することに加えてもう1つあります。それは、自分で対処方法を見つけるのが上手くなることです。むしろ後者がメインだと筆者は考えています。

例えば、セルの参照位置が思うように指定できない場合、絶対参照と相対参照について知らなければ「なぜか位置がずれてしまう」と疑問に思うだけになってしまいます。しかし、セルの参照方法について頭の片隅にあれば、「相対参照になっているから絶対参照に変えよう、参照を切り替える方法は……」と、問題に当たりを付けて解決方法を絞り込むことができます。自分で調べるにせよ人に聞くにせよ、どこを触れば解決しそうかが見えると、大幅に答えが見つかりやすくなります。

「はじめに」でもお伝えしましたが、本書に登場するテクニックを暗記する必要はありません。「そういえばあんなことが書いてあったな」程度でも、後から調べる際の足掛かりになるものです。

自分好みにカスタマイズ&アウトプットしよう

本書の解説内容と、皆様のやりたいことが完全に一致していることは少ないと思います。セルの指定範囲を変更したり、複数の項目を組み合わせたりなど、それぞれの目的に応じて柔軟に使いこなしていく必要があります。

学んだことは実際に使ってみて、余力があれば他の人に教えるなど、アウトプットしてみるのも良いでしょう。人の役に立てることに加えて、自分の中でも知識が整理されて定着します。

もし皆様が「週ごとに売上表を印刷する」「毎月、支店ごとの売上をグラフ化する」など、定期的に同じような処理を行うのであれば、作業手順書を作成するのもおすすめです。

あえて使わなさそうな項目を読んでみる

本書は効率化のための本ですが、最後に「無駄」や「遠回り」をおすすめします。

数分程度のちょっとした空き時間に、あえて「自分には関係がなさそう」なページを開いてみてください。

「わざわざ使わない項目を読むなんて意味がない」と思う方もいるかもしれません。しかし、「無駄」と見なしていたものが、意外なタイミングで役立つことも多々あるものです。皆様にも、趣味がきっかけで話がはずみ取引先とのやりとりがスムーズになった、何もないだろうけれども念のために……と確認した際に修正点が見つかり事なきを得た、といった経験があるかもしれません。一見仕事に関係がなさそうなこと、省略しても問題がなさそうなことが、ときに重要なキーになりうるのです。

パラパラと流し読み程度で構いませんので、普段あまり使わない項目も開いてみると、新たな発見があるかもしれません。せっかく手に取っていただいた本書を、全力で使い倒してもらうことができれば嬉しいです。

索引

記号・英字

あ行

か行

さ行

た行

な行

は行

ま行

や・ら行

本書の注意事項

- 本書に掲載されている情報は、2023 年 3 月現在のものです。本書の発行後に Excel の機能や操作方法、画面が変更された場合は、本書の手順どおりに操作できなくなる可能性があります。
- 本書に掲載されている画面や手順は一例であり、すべての環境で同様に動作することを保証するものではありません。利用環境によって、紙面とは異なる画面、異なる手順となる場合があります。
- 読者固有の環境についてのお問い合わせ、本書の発行後に変更された項目についてのお問い合わせにはお答えできない場合があります。あらかじめご了承ください。
- 本書に掲載されている手順以外についてのご質問は受け付けておりません。
- 本書の内容に関するお問い合わせに際して、お電話によるお問い合わせはご遠慮ください。

著者紹介

川西 晴（かわにし はる）

「前向きな怠惰」を座右の銘とし、楽をするための努力を惜しまない。当初は Excel に苦手意識を持っていたが、独学で学ぶうちにその奥深さにはまり、最近は「エクセルオタク」と呼ばれるまでに。趣味は Excel の学習とフルマラソン。

・本書へのご意見・ご感想をお寄せください。

URL：https://isbn2.sbcr.jp/19039/

Excel（エクセル）を思（おも）い通（どお）りに使（つか）う本（ほん）

2023 年　3 月 31 日　初版第 1 刷発行

著者……………………川西 晴
発行者…………………小川 淳
発行所…………………SB クリエイティブ株式会社
〒106-0032 東京都港区六本木 2-4-5
https://www.sbcr.jp/
印刷・製本……………株式会社シナノ
カバーデザイン………上坊 菜々子

落丁本、乱丁本は小社営業部（03-5549-1201）にてお取り替えいたします。

Printed in Japan ISBN 978-4-8156-1903-9